JEAN DI

Tome II

Paul Féval

LE PROCÈS CRIMINEL

I

Juge Bamboche

Il était assis sur son siége, le juge bamboche (*puppet-Justice*), l'homme le plus gai de Londres ; son siège était une barrique, dont le ventre largement ouvert et chantourné formait un fauteuil commode en même temps que majestueux. Devant lui était sa table : une vieille planche sur deux tréteaux, supportant un effrayant verre de gin. Pour simarre, il avait la jaquette goudronnée des porteurs de charbon ; pour perruque, il portait un paquet d'étoupes qui avait dû servir longtemps de faubert et laver le pont de bien des alléges. Auprès de lui reposaient sa pipe et sa poche à tabac, ainsi que son chapeau muni d'un appendice long et large comme cette queue du castor architecte qui attendrit tous les naturalistes. Cette queue ici n'est pas une truelle, c'est le bouclier qui protège la rude peau d'Hercule charbonnier contre les caresses de son panier trop lourd.

À sa droite, son greffier s'asseyait ; à sa gauche, dans une autre barrique, siégeait l'attorney du roi. Les avocats étaient à leurs bancs, l'accusé sur sa sellette, l'auditoire les pieds dans la boue.

Et tous, juge, attorney, greffier, avocats, jouaient leurs rôles divers avec un imperturbable sérieux. C'était le *fun tribunal* de Lowlane, le tribunal bamboche, une des plus chères amusettes du petit peuple anglais, qui se délecte éternellement à railler la drôlatique législation qu'éternellement aussi ses hommes d'État proclament la première législation du monde.

Le juge bamboche et l'attorney bamboche, le greffier, les jurés, les témoins, les avocats, tout le *fun tribunal*, autrement nommé *Irish court*, car Londres implacable ne perd aucune occasion de jeter à l'Irlande la moquerie ou l'injure, avaient pour salle d'audience le bas-bout du cabaret du Sharper's, c'est-à-dire l'amphithéâtre même où Thomas Paddock, en son vivant Jean Diable, avait abreuvé aux eaux de sa science toute une jeune génération de filous. Jenny

Paddock, la veuve de Thomas, était une femme industrieuse, qui faisait des affaires considérables et se donnait beaucoup de mal dans le but d'épouser le petit juif qui vendait du tabac de contrebande sous son comptoir, dès que ce jeune commerçant aurait l'âge. Elle n'avait qu'une vingtaine d'années de plus que lui, et ces sortes d'unions sont fort communes de l'autre côté de la Manche, même dans le *gentil peuple*, comme s'intitule modestement la haute bourgeoisie. L'ambition de Jenny Paddock était précisément de faire un jour partie du gentil peuple. Pour en arriver là, elle accomplissait loyalement ses divers devoirs de voleuse, de recéleuse, de fraudeuse et d'empoisonneuse. Elle était en vérité la mère de cette famille de coquins qui encombrait son taudis. Les mères, en effet, aiment à tenir en lieu sûr les petites économies de la couvée Jenny Paddock ne laissait jamais un farthing dans la poche de ses poussins ; tout le fruit de leurs pillages passait dans son escarcelle ; elle avait déjà quelque part un millier de livres de revenu qui représentaient la dîme prélevée sur un million de forfaits. Il n'était pas dans Londres entier un pique-poche qu'elle n'eût entamé, un crocheteur de serrures qu'elle n'eût écorché, un assassin qu'elle n'eût dépouillé. Titus, délices du genre humain, et son père Vespasien, patron d'une industrie plus utile qu'agréable, disaient : L'argent n'a pas d'odeur ; en nos âges où la considération est fille de l'argent, le respect public enchérit de beaucoup sur l'opinion de Vespasien et de Titus : l'argent a de l'odeur à la façon des roses dont la tige sort du fumier, l'argent sent bon, l'argent porte en soi le plus noble et le plus enivrant de tous les parfums. Jenny Paddock n'avait pas tort, et son entreprise était loin d'être folle. Du fond de son enfer elle appartenait déjà au gentil peuple, puisqu'elle avait de l'argent.

Elle avait du bonheur aussi, à part même la perte qu'elle avait faite de Thomas Paddock qui la rouait de coups. Le tribunal bamboche, ou la cour irlandaise, ayant eu maille à partir avec son ancien impresario, le maître du Saint-Antoine, derrière Lincoln-Inn-Fields, s'était réfugié chez elle, lui amenant sa clientelle nombreuse et bien choisie, et du même coup le marché aux témoins, qui suit partout le *fun tribunal*. Covent-Garden et Drury-Lane, les théâtres de Shakspeare abandonné, auraient bien voulu avoir tous les gentlemens qu'on refusait à la porte du Sharper's.

Il était neuf heures du soir environ, et la salle, pleine d'asphyxiantes chaleurs, grognait de joie en suivant l'éternel procès de Jack Simple, qui a volé les dindons de sa tante. Ce procès légendaire est célèbre chez nos voisins, comme chez nous sont populaires les aventures du petit Poucet ou les malheurs de Geneviève de Brabant. Jack Simple est le filleul du squire et le neveu de la vieille Maud, qui parle en versets de la Bible. Il aime Suzy la bergère, et Suzy, comme de juste, court après un mauvais sujet. Jack va trouver Peg la sorcière et lui demande un philtre pour forcer l'inclination de Suzy. Peg lui dit : Pour composer le philtre, il faut un dindon gras ; et Jack Simple s'introduit nuitamment chez sa tante Maud pour lui voler le roi de sa basse-cour. Peg dévore le dindon et fournit le philtre ; Jack Simple, l'ayant avalé, veut embrasser Suzy ; il reçoit un coup de poing sur l'œil : cela l'étonne et l'afflige ; il va se plaindre à Peg, qui a digéré le dindon et qui lui demande sévèrement s'il a bu le philtre à jeun. Sur sa réponse négative, Peg lui fait un bout de morale sur le péché de gourmandise ; son sermon se termine par l'ordre exprès d'apporter un autre dindon. Jack Simple escalade de nouveau l'enclos de la tante Maud. Un second dindon est dévoré par Peg, qui fournit un second philtre, et Jack Simple, plein de confiance, et ayant eu soin cette fois de le boire avant déjeuner, court présenter sa joue à Suzy, qui lui fait un noir sur l'autre œil. Une colère légitime le transporte, il coupe un brin de bois vert et prodigue à Peg une juste volée. En elle-même, Peg jure de se venger. L'occasion ne tarde pas à s'offrir ; la tante Maud arrive chez la sorcière pour savoir d'elle le nom du misérable qui a volé les deux plus beaux dindons de sa basse-cour. Peg fait bouillir son crâne de vache dans la marmite magique. « Voisine, dit-elle, cette nuit, à la douzième heure, le larron escaladera le mur de votre basse-cour. »

La vieille Maud, ayant récité en guise de paiement quelques versets appropriés à la circonstance, rentre chez elle et convoque ses voisins. On prépare une forte corde avec un nœud coulant. Pendant cela, Peg, la perfide créature, va trouver Jack Simple et lui dit : « J'ai fait bouillir pour toi mon crâne de vache ; Suzy te suivra partout comme un chien si tu parviens à tordre le cou d'un troisième dindon à l'heure de minuit. »

Hélas ! vous devinez le reste ; mais ce qu'il vous est impossible de mesurer, ce sont les joies de la tourbe choisie qui encombre le Saint-Antoine ou le Sharper's à la représentation de ces naïves moralités. Quand la vieille Maud reconnaît son neveu dans le larron à demi étranglé, c'est un orage d'allégresse et les murs tremblent.

Or, Jack Simple est amené, la corde au cou, devant le squire, qui prétend n'être que son parrain. Jack Simple est pour le squire un impôt vivant ; il reçoit du squire cinq schellings au Christmas et cinq schellings à la Saint-Jean, sa fête ; cela fait une demi-guinée. Le squire, enchanté d'éteindre cette rente, renvoie Jack Simple devant les assises du comté. Ici commence la procédure macaronique, qui est vieille comme la lourde gaieté de l'Angleterre elle-même, mais à laquelle chaque metteur en scène ajoute de nouveaux détails.

C'est d'abord l'interrogatoire par le coroner en bras de chemise, qui fait sa barbe et chante une chanson d'Écosse pendant que l'infortuné Jack répond à ses questions. C'est ensuite l'entrée en prison, l'inventaire des poches, et le partage des pauvres dépouilles entre les porte-clés ; c'est enfin quelque Proserpine de ce noir Tartare qui vient jouer auprès de Jack Simple épouvanté le terrible rôle de Madame Putiphar.

Mais la cour de circuit arrive à grand fracas, cette justice ambulante qui fait le tour de l'Angleterre avec son armée et les goujats de son armée, avec ses officiers ministériels, ses procureurs de la couronne, ses greffiers, ses employés et jusqu'à ses avocats : véritable *compagnie*, comme eût dit Scarron en son *Roman comique*, troupe complète où le Destin, avocat, défend noblement la veuve et l'orphelin, soutenue par La Rancune, avoué. Cela vous met une ville en révolution ; l'émoi saisit tout Ragotin et toute Madame Bouvillon. Il y a même des gens passionnés pour la justice qui suivent le *circuit-court* à la traîne, de ville en ville, comme les gamins chez nous accompagnent, de la place d'armes à la caserne, les tambours battant la retraite.

Le jury est constitué : une douzaine de braves gens qui parlent cotons filés, poisson salé et fer fondu. Le chef-justice prend place sur son siège auguste, le sollicitor du roi se couvre, les avocats ajustent leurs perruques et l'auditoire admire la belle tenue des huissiers qui laissent tomber périodiquement, même quand personne ne parle, leur fameux mot silence, ainsi prononcé :

– Saïlennn'ce.

L'acte d'accusation où ce malheureux Jack Simple est chargé de tous les vices et de tous les crimes, se lit à haute voix, puis le chef-juge ordonne l'introduction des témoins. Entre Paddy, dont l'orteil passe au travers de sa chaussure, et dont les grands cheveux rouges, hérissés, supportent un tout petit chapeau sans fond et sans bords, au cordon duquel une pipe courte et noire est passée. Paddy marche vite et d'un air troublé ; il jette à l'auditoire des regards sauvages. C'est un Irlandais, il a un succès de haine.

– Je jure que j'ai tout vu. Votre Honneur ! Je jure qu'il a pris la bête ! Je jure que c'est un coquin ! Je jure que c'est un païen ! Il avait une veste grise trouée au coude, je le jure ! Et la pauvre bête a crié si fort que j'ai eu froid sous les aisselles ! Je jure que je suis d'Ardagh où il n'y a point de menteurs ! Je jure…

Voilà Murphy, encore un Irlandais ! Il a tout vu, il jure aussi de la main droite, de la main gauche, des deux pieds s'il le faut. Oh ! le scélérat maudit ! Il avait une veste de toile blanche, et il a emporté la bête vivante sous son bras. La bête gloussait tout doucement, malheureuse créature…

À Murdock, maintenant, toujours un Irlandais :

– Mentir est un péché, vos honneurs ! que Dieu bénisse vos petits enfants ! Le misérable coquin avait une veste noire, aussi vrai qu'il faut percer la langue de tous les imposteurs avec un fer rouge ! Je jure bien sur mon salut et sur celui de ma femme que le criminel n'était pas à son coup d'essai, car il a su étouffer le malheureux animal sans le faire crier… Que j'aille en enfer, mes vrais amis, si je n'ai pas dit la vérité ! Et d'autres Irlandais à la file : des monceaux de haillons et de parjure ! Pas une déposition qui ressemble à une autre déposition, mais toutes les dépositions vraies et affirmées sous les plus terribles serments.

Le juge bamboche dit :

– Voilà de jolis garçons : un coup à la santé de l'Irlande ! Il avale une effroyable rasade, et tout le monde l'imite. L'huissier lui crie, en essuyant ses lèvres humides de gin avec l'étoupe de sa perruque :

– *Saïlennn'ce, gentlemen !*

L'attorney de la couronne se lève comme un ressort.

– Milord et messieurs ! s'écrie-t-il de ce ton furibond que le doux Cicéron dut prendre pour prononcer le *quousque tandem ;* – depuis assez longtemps une plaie gangreneuse et contagieuse décime les populations de cette contrée qui, j'ose le proclamer ici, est la première du monde entier, tant sous le rapport des institutions morales qu'au point de vue du système politique ; depuis trop longtemps un mal funeste et dont l'origine, à ce qu'il semble, doit rester éternellement un mystère, ronge le cœur même des libres habitants de nos campagnes. Si l'on interroge la statistique, science éminemment anglaise et que plusieurs bons esprits regardent comme devant remplacer toutes les autres dans un temps donné, on découvre avec une épouvante à laquelle se mêle quelque horreur que dans le seul comté de Middlesex, centre du royaume uni, et par conséquent pivot de l'univers, 772 cas de cette affection morbide se sont déclarés depuis quarante-trois ans seulement. Loin de diminuer, la proportion augmente, le chiffre des dernières années dépasse de 29 p. 100 celui des premières, et nul ne saurait dire, à moins d'être prophète, où s'arrêtera cette effrayante progression.

Milord et messieurs, le premier devoir d'un orateur devant un auditoire illustre comme celui qui m'entoure est de ménager ses paroles. Je n'ai pas d'énigme à vous proposer. Je désignerai loyalement les choses par leur nom, et je dirai sans ambages ni frivoles circonlocutions que le mal dont je parle, mal profond, mal qui tend à devenir endémique sur toute l'étendue des trois royaumes, est le vol nocturne des dindons…

Cette chute est toujours la même depuis que le *fun-tribunal* existe. Voilà près d'un siècle qu'elle soulève chaque soir la même tempête d'applaudissements. Sur le continent, nous n'avons point de succès si durables.

Quand l'huissier a nasillé son *saïlenn'ce !* et que l'orage est un peu calmé, les amis de l'attorney viennent lui serrer la main avec émotion. Les jurés lui font de loin des mamours et le juge lui envoie un baiser. Il reprend son réquisitoire, où il demande justice prompte, sévère et impitoyable. Il faut couper le mal dans sa racine. Les Institutes de Gaïus n'y vont pas par quatre chemins, et les Pandectes de l'empereur Justinien sont formelles dans l'espèce. Le chancelier Stair opine pour la mort ; Blakstone, la lampe immortelle de la jurisprudence anglaise, n'a pas d'autre avis dans ses prodigieux *Commentaires* ; Christian dans ses *Notices*, Glamorgan dans son *Syntagma* demandent à grands cris le dernier supplice. Toutes ces nobles intelligences comprenaient qu'une médication vigoureuse peut seule arrêter le progrès de ce déplorable cancer des sociétés modernes. Il est temps, ajoute l'attorney d'une voix que l'émotion rend chevrotante et voilée ; il est grand temps ! Les dindons, vous le savez, milord et messieurs, sont d'origine étrangère et naturalisés chez nous. Au droit étroit se joint le bénéfice supérieur de la loi d'hospitalité. Ce sont eux qui vous parlent ici par la voix de l'avocat de la couronne, et qui réclament bien plus encore qu'ils ne sollicitent votre protection. Ils vous demandent, et je termine moi-même par cette question : Voulez-vous, oui ou non, que la famille des poulets d'Inde continue d'exister dans vos basses-cours ? ou prétendez-vous la rayer de l'échelle des êtres et la reléguer parmi ces races disparues dont la science seule connaît aujourd'hui les noms ? Pour les condamner, de quel crime les accusez-vous ? ont-ils tué ou même volé seulement ? Et à défaut de la mémoire du cœur, n'avez-vous pas celle de l'estomac ? Encore dix ans, la statistique le proclame, le dernier dindon aura péri victime de cette guerre sourde et sauvage. Vous avez, pour réduire la question à cette évidence limpide qui ne laisse pas de prétexte au doute, vous avez à choisir entre les dindons et les voleurs, entre le mal et le bien, entre le crime et l'innocence… Dieu me préserve, milord et messieurs, d'ajouter une parole ! Le sort de toute une race est entre vos mains : je vous laisse en tête-à-tête avec votre conscience, et que l'accusé soit pendu !

Rasade générale, tandis que les amis du ministère public l'embrassent avec effusion.

Mais l'avocat Bamboche a rangé devant lui une multitude de papiers crasseux, et empilé à sa droite un monceau de bouquins en lambeaux. Il dépose sa pipe, il tourmente sa perruque, il arrange sur son gilet souillé, le lambeau de serviette qui lui sert de rabat ; tout en lui annonce ce travail mental précurseur d'un foudroyant exorde.

Tout à coup il saisit d'une main noire un bouquin plus gros et plus sordide que les autres.

– *Saïlenn'ce !* chante lentement l'huissier.

– Et nous aussi, s'écrie l'avocat qui brandit son bouquin avec transport ; et nous aussi, nous te possédons, divin Blackstone ! Le soleil luit pour tout le monde ! Indignes que nous sommes, ta lumière nous éclaire ! Blackstone ! Guillaume Blackstone, épée et flambeau de la Thémis anglaise, nous te possédons, non pas seulement dans notre bibliothèque, mais encore dans notre mémoire et dans notre cœur ; nous possédons ton œuvre incomparable, nous la possédons vierge et débarrassée des notes impures de ce Christian que n'a pas craint de citer notre adversaire !… Milord et messieurs, je vous le demande : la bougie la plus brillante est-elle à l'abri de l'éteignoir ? et de quel usage peut être une bougie éteinte dans l'obscurité ? L'honorable magistrat qui nous attaque a pris un éteignoir nommé Christian ; il l'a posé sur Guillaume Blackstone, le flambeau, et il s'écrie : Voyez-vous clair ?

Non, nous ne voyons pas clair, parce que le propre de l'éteignoir, selon Gottlieb Heineccius, jurisconsulte allemand dont personne ici ne contestera le savoir (autant vaudrait nier le jour même), le propre de l'éteignoir, dis-je, est de supprimer momentanément la lumière. Je demande à l'éloquent avocat du roi s'il nie le fait ?…

L'attorney hausse les épaules avec dédain.

– Il ne nie pas le fait ! reprend le défenseur triomphant. Et je prie tous ceux qui m'écoutent de remarquer une chose : j'ai prononcé le mot momentanément ; pourquoi ? parce que pour faire briller de nouveau une bougie éteinte, il suffit de la rallumer. C'est élémentaire, mais c'est capital ! Je me fais fort d'enlever l'éteignoir ; je rendrai à notre Blackstone le lustre dont on le dépouille à plaisir, et il suffira d'un seul de ses rayons pour dissiper les ténèbres factices, si j'ose m'exprimer ainsi, au sein desquelles on vient de nous plonger !

Jack Simple, l'accusé bamboche, était ici représenté par un gros nigaud qui, depuis l'ouverture de l'audience, mangeait du pudding aux groseilles en buvant du porter noir. L'avocat, se tournant vers lui au moment où il venait d'engloutir une bouchée magistrale qui lui gonflait les deux joues :

– Pensez-vous, milord et messieurs, reprit-il, que dans un pays libre il soit permis d'arracher à sa famille un malheureux enfant sous un prétexte que je qualifierais de futile, s'il n'était à la fois choquant et odieux ? Pensez-vous qu'il soit licite de changer en deuil la paix d'un citoyen, de lui enlever le sommeil de ses nuits et l'appétit de ses jours, de remplacer son embonpoint par la maigreur, et par la pâleur le gai coloris des joues de la jeunesse ? Tournez, s'il vous plait, vous juges, vous jurés, vous auditoire, un regard vers cette déplorable victime d'une législation imprudente, et dites-moi combien il faudrait de dindons pour payer une semblable torture !…

Notre Jack Simple, ayant achevé son pudding, mordit une corde de tabac, et croisa les bras avec quiétude sous les regards de l'assistance.

– Jeunesse ! clama l'avocat impétueusement, don des dieux immortels, fleur de la vie, trésor de la nature ! amour, but providentiel de l'existence, loi splendide supérieure à toutes les lois portées dans le parlement, supérieure et antérieure, puisque Philémon aima Baucis, et réciproquement, bien avant l'instauration du régime parlementaire ! Sourires, baisers, danses sur l'herbe, au son du violon champêtre ! doux accomplissement du précepte : croissez et multipliez, pépinière de l'humanité, préservation du monde, élixir de vie qui sans cesse remet du sang nouveau dans les veines épuisées de l'univers ! Trois dindons ! que dis-je, deux dindons seulement, car le troisième orne encore la basse-cour de notre tante, deux dindons ont été sacrifiés sur l'autel de l'amour. Voilà le crime ! Que l'attorney du roi vienne faire ici serment qu'aucun dindon n'a jamais été immolé à sa gourmandise ?

Voulez-vous savoir un fait déplorable ? C'est la superstition qui domine encore nos campagnes. On vient nous parler ici tout uniment d'une sorcière. Je m'adresse aux gentlemen jurés : Pourquoi y a-t-il encore des sorcières ? Que fait le gouvernement pour l'extirpation de la sorcellerie ? La sorcière a mangé les dindons ; c'est la fable de Bertrand et Raton ; mon client a retiré les dindons, non pas du feu, mais de la basse-cour, et la sorcière seule, en a profité. Pendez la sorcière ! pendez toutes les sorcières ! Faites un peu, un tout petit peu votre devoir de moralisateurs, et il sera temps alors de vanter en termes pompeux l'excellence de vos institutions morales. Moi, je prétends que c'est vous, gouvernement, qui avez volé les dindons, et que mon client Jack Simple est un martyr !

En fait, milord et messieurs, nous plaidons non coupable. Rien ne prouve que deux dindons manquent à la tante Maud, qui a pris la peine de fonder une secte où il est défendu de prêter serment. La tante Maud est seule de sa secte, comme c'est l'habitude dans notre joyeux pays où il y a autant de sectes que d'exemplaires de la Bible. Les voisins ont vu Jack Simple venir chez sa tante en passant par-dessus le mur. À l'âge de mon client, on traverse les rivières à la nage, plutôt que de chercher le pont. Je ne vois qu'une circonstance coupable, c'est le nœud coulant qu'on lui a mis autour du cou, et je fais mes réserve pour les dommages-intérêts. En dehors de cela, nous avons dix témoins qui disent le blanc et le noir, le pour et le contre, le chaud et le froid : ce sont des Irlandais. Un balai !

Sommes-nous arrivés à ce point de risquer la corde chaque fois que nous rendons nos devoirs à des parents qui ont une basse-cour ? Périssent les dindons plutôt que tant de principes attaqués dans cette perverse procédure ! Je les aime, cependant, milord et messieurs, les dindons, mais j'abaisse mon appétit devant mon caractère.

En droit, la législation de Lycurgue à Sparte et celle des décemvirs à Rome, la loi hébraïque et ce que nous savons de la jurisprudence brahmane, s'accordent parfaitement avec le corps du droit romain, les codes des peuples du nord, etc.

Silberradt en Allemagne, Loe en Angleterre ; en France, Ferrière et Pothier, s'accordent et offrent l'exemple d'un admirable ensemble. Le texte : *Si quis gallinam…* ne peut s'appliquer aux dindons. Il y a dans ces deux noms déterminatifs une racine visible :

Dindon parle de l'Inde comme Gallina parle des Gaules. Les dindons n'étaient pas sujets de l'empereur Justinien.

Ici l'avocat fit une pause au milieu des murmures les plus flatteurs. On but à la ronde, et Jenny Paddock renouvela sur chaque table la provision de gin. Puis, le défenseur faisant un tas de ses notes éparpillées et posant bruyamment sur le tout le volume maculé des divins commentaires de Blackstone, retroussa ses manches en homme qui va donner un fort coup de collier.

– Messieurs les jurés, reprit-il d'une voix creuse et changée, j'ai dit. Vous êtes des hommes libres ; ne soyez point arrêtés par la vaine crainte de déplaire à la cour. La cour n'est pas plus que vous. Votre verdict va être entre vous et Dieu. D'un côté, il s'agit de deux oiseaux domestiques que nulle puissance humaine ne peut ressusciter, de l'autre se présente une jeune âme chrétienne, un homme, le chef-d'œuvre de la création. Là-bas, sur les bords fleuris de la petite rivière, au bout de la prairie large et teinte d'un vert profond, s'élève un modeste cottage. Les grands bœufs qui ruminent dans la prairie n'appartiennent pas à la malheureuse femme en deuil accoudée à la fenêtre, la tête inclinée et les yeux humides. Elle est pauvre, celle-là, elle n'a qu'un bien ici-bas, c'est son fils. Elle attend ; qui attend-elle ? son époux, non. Sa robe est noire, et le vent agite sur son front le voile des veuves. Son mari ne reviendra jamais. Elle attend son fils, son unique trésor ; son fils qui la soutient, son fils qui la console, son fils qui fait renaître parfois un sourire sous ses larmes… C'est la mère de Jack Simple… Vous avez entre vos mains sa vie ou sa mort. Que Dieu éclaire votre raison et souffle en vous sa miséricorde !

Il se laissa tomber, suffoqué par son émotion. Ses amis se pressèrent incontinent autour de lui et lui entonnèrent un verre à bière plein de gin, après quoi ils le portèrent en triomphe.

– Accusé ! cria le juge bamboche, avez-vous quelque chose à dire au tribunal ?

Jack Simple se leva lentement et vint à la barre, après avoir étiré ses membres comme un chien paresseux qu'on a brusquement éveillé. Il regarda d'un œil terne le tribunal d'abord, puis les jurés, puis l'auditoire. On applaudit tant c'était un superbe idiot !

– J'ai à dire, répondit-il d'un accent traînant, que, si j'en réchappe, j'arrangerai Peg et la tante Maud !

– Malheureux ! s'écria l'avocat.

– Toi, répliqua Jack Simple, tu n'es qu'un fainéant ! Ma mère n'a pas de cottage. Elle est à la prison de Bridewell !

– Malheureux !... répéta le défenseur en arrachant l'étoffe de sa perruque.

– Et pour ce qui est des dindons, continua paisiblement Jack Simple, c'est les deux premiers que j'ai pris ; avant cela, je ne voulais que des poules... Et ils en ont menti, s'interrompit-il avec colère, ceux qui disent que j'ai fait crier les dindons ! pas si bête ! Si vous voulez, je vas vous expliquer comment on emporte ces animaux-là sans les faire crier...

L'avocat n'avait plus un brin de filasse à sa perruque.

C'est l'heure des trépignements et des transports d'allégresse. L'explication de Jack Simple, démolissant l'œuvre de son défenseur, est le cinquième acte de la pièce, qui se termine, bien entendu, par une belle et bonne pendaison. Il faut toujours un fond lugubre aux gaietés de John Bull. Mais, aujourd'hui, le drame ne devait pas avoir son dénoûment tragi-comique. L'explication de Jack Simple fut interrompue par un grand bruit qui se fit du côté de la porte, ouverte et refermée avec fracas. Les spectateurs de bonne foi eurent beau crier : Écoutez ! écoutez ! les hurlements et les bravos qui s'élevaient à l'autre extrémité du cabaret couvrirent la voix de l'acteur principal qui finit par se retourner, abandonnant son rôle. Le public, que rien ne retenait plus, s'élança en tumulte vers le comptoir qui restait voilé derrière un épais nuage de fumée.

Au delà de ce nuage, le tumulte augmentait, dominé par cent voix joyeuses qui criaient en chœur :

– Ned Knob ! le petit Ned et sa jolie Molly qui sont venus au Sharper's en équipage !

Certes, c'était chose rare. Il y avait, en effet, une voiture de louage qui stationnait à la porte du Sharper's, devant les baraques démolies, servant de dortoir aux bohèmes de la misère londonienne.

Et c'était bien Ned, avec sa maigre figure ridée et ses yeux malades, habillé de neuf de la tête aux pieds, chapeau lustré, bottes reluisantes comme deux miroirs, gants blancs, canne de jonc à penne d'argent doré, Ned, tout petit et pendu au bras de la jolie Molly, barbue et roulant ses yeux ternis par la somnolence de l'ivresse, mais fière sous sa robe de soie rouge à falbalas, portant haut son chapeau de paille surmonté d'un paquet de plumes déjà fanées, et brandissant un superbe parapluie qui semblait pour elle la partie la plus flatteuse de sa toilette.

Ned s'arrêta à quelques pas de la porte et prit une pose pour se laisser admirer. L'orgueil est la folie des grands nègres et des petits hommes : Quand il eut bien joui de la surprise et de l'émerveillement général, au lieu de répondre aux questions qui se croisaient autour de lui de toutes parts, il fouilla dans sa poche qui sonna l'or, et jeta sur le comptoir un double louis de France en disant :

– Un punch pour tout le monde !

Hommes et femmes poussèrent un long hurrah.

– À distance ! cria Ned, tandis que Molly faisait le moulinet avec son beau parapluie. Ne touchez ni à mon drap ni à la soie de milady, s'il vous plaît. Tout cela coûte de l'argent honnêtement gagné. Vous êtes contents de me revoir, c'est tout naturel ; je comprends votre attachement, mais entre nous la familiarité ne serait pas convenable. Nous n'appartenons pas à la même classe sociale.

Il y a malheureusement nombre de coquins en France, et par conséquent, sauf certaines différences de mœurs et de physionomie, il peut se trouver à Paris ou ailleurs quelque bouge comparable au Shasper's de Low-Lane. Figurez-vous cependant les rires et les huées qui accueilleraient chez nous un discours comme celui de Ned Knob. À Londres, il n'en est pas ainsi. La manie des castes, des distinctions, des catégories est là si profondément invétérée qu'elle pénètre jusque dans les bas-fonds, où la honte, à tout le moins, devrait établir un niveau. Parmi les coquins, comme chez les honnêtes gens, toute prétention insolente a chance de se faire accepter, pourvu qu'elle parle avec accompagnement de monnaie au gousset. La boue de la Cité a, comme le radieux West-End, sa noblesse, son gentry, son public. On se cacha pour rire du petit Ned Knob et de la puissante Molly, qui avaient du drap fin et de la soie sur le dos ; on fit cercle autour d'eux, à distance, comme cela était ordonné, et le juge bamboche, exprimant l'opinion générale, dit :

– Nous savons bien que vous êtes au-dessus de nous maître Knob.

Jenny Paddock ajouta, non sans une légère pointe de moquerie :

– Entrez au parloir, gentleman, avec votre lady ; mettez la balustrade entre vous et les gens du commun.

Le petit clerc se tourna vers sa compagne et s'écria, dans la naïveté de sa gloriole :

– Voyez comme on me traites Molly, je vous prie, ma chère enfant ! N'est-il pas flatteur pour une femme d'avoir un cavalier tel que moi ?

– Donnez un coup à boire, Ned, répliqua Molly. Je consens à être damnée si vous n'êtes pas un gentilhomme comme il faut !

Ned ouvrit la claie branlante qui servait de porte au parloir, et poussa Molly devant lui avec une gravité protectrice.

Il s'assit à une table.

– Holà Bab ! cria-t-il en appelant du geste une des misérables créatures qui servaient d'aide de camp à la veuve de Jean Diable ; venez essuyer cette planche avec votre tablier, ma fille, pour que j'y puisse mettre mes coudes et causer familièrement avec tous ces vieux compagnons... Vous souvenez-vous, Bab ? Je vous ai fait la cour autrefois, et vous avez fait la renchérie ; voyez ce que vous avez perdu, ma fille ; c'est vous qui auriez porté aujourd'hui la robe de Molly sur le corps !

Molly saisit Bab par l'épaule et la secoua rudement.

– Un coup à boire ? ordonna-t-elle, ou je te casse en deux, effrontée !

– Voyez ! murmura Ned enchanté. Ma jolie Molly est jalouse de son homme !

Jenny Paddock était à peu près de la taille de Molly, mais elle avait moins de barbe. Par le fait, toutes les malheureuses qui étaient là pouvaient bien envier la haute fortune de Molly, mais la jalousie elle-même était forcée d'avouer que Molly méritait son bonheur. Dans Londres entier, Ned Knob n'aurait pas trouvé à la remplacer. Elle prit des mains de Bab la bouteille de brandy que celle-ci apportait et fourra le goulot dans sa bouche. Au carnaval, nous voyons plus d'un Auvergnat déguisé en comtesse, mais pour le ton mâle de la chair, pour l'odeur d'ail et pour la dureté du poil, la jolie Molly aurait rendu des points haut la main. Ned Knob contempla pendant qu'elle s'abreuvait, son cou musculeux et tanné, sortant d'un foulard bleu de ciel noué sur sa robe rouge, sa face bronzée touchant sur les rubans roses de son chapeau, ses gros yeux de poisson tranchant à la bouteille. Dieu pouvait damner ce petit Ned Knob : il avait son paradis sur la terre.

– Comme cela, maître Ned, dit la veuve Paddock qui apportait elle-même les verres sur un plateau, ma foi ! comme cela, vous avez mis dans le blanc !

Ned lui caressa le menton paternellement.

– Votre sexe est créé pour le plaisir et non pour les affaires, ma jolie Jenny, répondit le petit clerc. L'homme est changeant. Si jamais je répudie Molly, ma femme, je penserai à vous... Allons ! les enfants, y sommes-nous ?

Les filles et les garçons du comptoir avaient servi le punch qui brûlait de toutes parts dans des terrines, jetant des reflets livides à toutes ces figures de bandits. Les acteurs de la comédie judiciaire étaient au premier rang autour d'un chaudron plein d'esprit flambant ; avec des femmes et des enfants qui étaient à eux ou à d'autres. Tous emplirent leurs verres ; la double santé du gentleman Ned et de sa lady fut portée au milieu de clameurs enthousiastes. Puis le gentleman Ned prit un air grave et dit en déposant son verre :

– Mes enfants ! vous devinez bien que, dans la position avantageuse où je me trouve, je ne suis point venu ici pour boire

16/392

votre méchant punch et éternuer la fumée de votre mauvais tabac. Je suis membre d'un club, et je fréquente les cigar-divans d'Oxford street… pas davantage !… mais j'ai une trentaine de livres à partager entre quelques bons garçons, et j'ai pensé à vous, mes camarades… Un hurrah pour moi et la jolie Molly !

On lui donna trois hurrahs au lieu d'un, et il reprit en s'adressant au juge bamboche :

– Saunie, vieille main, approche ici, je te permets d'entrer dans le parloir.

Saunie, très-sérieusement honoré de ce choix, jeta sa perruque d'étoupe, mit sa pipe dans sa poche et enjamba la clôture. Le gentleman Ned quitta sa table et l'emmena tout au bout de l'enceinte en disant avec emphase :

– Ma femme elle-même ne connaît pas mes secrets !

Ceci importait peu à la jolie Molly, qui rejeta son chapeau à plumes derrière son dos pour se donner de l'air, découvrant ainsi sa titus, hérissée comme une brosse à chasser les araignées. Elle saisit à deux mains sa bouteille aux trois quarts vide, mit son parapluie entre ses jambes, et se prit à chanter d'une voix de matelot je ne sais quelle lugubre chose.

Le gentleman Ned, les mains dans ses poches, et se haussant sur ses pointes pour lever la tête à la hauteur du menton de Saunie, demanda tout bas :

– Vieille main, quel est le cours du jour pour les témoins au criminel ?

II

Poulets vierges

Le wiskey de pommes de terre flambait de tous côtés, mêlant ses âcres parfums à toutes les infâmes odeurs qui viciaient l'atmosphère de cet antre. Jenny Paddock avait repris sa place au comptoir ; les puits avaient leurs sociétés de joueurs ; quelques fillettes ivres dansaient toutes seules, pâles et hâves, tandis que les enfants poitrinaires toussaient, grouillaient et jouaient dans la boue ; çà et là des ivrognes solitaires fixaient leurs yeux abrutis dans le vide. Un peu plus loin, Paddy l'Irlandais, que rien ne peut guérir de son bavardage enfilait ses jurons gaéliques et ses histoires du pays, que personne n'écoutait ; il y avait (*infandum*), des couples amoureux qui se parlaient tout bas. Et quelle est, Seigneur ! la langue de l'amour au fond de ces insondables égoûts ! D'autres échangeaient à l'écart des coups de poing silencieux ; d'autres encore dormaient vautrés en travers du chemin. La jolie Molly, semblable au tonneau des Danaïdes, essayait en vain de s'emplir et portait le diable en terre en poursuivant sa chanson sinistre.

Il y avait longtemps qu'on ne s'était si bien diverti au Sharper's !

– La joyeuse Angleterre pour toujours ! dit le gentleman Ned qui regardait ce tableau avec attendrissement. Je reviens de France, et j'avais besoin de me réchauffer le cœur !

– Oui, oui, répondit Saunie, le juge bamboche ; il n'y a que Londres encore pour se divertir honnêtement entre camarades... Avez-vous vu les vieilles mains de Paris, maître Ned ?

Le petit clerc haussa les épaules avec un souverain mépris.

– La misère ! murmura-t-il. La police a droit de se promener partout.

Saunie ouvrit de grands yeux étonnés, comme si on lui eût parlé de quelque barbare coutume de l'empire chinois.

– La police, partout ! répéta-t-il. Mais comment font les camarades ?

– La misère ! répéta Ned à son tour. Les Français ne sont pas des hommes, tu sais bien. J'en ai boxé quatre à moi tout seul, sans lâcher le parapluie de ma jolie Molly que j'avais sous le bras… Et Molly avait la tête au-dessus de tous leur soldats… La misère !… Leur vin est plus faible que notre petite ale, leur brandy est pâle comme l'eau de la Tamise, leur viande ne saigne pas sur la table ; vous croisez cent hommes dans les rues sans voir une seule joue gonflée par une bonne chique, et quand ma douce Molly allumait sa pipe dans leurs tavernes, toutes leurs femelles de singe riaient en se bouchant le nez… La misère !… si une fois Londres était bien connu sur le continent, il ne resterait pas un seul Parisien dans Paris ! Mais nous ne sommes pas ici pour causer, vieille main, – Si le prix des témoins ne me convient pas, il me faut le temps d'aller jusqu'au *spirit shop* d'Inner-Temple.

– Auriez-vous bien le coeur de prendre vos témoins dans Inner-Temple, maître Ned ? se récria Saunie. Les affaires ne vont pas ici, et nous avons besoin de gagner notre vie. Il y a témoins, et témoins, vous savez ?

– Il me les faut premier choix ; c'est une grande machine. Et je peux bien vous dire que ça serait tant pis pour celui qui nous tromperait.

– Pour qui travaillez-vous maintenant, maître Ned ?

Le petit clerc tourna vers lui son œil clignotant et goguenard.

– Si on te le demande, vieille-main, répliqua-t-il, je te charge expressément de répondre que tu n'en sais rien.

– Cela suffit, cela suffit, M. Knob ! grommela le juge bamboche. Chacun a ses affaires. C'était seulement pour avoir des nouvelles Noll Green, notre boxeur, et de l'avaleur d'ale, Dick de Lobacher, qui sont pour sûr là-dedans.

Ned baissa les yeux, et les rides de son front se creusèrent.

– Ils sont fixés en France tous deux, murmura-t-il.

– On ne les a pas revus depuis les deux coups de sifflet, reprit Saunie ; vous savez, le soir où vous nous lisiez ici même l'histoire de

Jean Diable le Quaker… Tout de même Gregory Temple a été noyé du coup !

Le petit clerc sembla secouer une préoccupation importune et dit brusquement :

– Tout cela est vieux comme Hérode, mon homme ! Jean Diable est loin… Dick et Noll aussi ; Gregory Temple vivait avant le déluge. Il n'y a ici que moi, qui suis devenu un gentleman et qui veux être bien servi parce que je paie comptant.

Que je travaille pour autrui ou que je sois maître dans la boutique, cela ne te regarde point… As-tu des témoins, oui ou non ?

– Oui, pardieu ! s'écria Saunie. Plutôt dix que cinq, et plutôt cent que dix. Mais vous avez été dans la partie, maître Ned, et vous savez…

– Je sais que tu marchandes comme un maquignon, l'ami ! Dis ton prix : j'accepterai ou je refuserai.

– Dites plutôt le vôtre, maître Ned, repartit le juge bamboche ; il y a témoins et témoins… Pour le *Hundred*, on en trouve à six shellings, c'est évident… et pour un procès civil à la cour des plaids-communs, je me chargerais bien de vous en fournir six à une livre la pièce, des Irlandais s'entend ; deux livres s'il vous faut des Écossais ; quatre livres si vous exigez de vrais Anglais… Mais au criminel… ! vous comprenez pourtant bien cela, maître Ned, on n'aime pas, à montrer le coin de sa bouche devant le shérif.

– Il s'agit des assises, interrompit l'ancien clerc.

– Seigneur Dieu ! se récria Saunie. Et vous avez parlé de trente livres pour une demi-douzaine ! Si le vieux Peter-Duck d'Inner-Temple les fournit à Votre Honneur à ce taux-là, je crois que vous ferez bien de toper… Les assises, Seigneur Dieu !

Le gentleman Ned sourit parce qu'on lui avait dit : Votre Honneur.

Mais ce fut tout. Sous sa vanité d'enfant il y avait une habileté vraie. Celui qui l'avait choisi savait ce qu'il faisait et jugeait les hommes d'un coup d'œil. Ned ne mentait pas quand il disait que Molly elle-même ne connaissait pas son secret.

– Mon vieux Saunie, reprit-il, pour trente livres j'emmènerais au tribunal toute l'aimable société qui nous entoure, avec Jenny Paddock par-dessus le marché, quoiqu'elle soit riche comme Crésus. Jenny coûtait trois schellings, quand j'étais employé à l'office de M. Wood, et son témoignage valait celui de trois hommes parce que les juges s'amusaient à la mesurer. Une fois elle enleva un juré qui avait une montre de soixante livres... Combien demandes-tu par tête de ton bétail pour témoigner devant les assises ?

– Quel genre d'affaire ?

– Une affaire grave.

– Un vol ?

– Un meurtre.

Saunie secoua la tête d'un air sérieusement embarrassé.

– Il faut pour cela des *maiden-chicken*, dit-il.

Les *maiden-chickens* (poulets vierges) sont précisément l'opposé, des *old-hands* ou vieilles mains. On appelle ainsi dans la langue savante des voleurs de Londres les rares praticiens qui n'ont jamais eu maille à partir avec la justice, et dont par conséquent la personne et le nom sont inconnus aux gens des tribunaux. Ces *maiden-chickens* sont de placement facile dans toutes les foires aux faux témoins.

Nous pensons bien que nul n'est sans connaître l'étrange prospérité dont jouit pendant longtemps en Angleterre cette industrie de faux témoignage, qui, du reste, est bien loin d'avoir dit son dernier mot à l'instant où nous écrivons ces pages. Dans le procès civil des frères Gartner contre la maison Hodgson, Mary-Bury et Hodgson (1821), l'appel au banc du roi révéla cette circonstance que les solicitors des frères Gartner avaient reçu 673 livres sterling pour *frais de témoignages* ; 673 livres font 16,825 fr. argent de France. Nous livrons le fait sans commentaires, en ajoutant qu'à Londres personne ne fut surpris. Dans les années qui suivirent, la justice mit la main sur plusieurs centaines de faux témoins. Mais les forêts qu'on élague ne s'en portent pas plus mal, et la classe intéressante des *libres évidences,* comme ils s'intitulent eux-mêmes, a continué de florir tout doucement.

– Eh bien ! ami Saunie, répliqua le petit clerc, tu nous donneras trois couples de tes poulets-vierges. Dis seulement combien la paire.

Le juge bamboche sembla réfléchir.

– L'accusé est-il une vieille-main ? demanda-t-il après un long silence.

Non ; l'accusé est lui-même tout ce qu'il y a de plus *maiden-chicken.*

– Alors il a tué par imprudence ?

– Non… par prudence.

– À la suite d'une rixe, peut-être ?

– Non ; de parfait sang-froid.

– Pour voler ?

– Il n'a rien volé.

– Parce qu'il n'a pas pu ?

– Parce qu'il n'a pas voulu.

– Alors pourquoi le meurtre ?

– Une fantaisie peut-être, ami Saunie ; nous n'avons pas à traiter cette question-là tous deux.

– Monsieur Knob, répliqua le juge bamboche avec une fermeté calme et sérieuse, car en ce moment c'était purement un commerçant traitant une affaire d'importance, je n'ai pas à vous apprendre que mes questions sont de stricte nécessité.

– C'est pourquoi j'y réponds avec concision et précision, ami Saunie.

– Le prix de nos témoins est réglé d'après le danger qu'ils courent.

– C'est trop juste.

– Et il y a de telles circonstances où le danger est si grand que, pour argent ni pour or, nos témoins ne voudraient s'y exposer.

– Je conçois cela.

Ici le petit clerc éleva la voix.

– Ne vous ennuyez pas, Molly, mon amour ! cria-t-il. Nous serons à temps pour la seconde entrée du théâtre Olympique, et nous y passerons le restant de notre soirée.

La jolie Molly ne s'ennuyait pas ; elle avait glissé au bas de son siége et ronflait sous la table.

– L'accident est-il récent ? demanda Saunie.

– Mois de février.

– Peste ! c'est d'hier !... Quand il y a des années, les témoins sont plus à l'aise... L'affaire n'a-t-elle pas fait du bruit ?

– Énormément.

– Fâcheux ! Les circonstances de ces causes trop célèbres sont tellement connues !... Que viendraient faire par exemple nos hommes dans une affaire comme celle de Madame Bartolozzi ?

Ned sourit et secoua son jabot avec un geste de comédie.

– Alors, vieille-main, tu reculerais s'il s'agissait précisément de l'affaire Bartolozzi ?

– Est-ce que Tom Brown est arrêté ? demanda Saunie vivement.

Ned Knob ne répondit pas.

– Porter témoignage en faveur de Tom Brown, continua Saunie avec agitation, ce serait fourrer sa tête dans le nœud coulant.

– Tom Brown est-il donc un poulet-vierge ? demanda le petit clerc d'un ton moqueur ; je t'ai dit...

– Bien ! bien ! gronda le juge bamboche ; vous avez dit ce que vous avez voulu, maître Ned..., mais vous ne feriez pas serment sur votre pouce que votre maître n'a pas nom Jean Diable.

Le petit clerc le regardait en face, et ses yeux brillaient étrangement derrière leurs paupières malades.

– Vieille main, prononça-t-il à voix basse, mais d'un ton pénétrant, elle coûtera cher à filer la corde qui pendra Tom Brown. Quand Tom Brown sera en prison, il ne s'adressera ni à toi ni à moi... Tom Brown n'est pas en prison... Et ne baisse pas les yeux : oserais-tu me marchander si je venais au nom de Tom Brown ?

À son tour, Saunie garda le silence. Sur son visage, qui naguère exprimait l'effronterie et la bonne humeur, il y avait maintenant de l'effroi.

Il murmura au bout de quelques secondes :

– Dick et Noll reviendront-ils ?

– Jamais, répondit le petit clerc dont la grimaçante figure avait pris aussi une sombre expression.

Puis, pendant que Saunie hésitait encore, il ajouta :

– L'homme, il ne s'agit pas de Jean Diable, et il ne s'agit pas non plus de se compromettre en essayant de sauver un malheureux malgré les juges du roi. C'est tout le contraire ; nous voulons prêter la main au tribunal, qui est en peine, et lui donner les moyens de condamner l'homme qui a étranglé Constance Bartolozzi.

Saunie le regarda stupéfait.

– Alors ce sont des témoins à charge qu'il vous faut, maître Knob ?

– Précisément... et des bons !

– Je veux que Dieu me punisse si j'ai jamais fait pareil métier ! s'écria Saunie.

– Il y a commencement à tout, vieille-main. Dites votre prix ?

– Mais nos gaillards voudront-ils ?...

– Nous le saurons en le leur demandant : votre prix ?

Le juge bamboche hésitait de plus en plus.

– C'est une histoire à se faire donner un coup de couteau dans le dos, le soir, en rentrant se coucher ! grommela-t-il.

– Tu m'en as fait dire bien long pour me refuser, l'homme ! prononça sèchement le petit clerc. Si tu as peur des coups de couteau, je t'engage à réfléchir.

La menace n'était même pas déguisée, et certes ce n'était pas à lui-même que Ned Knob, ce pauvre enfant si frêle, faisait allusion quand il parlait de violence.

– Celui qu'il faut faire condamner appartient-il à la grande famille ? demanda encore Saunie, comme s'il eût cherché un moyen d'échapper à une nécessité terrible.

On sait en effet que l'association générale des malfaiteurs de Londres, connue sous ce nom, la grande famille, avait une organisation très-puissante et des lois que nul ne pouvait enfreindre sans danger.

Mais Ned répondit péremptoirement.

– Il n'appartient pas à la grande famille.

– Est-il venu quelquefois parmi nous ?

– En ennemi peut-être car il a fait partie du bureau de Scotland-Yard.

– Et le connaissons-nous ?

– Comme le lièvre connaît le lévrier.

Saunie courba la tête. Il était vaincu.

– Vous me donnerez vos trente guinées, maître Ned, dit-il, et vous vous servirez de mon monde. J'ai cinq garçons et une femme, tous dans les conditions qu'il faut pour faire l'état, et n'ayant jamais reçu sommation de la justice. S'il y a une déposition difficile, voici l'homme.

Il pointait du doigt l'acteur qui venait de jouer le personnage de Jack Simple. L'avocat Bamboche aussi aurait été bien précieux, mais il revenait de Sidney en directe ligne.

– Holà ! Jenny Paddock, ma mignonne ! s'écria Ned ; faites allumer un bon feu dans votre chambre, pour chasser le mauvais air. Je vous la loue un schelling par heure, et je vous la rendrai quand il sera temps de vous coucher. Nous avons des affaires à traiter pour le prochain marché aux moutons. Que l'on monte du rhum, qualité des lords, du sucre blanc, des citrons et de la canelle ; je n'aime pas le punch des petites gens !... et que, sous aucun prétexte, personne ne vienne nous déranger !... Si ma Molly chérie s'éveille, donnez-lui à boire... Qui m'aime me suive !

Il traversa le cabaret en carrant de son mieux sa pauvre poitrine étroite, et gagna la porte de l'appartement privé de la veuve, située derrière le comptoir. Saunie fit l'appel de son troupeau, et le suivit tête basse.

Dans la salle commune du Sharper's, quelques regards mornes épièrent ce mouvement. Mais l'eau-de-vie de pommes de terre agissait, aidant l'asphyxie, et toutes les têtes étaient de plomb.

L'instant d'après, en face d'un feu de houille, qui s'allumait lançant ses spirales de fumée opaque et grise, Ned Knob était installé dans le propre fauteuil de Jenny Paddock, au-devant d'un lit garni de serge olive et gardé par une foule de saints irlandais, sombres dans leur cadre de cuivre. Vis-à-vis de lui, sur des escabelles, se rangeaient les soldats de Saunie et Saunie lui-même, un peu regaillardi par la flamme d'un punch qu'il remuait avec une cuiller de fer. L'ancien clerc tenait à la main un papier contenant la liste du troupeau.

– Mes enfants, commença-t-il de ce ton important qui lui allait si bien, voici la première fois qu'il vous arrive de coopérer à un travail utile ; au lieu d'ouvrir une fausse voie à la justice, qui se tromperait bien sans vous, vous allez aujourd'hui venir en aide à la société dans l'embarras. Vous n'ignorez pas que je suis versé dans l'étude des lois. N'ayez donc aucune crainte ; nous marchons sur un terrain solide, et, en dehors du prix convenu, je récompenserai chacun de vous selon ses mérites.

Ce dernier membre de phrase rasséréna tous les visages, que l'idée de travailler pour la justice avait visiblement rembrunis.

– Nous disons, reprit Ned en consultant sa liste, que cette chère enfant s'appelle Jeanie, ce gros réjoui Sam, ce grand jaune William : ce n'est pas assez d'un car, sur trois Anglais, le proverbe dit qu'il y a toujours deux Will et un John ; le voici notre John ! Nous avons ensuite Toby et Numph ; c'est très-bien. Voilà l'histoire : vous ne savez pas le nom du gentleman, comprenez-vous ?

– C'est votre leçon, intercala Saunie. Tachez d'écouter, mes brebis.

– Nous y sommes, dit miss ou mistress Jeanie, qui tendit son verre au punch brûlant.

Et Saunie, le berger, ajouta :

– Excepté Numph, ils sont tous d'une remarquable intelligence.

– Tout va donc au mieux, poursuivit Ned : vous ne savez pas le nom du gentleman et vous ignorez ce qu'il a fait. Vous êtes témoins à charge. Vous allez me demander alors : Que dirons-nous si nous ne savons rien ? Je vais vous l'apprendre : Le 3 février de la présente année, un crime a été commis dans une confortable maison de Regent street portant le n° 19. La police et la justice connaissent parfaitement le coupable, mais elles ne peuvent le condamner faute de preuves.

» Vous qui ne connaissez rien, vous fournirez les preuves. Vous direz : j'ai vu ceci, j'ai vu cela ; des choses innocentes en elle-même pour la plupart. La justice tirera les conséquences. On vous montrera un accusé, vous direz : C'est lui ; comprenez-vous ? non pas lui qui a commis le crime, vous l'ignorez ; mais lui que j'ai vu passer tel jour, à telle heure, en tel endroit, lui qui a laissé échapper telle parole, lui qui a égaré telle pièce, lui qui a manifesté tel trouble… Vous êtes ici, mes petits enfants, vis-à-vis d'une personne qui a professé l'état, et qui était chargée précisément de cette partie chez un des solicitors les plus employés du Strand. Ah ! ah ! nous en avons monté des comédies dans le temps, aux plaids-communs ! et je réponds que c'était coupé dans le fil ! Miss Jeanie, mon bijou, ouvrez vos deux oreilles : je vais commencer par vous, afin de faire honneur au beau sexe.

Jeanie Bird, une fillette maigre et pâle, au visage doux, aux yeux déjà entamés par le gin, déposa son verre et prit l'attitude de l'enfant qui écoute son maître d'école.

– Très-bien, dit l'ancien clerc. Dans la pièce, vous êtes marqueuse de linge fin et vous lisez tous les imprimés à un sou qui se crient dans la rue. C'est de l'ouvrage ! Au mois de janvier dernier, on vous donna à marquer, chez votre entrepreneuse, une douzaine de mouchoirs en batiste, R. T., pour laquelle tâche vous reçûtes un schelling et six pence. Voilà tout… et faites bien attention, mes bonnes gens, que vous avez à apprendre par cœur mes paroles sans en rien retrancher, sans y rien ajouter… C'est du Shakspeare, morbleu ! Si vous changiez un mot, vous seriez lapidés !… Miss Jeanie, mon trésor, vous voilà donc avec votre schelling et vos six pence, ne songeant plus guère à la douzaine de mouchoirs, quand au mois de février vous achetez pour un penny les aventures de *Jean Diable le Quaker*, livre très-bien fait et hautement historique. Vous y trouvez, entre autres choses, l'assassinat de la chanteuse Bartolozzi, et cette circonstance que le meurtrier a laissé sous le lit son mouchoir de batiste marqué R. T. taché d'une goutelette de sang… Parbleu ! il y a dix mille gentlemen et ladies à Londres qui marquent R. T., mais sait-on pourquoi certaines choses vous frappent ? La Providence est quelque part. Vous restez tourmentée et vous cherchez à savoir où le mouchoir de batiste est déposé. Il est déposé à la boutique de Scotland-Yard. Vous y courez ; on vous montre le mouchoir ; c'est un de ceux que vous avez marqués. Vous le dites, à qui ? à Gregory Temple lui-même. Celui-là ne reviendra pas de Paris pour vous démentir. Et souvenez-vous bien de ceci : Gregory Temple vous fait promettre sous serment de garder le silence jusqu'au jour où la justice vous interrogera. Est-ce entendu ?

– C'est entendu, répondit Jeanie.

– On vous donnera une seconde répétition, une troisième, si vous voulez.

– Au punch, je veux bien, mais j'ai quelque chose à dire.

– Dites ! prononça magistralement le petit clerc.

– Si on me demande le nom et l'adresse de l'entrepreneuse ?

– J'aime les natures intelligentes ! s'écria Ned ; venez m'embrasser *maiden-chicken* de l'amour ! Votre observation dénote un grand sens...

– Je vous dis, interrompit Saunie, pour des poulets-vierges, ils sont étonnants ! Excepté le pauvre Numph, ils vendraient tous leur père et leur mère !

– Ma belle petite, reprit Ned, nous avons réponse à tout, et ce que nous faisons ici est le résultat d'un calcul établi avec soin. Si l'on vous demande le nom et l'adresse de l'entrepreneuse de broderies, vous direz hardiment : Mistress Spencer, Haymarket, 13.

– Et si l'on vérifie ?

– Mistress Spencer est morte à la fin du mois de mars.

Parmi les poulets-vierges, il y eut un mouvement approbateur, et Saunie lui-même ne put s'empêcher de sourire en artiste satisfait.

– Voyons, Numph ! s'écria le petit clerc ; tu es le moins fort, à ce qu'il paraît... Tu ferais pourtant bien une commission pour un schelling, n'est-ce pas ?

– Oh ! oui, Votre Honneur, répondit Numph, si ce n'était pas trop loin.

Numph était un bon Gallois à la figure candide, mais brutale, portant les cheveux à la mode de Kaërbran, qui ressemble à la coiffure de nos paysans du Finistère. Ned lui fit un signe de tête tout amical et poursuivit :

– Attention ! Tu es donc un commissionnaire gagnant ta vie à porter ceci et cela. Le 3 février dernier, un gentleman t'aborda et te mit un schelling dans la main avec une lettre adressée à Madame

Constance Bartolozzi, Regent street, 19. Il y avait une réponse. Tu fis ton devoir et tu revins dire au gentleman : Pas de réponse. Le gentleman devint tout blême et marmotta une malédiction. Voilà.

– J'en pourrais dire plus long, protesta Numph humilié.

– C'est juste ce qu'il faut… Maintenant, à la différence de notre Jeanie, qui n'a à reconnaître que le mouchoir, quand on fera lever l'accusé en disant : « Le reconnaissez-vous ? » tu répondras : « Je le reconnais ; c'est le gentleman qui m'a donné le schelling et la lettre… » Te charges-tu de ce rôle ?

– Parbleu ! gronda Numph, je ne suis pas plus bête qu'un autre ; et j'étais le coq chez nous. Je peux faire mieux.

– Cela te regarde, l'ami ; un mot de plus et tu passes à la cour du circuit comme faux témoin. Tu es jeune, et l'on revient parfois de la Nouvelle Galles-du-Sud. Médite !

– On va lui siffler sa note, dit Saunie. Prenez Sam maintenant, maître Ned, s'il vous en faut un bon.

Sam était le Jack Simple de la cour irlandaise. Maître Ned déclara qu'il le gardait pour le dessert et appela Will.

– Toi, l'ami, dit-il, tu es un Anglais né dans l'Ulster, paresseux comme une couleuvre et hardi menteur de ton état : nous allons te servir. Tu te promènes toujours ; tu te promenais ce jour-là, le 4 ou le 5 février, tu ne pourrais pas dire au juste, au parc Saint-James, et tu regardais la neige qui allait fondant sur les toits du château. Un groupe se forma autour d'un jeune homme qui venait de tomber sans connaissance. On te demande même si tu n'étais point chirurgien par hasard, afin de saigner ce malheureux qui tenait à la main un numéro du *Morning Post* racontant la mort subite de la signora Bartolozzi… Quand on fera lever l'accusé, tu diras : « Ma foi ! celui-là ressemble au jeune homme ; mais il faudrait être bien sûr pour prononcer une parole qui serait la mort d'un chrétien… Le jeune homme avait un costume d'hiver… et il était plus pâle que ce gentleman… Je ne puis rien dire, sinon qu'ils se ressemblent. »

– Voilà un damné petit coquin ! grommela Saunie.

– Hein, bonhomme ! fit l'ancien clerc, qui passa ses pouces dans les entournures de son gilet, je crois que ça a du style.

Les poulets-vierges le regardaient désormais avec une respectueuse admiration.

– À toi, Toby, reprit-il ; tu m'as l'air d'un gaillard résolu et sachant ton monde. Tu ferais un agent de police au besoin. D'où es-tu ?

– De Douvres.

– Alors, tu sais baragouiner français ?

– Assez bien.

– Parfait ! Tu viens de France, où tu étais détectif surnuméraire aux ordres et aux frais d'un certain James Davy, commissaire adjoint à Scotland-Yard, et âme damnée de l'ancien intendant supérieur, Gregory Temple... Prends des notes, mon ami Will, ça commence à se compliquer... Les chiens savent le gibier qu'ils chassent, et sont en cela plus avancés que les détectifs subalternes. Tu étais à Paris pour trouver la piste d'un quidam dont tu ignorais le vrai nom, et qui avait trompé la surveillance de la police anglaise en volant la propre carte de ce James Davy, carte dont il se servait à l'étranger comme d'un excellent passe-port. Elle avait été visée au foreign-office... Tu perds ton temps à Paris ; tu as beau fouiller la ville de fond en comble, le faux James Davy est introuvable. Un jour enfin, et de guerre lasse, tu veux revenir à Londres. Tu te rencontres aux messageries avec un Anglais retenant comme toi sa place pour Londres. On lui demande son passe-port ; il fournit la carte de James Davy. Bonne affaire ! Tu t'embarques avec lui dans la diligence, puis sur le paquebot, et, en arrivant à Douvres, il te file dans la manche... As-tu saisi, Toby ?

– J'ai saisi ; mais ma carte d'agent ?

– Tu en auras une au nom de James Davy.

– Et si l'on me confronte avec les gens de Scotland-Yard ?

– Voilà le beau ! s'écria Ned. Écoute cela, Saunie, vieille-main ! Le faux William Davy est lui-même un homme de Scotland-Yard ;

par conséquent, pour le chasser, il fallait un limier dont le museau fût inconnu à la maison. S'il y avait eu au monde un gaillard plus étranger que toi à l'armée dont Gregory Temple était le général, le vrai James Davy l'aurait choisi à ta place. Tu répondras cela, Toby.

– Démon d'enfant ! gronda le juge bamboche.

– Tu trouves donc décidément que nous avons du talent vieille-main ?

– Et faudra-t-il reconnaître l'accusé ? demanda Toby.

– En plein… Tu lui gardes rancune, puisqu'il s'est moqué de toi à Douvres, quand tu croyais le tenir. Tu te vengeras en répondant : J'avais mis son signalement dans ma tête ; c'est lui ! c'est l'homme qui avait la carte de James Davy !… Et à présent un coup à boire, enfants ! comme dit ma jolie Molly… Pourquoi n'ont-ils pas une bouteille pour chaque pupitre, à la chambre des communes ? Ouvre l'oreille, John, vieux frère : tu peux être un poulet-vierge puisque notre ami Saunie l'affirme, mais tu as plutôt l'air d'un coq de cinq ans, bon à mettre au pot pour allonger la soupe. Eh ! eh ! ça ne te fait pas rire ? Tu portes le deuil de tes écus !… L'affaire des hiboux, c'est de voleter la nuit, le long des vieux murs. Le 4 février, à deux heures du matin, tu faisais les cent pas dans le Quadrant, au bout de Régent street, en songeant à la cherté du gin et au malheur des temps. Les arcades étaient désertes et tu écoutais le piano du Grand-Salon, où les jeunes squires campagnards venaient boire du Sherry en regardant valser les Françaises. Tout à coup un homme passa près de toi en courant et te choqua l'épaule, bien qu'il y eût, Dieu merci ! de la place où circuler dans la galerie. Cet homme allait de droite et de gauche ; il chancelait en courant comme s'il eût été ivre. Tu le vis tomber, puis se relever, et tu aperçus un papier à la place de sa chute. Tu l'appelas : Eh ! l'homme ! mais ta voix sembla l'effrayer ; ce fut pour lui comme un coup d'éperon lancé dans le ventre d'un cheval fatigué. Il prit un nouvel élan et disparut en tournant le rond du Quadrant. Tu ramassas le papier, qui était une reconnaissance ou obligation de mille livres, signée par Fanny Thompson, la comédienne, au profit de sa camarade Constance Bartolozzi.

Un grand silence régnait dans la chambre de Jenny Paddock, où les bruits du cabaret voisin parvenaient comme un large murmure. Saunie et son troupeau écoutaient maintenant dans une sombre immobilité.

– Prends des notes, ami John, s'interrompit Ned Knob. Tu as un beau rôle, et ta déposition sera mise tout au long dans les journaux. Comme tu es un fort honnête garçon, malgré ta mine funèbre, et que d'ailleurs une obligation entre mains tierces ne peut absolument pas servir, tu te rendis le lendemain matin chez madame Bartolozzi, pour lui rendre son titre moyennant une honorable récompense. Madame Bartolozzi était morte cette nuit-là même. Tu plaignis son malheureux sort, et l'idée te vint de chercher Fanny Thompson, car, de ce côté, la récompense devait être bien plus forte. Le fils de Fanny Thompson étant le secrétaire et l'ami de l'intendant supérieur de la police, tu courus au bureau de Scotland-Yard et tu demandas Richard Thompson. Richard Thompson était absent ; tu l'attendis, il ne vint pas ; tu revins le lendemain, et tu attendis encore : point de Richard Thompson ! alors, tu pris l'almanach de Londres, et tu vis que Fanny Thompson, retirée du théâtre, vivait à la campagne, dans le comté de Surrey. En quelques heures, un coche public te mit à sa porte. La maison te parut avoir un singulier aspect. La venue d'un étranger y sembla produire une sorte de trouble et même d'effroi. Le fils de la comédienne était absent ; personne ne put ou ne voulut dire où l'on pourrait le trouver. Quant à Fanny Thompson elle-même, on ne pouvait la voir pour cause de maladie. Tu insistas ; elle vint enfin. On n'avait point menti : elle était malade. Quand elle vit l'obligation entre tes mains, elle s'appuya, au mur pour ne point tomber à la renverse, et elle dit : *Malheureux ! malheureux enfant !* Elle prit la reconnaissance, cependant, et te donna cinq guinées en te recommandant le silence… Ami John, es-tu de force à te charger de cela ?

– Je suis de force, répondit John. Me confrontera-t-on avec Fanny Thompson ?

– Fanny Thompson joue la comédie, à cette heure, au théâtre de New-York.

– Et faudra-t-il reconnaître l'accusé !

– Il n'est pas besoin, tu ne l'as vu qu'en passant et dans l'ombre… Tu diras, et cela mettra sur ta déposition un cachet de sévère véracité : Je me refuse à affirmer que l'accusé soit l'homme qui a perdu l'obligation sous les arcades du Quadrant.

– Pardieu ! murmura Saunie, vous en avez assez sans cela, M. Knob… Et pourtant, s'il n'y a pas un témoin *ab oculis*, le jury peut encore faire des siennes.

– Voyons donc le maître coq de votre basse-cour, vieille-main ! répliqua le petit clerc avec son vaniteux sourire. Vous me donnez ce Sam pour un gaillard de première force ?

– Il n'y a plus que lui pour jouer Jack Simple dans toute la Cité ! répliqua Saunie.

– Jack Simple est un joli emploi, vieille-main, mais nous avons mieux… Regardez-nous en face, Sam… Voulez-vous faire votre réputation d'un seul coup et gagner vingt guinées ?

Il y eut un murmure parmi les autres poulets-vierges. Les yeux de Sam brillèrent.

– Soyez tranquilles, mes petits, dit Ned. Tout le monde aura lieu d'être content. Nous savons récompenser le mérite.

Sam était un tout jeune homme, presque un enfant. Sa figure portait encore en ce moment les traces des peintures et du *grimage*, pour employer un mot de coulisses qui n'a point d'équivalent à l'académie, dont il avait couvert ses traits pour les approprier au type reçu de Jack Simple. Par nature, Sam était tout l'opposé de ce type rond, lourd et niais. Il avait une coupe de visage hardie, un front intelligent et des yeux aigus. Il fallait donc qu'il y eût en lui du comédien, et du grand comédien, pour qu'il pût remplir à la satisfaction générale ce rôle de Jack Simple, le voleur de dindons, miroir des stupidités populaires au-delà de la Manche. Ned le considéra longtemps avec attention, puis il dit :

– C'est de la haute école, je t'en préviens, garçon, il y a risque de se casser le cou.

– Voyons votre haute école, petit homme, répondit Sam.

Ned fit la grimace. Sam ajouta :

– Je vous appellerai grand homme si on le met dans le marché.

– Allons, allons ! dit Ned. Un directeur passe tout à ses premiers sujets. Soyons sérieux, l'ami. Je vous propose l'affaire ; vous pouvez la refuser. D'abord vous n'aurez point de sommation. Tous vos camarades seront assignés par le coroner et l'attorney du roi. Vous, il faudra vous présenter de vous-même au magistrat qui conduit en ce moment l'instruction. Cela vous convient-il ?

– Allez jusqu'au bout, répondit Sam, nous verrons bien.

Ned se recueillit un instant et reprit :

– Vous êtes un jeune badaud de province que la folie du théâtre a pris à la gorge.

– Dieu me damne ! interrompit Sam en rougissant jusqu'au blanc des yeux… qui vous a dit cela ?

Puis, sans attendre la réponse, il éclata de rire, donnant ainsi un signal que tout le monde suivit.

– Voilà qui est touché ! s'écria Saunie. Vous êtes un sorcier, maître Knob !

– Je n'en fais pas d'autre, vous savez bien, dit Ned bonnement. Je ne compte plus mes traits dans ce genre… La paix, tout le monde ! et attention, Sam !… Au commencement de cette année, vous êtes arrivé de votre village tout chaud, tout bouillant, pour débuter à Drury-Lane dans Macbeth ou dans Glocester. Les directeurs vous ont mis à la porte sans même vouloir vous entendre, parce que vous étiez mal couvert et que vous n'aviez en poche aucune recommandation de la cour, des ministères ni de la banque… C'est peut-être cela dans la réalité ?

– C'est cela, répondit Sam.

– Tant mieux. Vous jouerez votre rôle au naturel. Ce que je vous dis est votre rôle… Rebuté partout, mais non pas découragé, et soutenu par la conscience de votre génie, vous vous êtes mis à courir les tavernes qui avoisinent les théâtres, et chaque soir un demi-pot de gin vous donnait ce rêve de votre première représentation gênée par les couronnes, encombrée par les bouquets, assourdie par les bravos. Mais la monnaie des deux guinées que vous avait données votre mère s'envolait. Vous commenciez à savoir qu'il faut des protections pour entrer au théâtre. Le soir où votre dernier schelling dormait silencieux dans le vide de votre poche, une inspiration vous vint, une idée sublime, un trait de folie !

Auprès de vous un auteur éconduit venait de dire que madame Bartolozzi était toute-puissante…

Vous sortez, vous achetez un mauvais poignard ébréché avec votre dernière pièce d'argent, vous escaladez les murs d'une écurie pour entrer dans la cour, de la cour vous montez au balcon, vous brisez un carreau, vous êtes dans le cabinet de toilette de celle qui, d'un mot magique, peut faire tomber ces remparts d'acier, barrière infranchissable entre le théâtre et vous !

Or vous n'êtes pas un assassin, malgré votre poignard rouillé ; vous n'êtes pas non plus un voleur, vous êtes tout uniment un artiste. La férocité de l'art vous tient. Vous avez escaladé ces murs et ces balcons pour tomber aux genoux de la comédienne en vogue et pour implorer son aide. Si elle vous repousse, eh bien ! vous la contraindrez, le couteau sous la gorge, à vous entendre déclamer l'ambition de Richard ou la jalousie du More de Venise. Il faut qu'elle vous juge, fût-ce dans une syncope ; c'est votre droit de fou. Kaen aurait-fait cela !

– Dieu me damne ! s'écria Sam tout pâle ; moi aussi, de tout mon cœur, si l'idée m'en était venue !

– On vous croira, poursuivit l'ancien clerc, dont la physionomie rayonnait en vérité une diabolique intelligence. On fera plus, on vous admirera, parce que cela est anglais des pieds à la tête. Ailleurs, l'extravagance est faite autrement. Vous débuterez huit jours après où vous voudrez avec un succès infernal !

– Mais que fais-je dans le cabinet de toilette ? demanda Sam.

– Vous attendez. La reine de théâtre reçoit sa cour. On joue le whist dans son salon. L'instant ne vaut rien. Les heures passent et votre cerveau se refroidit. Il faut battre la folie pendant qu'elle est chaude. L'idée de fuir vous est déjà venue avec la honte de votre entreprise insensée, mais c'est l'heure du travail aux écuries ; les valets de chevaux emplissent la cour, étrillant, brossant, lavant, blasphémant. À minuit, la Bartolozzi entre dans sa chambre ; le cœur vous revient, c'est l'heure… Elle n'est pas seule ! Sa femme de chambre l'assiste. Vous attendez encore. La fièvre vous monte au cerveau. Vous êtes résolu cette fois.

La pendule a sonné un coup ; le silence règne dans la chambre à coucher ; votre cœur bat, mais votre tête bout. Vous pesez lentement sur le bouton de la porte, qui, lentement aussi, s'entr'ouvre sans produire aucun bruit. Une veilleuse éclaire la chambre. Madame Bartolozzi est couchée sur son lit et dort, auprès d'elle, sur sa table de nuit, il y a des diamants qui lancent des étincelles bleuâtres, allongées ou raccourcies par les jeux de la lumière qui tremble. Vous avez hésité une seconde et c'est assez.

Vis-à-vis de vous une autre porte s'ouvre et un homme entre, celui-là sans hésiter.

– Écoutez bien ceci, jeune homme, s'interrompit Ned Knob dont la voix se faisait solennelle malgré lui. Gravez chacune de mes paroles dans votre mémoire, car en les répétant vous direz la vérité. Ce sera comme si la conscience du meurtrier parlait, ou comme si la morte s'éveillait elle-même pour dire les circonstances de ce crime sans témoins.

L'homme va droit au lit, et du pas dont on marche quand on ne craint rien. Aux lueurs de la veilleuse, vous apercevez vaguement son visage pâle mais calme, si calme que vous vous dites en vous-même : Il ne s'agit que d'une intrigue d'amour. Et pourtant vous avez un frisson dans les veines. Cet homme est près du lit, immobile ; pourquoi n'éveille-t-il pas celle qui dort ? Il se penche. Une de ses mains passe entre l'oreiller et la tête ; l'autre s'étend sur la poitrine. Et la dormeuse ne s'éveille pas.

Que veut cet homme ? Il se relève. Qu'a-t-il fait ? Tout cela est-il un rêve ? Il essuie sa main avec un mouchoir qui tombe, et il traverse la chambre en se dirigeant vers le cabinet où vous êtes. Vous vous cachez derrière les rideaux ; il passe tout près de vous. Il a la clef de la porte communiquant avec l'escalier ; il ouvre cette porte et disparaît.

Qu'a-t-il fait ? Les diamans sont toujours sur la table de nuit, dispersant leurs étincelles mouvantes. Vous entrez à votre tour. Rien n'éveille cette femme endormie ! Vous vous approchez ; son souffle ne s'entend pas. Vous touchez son pouls d'une main tremblante ; sur ce lit il n'y a plus qu'une morte !…

– Et buvons, les enfants ! reprit brusquement Ned, qui essuya la sueur de ses tempes.

Il ajouta :

– Si tu ne te sens pas capable de raconter cette histoire-là, Sam, nous t'en trouverons bien un autre !

Sam frappa du poing la table et s'écria :

– Ça sera de l'effet comme une chose de théâtre. Que Dieu me damne si je laisse échapper ce rôle-là !

III

Triomphe d'un gentleman

Pendant que maître Ned Knob émerveillait par son habileté l'impresario Saunie et sa troupe, un nouveau chaland était entré au Sharper's, sans exciter, celui-là, en aucune manière l'attention générale. C'était un pauvre petit vieillard qui semblait fort accablé par l'âge, chose rare en ces bouges de Londres, où le vice et la misère ne laissent presque jamais à la vieillesse le temps de venir. La caducité précoce qui suit les excès ne ressemble pas du tout à celle qu'apporte avec soi le fardeau des années ; l'une inspire le respect, et l'autre le dégoût. Aussi ce vieux petit homme, au pas tremblant, à la face ridée, aux yeux craintifs et faciles à blesser derrière leurs épaisses armures de verre bleu, avait-il eu besoin d'expliquer les motifs de sa présence ; la première fois qu'il avait mis le pied au Sharper's.

Il l'avait fait d'un seul mot, sans affectation et sans intention peut-être, en demandant bien poliment à Jenny Paddock, étonnée de voir de si près un honnête visage, si elle n'avait point ouï parler depuis peu d'un jeune homme appelé Olivier Green, et connu sous le nom de Noll de Southwart le boxeur. Jenny Paddock, prudente par état, ne donnait pas ainsi des nouvelles de ses pratiques au premier venu, mais le vieillard, allant au-devant de ses questions, lui-avait fait entendre qu'il était le père de ce garnement, père courroucé mais toujours ami, et cherchant son fils pour mettre dans sa main quelques économies gagnées à la sueur de son front.

Ceci avait eu lieu quelques jours avant la soirée où nous sommes.

Depuis lors le vieillard venait chaque soir prendre son petit verre de wiskey, qu'il trempait d'eau. Il arrivait tard, parce qu'il finissait tard sa journée à la fabrique de cuivres estampés de Surrey. Il avait annoncé tout d'abord qu'il renouvellerait ainsi sa visite chaque soir.

La présence de ce pauvre bonhomme avait d'abord causé une certaine gêne parmi les habitués du Sharper's, et inspiré même aux plus compromis, un mouvement d'inquiétude. D'ordinaire, quand les choses en sont là, l'homme qui cause cette gêne ou qui inspire cette inquiétude n'est pas précisément en sûreté parmi ces rudes compagnons, qui n'ont ni frein, ni foi ni loi. Faire disparaître une créature humaine est là-bas la moindre des bagatelles, et l'on peut dire de quiconque franchit sans être affilié les redoutables barrières de ces citadelles du crime, qu'il n'appartient plus déjà au monde des vivants.

En 1817, cette année-là même où se passe notre histoire, deux sergents du bureau de Marylebone se déguisèrent et pénétrèrent dans le *purgatory* de Saint-Gilles, pour gagner la prime attachée à la capture d'Isaac Burton, le *burker* ou marchand de cadavres. Ils ne revinrent pas, voilà tout ce qu'on peut dire, car on ne retrouva d'eux ni un lambeau de vêtement ni un os, ni un cheveu.

Mais notre petit vieillard était le père de Noll Green, et Noll Green, ainsi que son camarade Dick Lochaber, possédait une influence de premier ordre dans Low-Lane. C'était déjà une protection. En outre, il prenait si peu de place dans son petit coin du parloir, il souriait si franchement aux coquineries racontées, il faisait même à son jeune temps des allusions si honnêtement significatives, qu'on devait lui supposer, sinon une complète communion d'idées avec les damnés de cet enfer, du moins une indulgence assez profonde et assez large pour avoir sa source dans quelque bonne réserve d'anciennes peccadilles.

Selon les caractères, à cet âge, les bandits émérites se vantent de leurs méfaits avec une prolixité sénile ou bien ils les cachent soigneusement. C'est ici le cas, sans doute, et, à tout prendre, le père de Noll, courant après son fils, ne pouvait pas être un modèle de vertu bien austère.

On le tolérait ; quelques-uns même allaient plus loin et s'habituaient à sa présence. Il avait fait à propos deux ou trois libéralités de gin, qui lui avaient gagné une demi-douzaine de cœurs. Il appelait tout le monde *mauvais sujet* et *garnement*, mais avec tant de douceur ! On sait que le mot *méchant* est une caresse dans la bouche d'une femme qui aime. Eh bien ! ce vieux Salomon Green, le père de Noll, vous caressait avec ses souriantes injures. Il n'y avait pas besoin d'être sorcier pour deviner qu'il préférait de beaucoup ses mauvais sujets et ses garnements du Sharper's aux vertueux sergents de Scotland-Yard, par exemple, dont il parlait avec une amertume tout à fait convenable.

Il y a une chose certaine, c'est que, avec son âge et sa tournure, s'il s'était posé en ogre invalide, faisant blanc de ses anciennes scélératesses et mettant sa parole au niveau du cynisme qui était l'atmosphère même de cet antre, sa voix chevrotante aurait détonné, sa figure distinguée aurait protesté ; sa toilette même qui certes ne brillait pourtant ni par la symétrie ni par l'élégance, aurait donné un démenti à ces vaines bravades. Tout au plus aurait-il pu jouer le rôle d'un de ces malfaiteurs à côté, qui profitent du crime sans le commettre, ou qui exploitent le poison du vice sans y tremper leurs lèvres.

Mais ceux-là sont tellement connus des malfaiteurs militants, qui ont besoin d'eux sans cesse, comme le manufacturier a besoin de l'escompteur ; ceux-là, usuriers sur gages, banquiers du faux papier et de la fausse monnaie, courtiers jurés du pillage, racoleurs, fondeurs, receleurs sont en contact si journalier avec leur clientelle, qu'un vieux praticien ayant, par-dessus le marché l'honneur d'être le père d'un bandit de premier degré comme notre ami Noll, n'aurait pu absolument être une figure nouvelle pour les habitués du Sharper's. Rien ne nous force de penser que le bonhomme aux lunettes bleues jouât un rôle ; mais s'il eût été comédien ou diplomate, le premier comédien ou le plus rusé diplomate de l'univers, il n'aurait pu choisir avec un tact plus précis ni plus exquis la coupe de son déguisement ou la nuance de son personnage.

Parmi ceux qui protégeaient le vieux Salomon Green, il faut compter surtout les membres du tribunal bamboche, et Saunie, le vénérable président de cette cour. Le vieux Salomon, en fait de procès bamboches, avait une provision inépuisable de souvenirs. Il parlait du temps où l'*irish court* se tenait aux Armes de Glencoe, chez l'Écossaise Mohna-Mahrée, où venaient boire les soldats de ce brave 47e de ligne, tout composé d'highlanders, lesquels étaient tous gentilshommes et partisans du roi de l'autre côté de l'eau : *la garde noire*, comme on l'appelait. Le sergent Farquhar Mat-Pherson était un juge bamboche comme on n'en vit jamais, et ce pipeur ou sonneur de cornemuse, Alaster Mac-Pherson, son cousin, jouant le rôle de Jack Simple, donnait des convulsions à l'auditoire quand il se levait après la plaidoirie larmoyante de l'avocat pour dire que sa mère était Bridewell. Ah ! ah ! Il parlait de longtemps. Il y avait encore alors un bon tiers de jacobites dans l'armée. On en fusillait toutes les semaines devant le pont-levis de la Tour, et c'était un grand deuil de voir ces pauvres beaux jeunes gens marcher au feu avec leur bière ouverte que les valets du régiment portaient devant eux.

Une fois, ce fut au tour du sergent Farquhar et d'Alaster, le joueur de cornemuse. Farquhar commanda le feu, et Alaster voulut qu'on approchât de ces lèvres l'embouchure de sa cornemuse. Comme il avait les mains liées derrière le dos, ce fut son frère Colquhoun qui mit ses doigts sur les trous. Et le dernier soupir du pauvre Alaster fut ainsi pour chanter le pibroch, du clan Mac-Pherson : « Le roi reprendra sa couronne… »

Mais le vieux Salomon retenait aussi de bons tours. Chez dame Mahrée, il y avait de joyeux vivants qui n'étaient ni pour Stuart, ni pour Brunswick, quoiqu'ils missent volontiers la main dans les poches des deux partis. Red John, par exemple, ou Jean le Rouge, qui avait parlé un jour de voler toutes les montres du tribunal bamboche pendant l'audience. Il vint comme témoin, en Paddy Irlandais, et prit les bourses avec les montres. C'était un joli garçon : Quand on le pendit dans Tiburn, il y eut bien des ladies qui pleurèrent.

Enfin le vieux Salomon avait été jusqu'à promettre de faire lui-même, quelque beau soir, la plaidoirie de l'avocat bamboche dans toute la rigueur des traditions antiques, dès qu'une toux maligne qu'il avait lui laisserait un peu de répit. Saunie comptait moissonner une bonne recette ce soir-là.

C'était par Saunie principalement que Salomon Green avait connu les dernières nouvelles de Noll. Le vieillard n'ignorait point que Noll s'était évadé, de l'île de Norfolk, en Australie, avec le fameux Tom Brown et Dick de Lochaber. Il tirait même de cela une certaine vanité de fort bon goût, et témoignait un grand désir de voir ce Tom Brown, qui, si jeune, avait acquis déjà tant de célébrité. Mais ses informations s'arrêtaient au retour de Noll en Angleterre. Noll n'était venu le voir qu'une seule fois, ce garnement ! et encore pour lui soutirer une banknote de cinq livres ! Il lui avait dit en le quittant « Père, quand vous voudrez me voir, venez au Sharper's, dans Low-Lane. Si l'on vous regarde de travers, dites que Noll Green, votre fils, nettoiera la bouche de ceux qui vous feront la grimace. »

Saunie et les habitants du Sharper's en savaient plus long que lui, mais pas beaucoup. Saunie put lui dire que Noll et Dick passaient pour être les *mates* ou aides habituels de Tom Brown et qu'ils avaient mené bonne vie, buvant de la première qualité dans le parloir, et battant chaque soir une nouvelle femme : ceci jusqu'à un certain jour, peu de temps après la mort de la Bartolozzi, – et pour mieux préciser, le jour même où Gregory Temple quitta comme un piteux son bureau de Scotland-Yard. Ce soir-là, pendant qu'on était en train de lire à haute voix le livre de Jean Diable le Quaker, le sifflet de Tom Brown fut entendu au dehors. Noll et Dick sortirent en promettant de casser la tête à quiconque les suivrait. Personne ne les suivit, et depuis lors, âme qui vive n'avait entendu parler ni de l'un ni de l'autre.

Salomon, en écoutant ce récit, avait secoué sa vieille tête embéguinée.

– Ces mauvais sujets finiront mal, mes pauvres bons amis, avait-il dit : Mais, après tout, le garnement est mon fils… mon fils unique encore – et s'il gagnait beaucoup d'argent avec ce Tom Brown, il s'établirait peut-être. Pour sûr, il n'est ni emprisonné ni pendu, nous le saurions. Ce Tom Brown les aura embarqués peut-être dans quelque affaire d'importance.

Si vous le rencontrez ici ou là, mes amis, en faisant votre besogne, dites lui qu'on est en peine de lui à la maison, et qu'il y a encore quelque schellings au fond du boursicot de son père.

Aujourd'hui, le vieux Salomon était venu plus tard encore qu'à l'ordinaire.

– Rien de mon garnement ? dit-il en saluant la veuve Paddock à son comptoir.

– Rien, monsieur Green… Jean Diable les aura menés jusqu'en enfer !

– Toujours le mot pour rire, ma bonne dame ! Faites-moi donner, je vous prie, mon verre de gin, du sucre et de l'eau. J'ai le goût de cuivre dans la bouche !

– Mauvais état, dit-on, monsieur Green, répliqua la veuve, mais qui a mis du temps à vous empoisonner, pour sûr... Baby ! fainéante ! le petit grog de M. Green !

Le vieillard se retourna pour aller prendre sa place ordinaire dans le parloir, mais précisément la jolie Molly ronflait, vautrée sur le sol humide, au pied de la table que d'habitude, il occupait. Au travers de ses lunettes bleues, le bonhomme fixa sur elle un regard rapide, mais attentif, il eut un petit mouvement, mais le tranquille et débonnaire sourire qui était plaqué à demeure sur ses lèvres ne se démentit point. Il pénétra dans le parloir, fit un circuit pour éviter les longues jambes de l'ancienne porteuse de charbons, qui avait de bons souliers ferrés sous sa robe de soie rouge, et alla s'asseoir à une table enclavée dans le coin le plus obscur. Si quelqu'un eût fait attention à lui en ce moment, on aurait pu remarquer qu'il installait son escabelle de façon à présenter aux personnes qui pourraient s'asseoir à la table de Molly, la ligne de son profil perdu, rompue par les mèches en désordre d'une longue chevelure grise. Il s'assit et demeura coi, selon sa coutume, écoutant les bruits confus et pêchant çà et là un mot distinct qui nageait parmi les murmures.

Au moment où Bab lui apportait son gin et son eau, la porte de la chambre à coucher de Jenny Paddock s'ouvrit avec fracas, et le gentleman Ned, toujours bruyant, toujours prenant quatre fois plus de place qu'il ne lui en fallait pour passer, saisit la taille musculeuse de la veuve et lui ravit traîtreusement un baiser.

– Ma pauvre Molly ne nous voit pas, dit-il avec un rire scélérat. Je m'arrange pour qu'elle ne sache pas mes succès auprès des autres dames. On ne peut se tenir à une seule beauté, à mon âge et dans ma position !

– Tous les hommes sont des trompeurs ! murmura la veuve, qui baissa ses paupières sanglantes avec modestie.

Derrière le gentleman Ned venait le troupeau des poulets vierges, escorté par Saunie.

Le regard aigu du vieux Salomon passa par dessus la monture de ses lunettes, et fit en un clin d'œil l'inventaire des nouveaux arrivants. À l'aspect du petit clerc, son sourire, de bonhomme qu'il était, devint presque railleur. Évidemment Ned et la jolie Molly étaient pour lui de vieilles connaissances.

Mais son envie, paraitrait-il, n'était pas de les saluer ce soir, car il mit son visage entier dans l'ombre et se prit à mélanger avec un soin minutieux son eau, son sucre et son gin.

– Éveillez milady, Bab ! cria Ned, – avec respect, s'il vous plaît, ma fille ! – Mistress Paddock, envoyez un de vos garçons prévenir mon cocher, afin qu'il prépare mes chevaux... Nous avons eu de la peine dans cette ruelle maudite, qui n'est pas faite pour les équipages... mais un homme tel que moi ne va pas à pied... Eh bien ! Molly, mon petit amour, avons-nous fait de jolis rêves ?

– Un coup à boire, si vous voulez, maître Knob, répondit l'énorme femme en se mettant sur ses pieds lourdement.

Elle replaça d'un temps son chapeau à plumes comme si c'eût été une casquette. Sa robe de soie rouge souillée lui venait à mi-jambes. Elle se planta carrément sur ses larges souliers ferrés, et bourra sa pipe en promenant à la ronde son œil morne.

– Ils la suivaient dans les rues à Paris ! dit le gentleman Ned avec orgueil. Vous sentez bien que, là-bas, plus d'une comtesse et plus d'une duchesse aussi m'ont fait des agaceries. Elles courent toutes après les Anglais pour leur bonne mine et leurs guinées ! Mais quand on a un amour de femme comme Molly, ma mignonne, on ne regarde même pas les autres beautés. Donnez-lui un coup à boire, mistress Paddock ! deux coups ! tout ce qu'elle voudra. La galanterie est le propre des gentilshommes. Si elle demandait un tonneau de gin, je dirais : servez le tonneau !

Molly alluma sa pipe à une chandelle.

– Trésor ! cria Ned, transporté d'amour, venez embrasser votre homme, et n'oubliez pas votre parapluie.

– Une autre tournée de punch, milord ? demandèrent quelques voix enrouées dans le nuage de vapeur.

– Oui bien, pardieu ! mes enfants, répondit l'ancien clerc sans hésiter. La libéralité sied aux grands. Servez un punch de la dernière qualité à ces pauvres créatures, afin qu'elles bénissent le nom d'un jeune homme qui a su faire son chemin. Au revoir, ma bonne mistress Paddock, je vous promets ma pratique et ma protection !

Au milieu d'un tonnerre d'acclamations, le garçon revint dire que le cocher de milord attendait.

Ned fit un signe amical à ses *maiden-chickens* et glissa dans l'oreille de Saunie :

– Demain, à l'adresse indiquée, pour la répétition générale… Soyez muets comme la tombe, et vous éprouverez les effets de ma générosité… En avant, ma jolie Molly !

La Jolie Molly avait entre les dents le goulot d'une nouvelle bouteille.

– Gardez-la, maître Knob, dit-elle en reprenant haleine. En route, on peut avoir besoin d'un coup à boire.

– C'est le moment, mes petits, cria Jenny Paddock en se plaçant debout à côté de la porte. Il faut engager Leurs Seigneuries à revenir nous voir ; faites comme moi : Molly et Ned Knob pour toujours !

– Molly et Ned Knob pour toujours ! répondit un chœur formidable.

Le petit clerc avait les larmes aux yeux tant il était ému.

Molly tressaillit d'abord, mais elle se dressa de son haut et ses yeux s'injectèrent de rouge. Elle raffermit d'un coup de poing son chapeau sur sa tête hérissée, et ôta sa pipe de sa bouche comme si elle eût voulu parler. Elle était belle à couper en deux une charge de cuirassiers.

– Eh bien ! mon amour, lui demanda Ned attendri, êtes-vous contente ?

Elle ne répondit pas, mais saisit son homme par la ceinture et le jeta sur son bras gauche comme une nourrice tient son poupon ;

puis, brandissant son parapluie de la main gauche, elle sortit au milieu d'une tempête d'applaudissements.

L'orage fut plus d'une minute à se calmer, d'autant plus qu'on servait la seconde tournée de punch.

L'orage calmé, Jenny Paddock dit :

– C'est grande pitié de voir de l'or dans la poche percée d'un singe !

– Et de la soie sur les épaules d'un vieux cheval de cab ! ajouta Baby, la servante, avec rancune. Elle a trois fois l'âge de maître Ned...

Mistress Paddock, qui était la contemporaine de Molly, l'interrompit par un retentissant soufflet.

– Bénéfice clair de la jeunesse ! murmura ce bon vieux petit M. Salomon, qui revenait prendre sa place de chaque soir sur l'escabelle occupée naguère par Molly.

Père Green, dit Saunie en s'approchant de lui d'un air pensif, ces deux-là pourraient vous donner des nouvelles de votre Noll...

– Ah ! le garnement, mon brave ami ! soupira le vieillard. Faut-il qu'on garde de l'attachement pour de semblables mauvais sujets !

– Noll Green était un franc compagnon, prononça Saunie avec tristesse.

Salomon releva les yeux sur lui vivement. Un physionomiste aurait eu de la peine à définir avec exactitude l'expression de son regard. Ce n'était, en ce premier moment, ni de l'anxiété paternelle ni de la tristesse ; mais c'était sans nul doute de l'émotion, une grande émotion, et c'était plus encore peut-être : c'était de la passion.

Il resta bouche béante devant Saunie ; puis sa paupière se baissa comme s'il eût craint d'étonner son interlocuteur par la flamme étrange qu'il sentait brûler dans sa prunelle.

Il dit tout bas :

Vous parlez de Noll comme s'il était mort !

Il y a de ces coquins qui ont bon cœur. Saunie avait bon cœur.

– Père, répliqua-t-il avec embarras, Noll n'est peut-être pas mort.

Salomon se prit à trembler et ses dents claquèrent dans sa bouche.

– Écoutez ! s'écria Saunie, j'ai bien pensé à vous tantôt en causant avec ce chien habillé de Knob. Je veux qu'on me pende, et cela viendra peut-être, que je le veuille ou non, si je n'aimerais pas mieux perdre une guinée de ma poche que de vous voir tremblant comme cela, vieil homme !… Noll est allé là-bas avec Jean Diable…

– Où cela ? demanda le vieillard ardemment, où cela ?

– À Paris, pardieu !… Et Ned Knob dit qu'il ne reviendra jamais.

– Ah !… fit Salomon en un long et profond soupir.

Mais, je vous le dis, les yeux d'un père qui apprend la mort de son fils unique n'ont point ce rayonnement extraordinaire. Saunie ne la vit pas, cette flamme, parce que le vieillard se couvrit le visage de ses mains.

– Où pourrais-je trouver Ned Knob, comme vous l'appelez ? demanda-t-il au travers d'un sanglot.

– Il m'a bien défendu… commença Saunie. Mais attendez ! s'interrompit-il. Ce n'est pas lui qu'il faut interroger, c'est Molly ; en la faisant boire… boire beaucoup, car elle ne dit rien tant qu'elle n'est ivre qu'à demi… Demain, à onze heures du matin, Ned Knob doit aller à un rendez-vous ; Molly sera seule… Allez-y : Rosemary-Lane, 7. Goodmans-Field…, et ne me vendez pas !

Salomon se leva tout chancelant, et lui serra les deux mains avec effusion.

– Merci, murmura-t-il d'une voix entrecoupée. Ô mon pauvre Noll ! mon cher enfant !... J'irai, mon brave ami, et ne craignez rien pour vous !

Il gagna la porte d'un pas pénible et sortit.

À peine fut-il dans la rue, que tout son être en quelque sorte grandit et s'élargit. Sa taille courbée se redressa, sa poitrine s'enfla, son pas devint rapide et ferme. Vous eussiez presque dit la course d'un jeune homme.

Et, tout en courant, il murmurait entre ses lèvres frémissantes :

– Ah ! ah ! il est mort !... ah ! ah ! ils sont morts !... S'il n'a pas brûlé leurs cadavres, je les trouverai, fussent-ils à cent pieds sous terre !

Ses mains se rapprochèrent et il les frotta convulsivement l'une contre l'autre.

À cent pas du Sharper's, en un lieu où la ruelle élargie formait une sorte de place, un cab stationnait. Il s'y jeta en prononçant le nom d'un hôtel de Leicester square. Le cheval partit. La première lanterne glissant ses rayons par la portière éclaira une paire de mains maigres, entre lesquelles roulait une tabatière ronde à couvercle blanc, sur laquelle se lisaient écrites en lettres noires, ces trois lignes :

« MÉMENTO.

« 3 février 1817.

« Constance Bartolozzi... »

À ce moment, l'équipage du gentleman Ned Knob arrivait devant le numéro 7 de Rosemary-Lane.

– Descendez, cocher, cria-t-il et frappez comme pour un lord.

– Mon hôte ! ajouta-t-il en voyant le maître de l'hôtel qui entr'ouvrait la porte déjà fermée, venez offrir votre bras à milady... Comme on dîne, bonhomme, chez les ambassadeurs ! Ils ont porté si souvent la santé de ma femme, ces aldermen, ces ducs et ces directeurs de la compagnie, que voilà ce pauvre ange endormi au fond de ma voiture ! Faites-lui chauffer un pot de rosée-de-cœur pour me la remettre, mon hôte, et n'épargnez pas le brandy… Quant à moi, il me reste à voir deux secrétaires d'État… Allez, cocher.

Molly monta le perron en femme comme il faut, le parapluie sous le bras, et relevant sa robe de façon à passer une rivière à gué.

– Allez, cocher, allez ! commanda le gentleman Ned, vous savez de quel côté est la cour !

Il n'alla pourtant pas jusqu'à la cour. Vers les onze heures du soir, il cria *stop* devant cette maison du Strand où le tilbury du Quaker s'était arrêté, le soir où commence notre histoire, pour y déposer Richard Thompson. *Office de M. Wood,* disait toujours la plaque de cuivre posée au-dessus du marteau. Ned descendit et rajusta sa toilette, en homme qui veut se présenter à son avantage. Nous avons fait remarquer déjà qu'à Londres tout visiteur indique son importance par la valeur de son coup de marteau. Le régent d'Angleterre aurait regardé à deux fois avant de cogner comme le fit notre ami Ned Knob. La porte sonore retentit, et un mouvement se fit aussitôt dans la maison.

Ned Knob pensait, en grimaçant son rire de singe :

– Le patron en a gros comme la boule du dôme de Saint-Paul sur la conscience ? Il va croire que le roi l'envoie chercher enfin pour lui donner gratis une alcôve à Newgate !

– Bonsoir, Kate ! s'écria Ned Knob, dès que la porte s'ouvrit, montrant deux ou trois domestiques effarés qui arrivaient tous à la fois avec des flambeaux ; bonsoir, Daniel ; bonsoir, vieille Loo de malheur ! La maison n'a, donc pas encore brûlé par le feu de l'enfer !

Il se carrait, les mains dans ses poches, sur la dernière marche du perron.

Le valet et les deux servantes, ébranlés par ce foudroyant coup de marteau, s'attendaient à voir je ne sais quoi ; un géant pour le moins. L'idée du petit clerc renvoyé pour vol était si loin de leur pensée qu'aucun d'eux ne le reconnut au premier aspect. Ils le voyaient énorme. Ce fut la voix grêle et criarde du gentleman qui leur ouvrit les yeux.

– Dieu me pardonne, Dan ! dit Kate la première, allez chercher le fouet de poste, je vous prie. Ce n'est que ce petit *rogue* de Ned Knob qui est ivre et qui vient nous chanter pouille !

– Ned Knob ! gronda Loo, la femme de charge, qui avait été longtemps la victime des espiègleries du saute-ruisseau. J'ai mon balai.

Daniel saisit en même temps la gaule à battre le tapis.

Une sonnette impatiente retentit à l'étage supérieur.

Loin de reculer, l'ancien clerc fit un pas en avant, ce qui le mit en pleine lumière. Kate, Dan et Loo virent qu'il avait des bottes bien cirées, un chapeau neuf et un habit complet de drap fin. Ils se regardèrent indécis ; tous les trois avaient cette même pensée que Ned était peut-être un homme riche maintenant. À Londres, insulter un homme riche est quelque chose comme un sacrilège. Ned avait bien compté là-dessus.

– Examinez-moi un peu, dame Kate, reprit-il. Savez-vous la différence qu'il y a entre un *rogue* et un jeune homme de famille ? Et n'entendîtes-vous jamais parler de fils de lords qui retrouvent à la fin leurs nobles parents ? Écoutez cette chanson, vénérable Loo, ajouta-t-il en frappant sur son gousset qui parla d'or. Mort et passion ! mes camarades, nous roulons carrosse maintenant, et nous allons prendre l'ami Wood pour notre homme d'affaires. Cela ne vous réjouit donc pas le cœur, vieilles gens, de voir un joli garçon qui a fait fortune ?

Loo déposa son balai et Daniel mit bas sa gaule.

Un second coup de sonnette, plus colère et plus impérieux, se fit entendre à l'autre étage.

– Ne montez pas, commanda Ned. Je veux ménager au patron la joie de la surprise. Éclairez, Dan ! À présent, j'ai des domestiques qui ne mettraient pas pour balayer mes appartements votre livrée du dimanche.

Dans l'escalier, une grosse voix demanda :

– Qui donc s'est permis de frapper de cette sorte ? et quel diable de conciliabule avons-nous là ?

Le gentleman Ned mit un doigt sur sa bouche et monta lestement les degrés.

Sur le carré du premier étage il y avait une manière de bouledogue humain à tête rouge et chauve, où se plantaient çà et là quelques cheveux gris hérissés comme des crins. Il était enveloppé dans une robe de chambre à ramages, et ses lunettes de presbyte se relevaient sur son front écaillé. C'était, dans toute sa brutale insolence, le type anglais pléthorique, avec le sang sur la peau et des veines violettes dans le bleu clair des yeux. Toute la sève de ses cheveux tombés était passée dans ses sourcils : deux touffes de poils durs qui saillaient à un pouce en avant de ses paupières.

C'était M. Wood, l'ancien solicitor et l'ancien tuteur d'Hélène Brown. S'il en fallait croire son visage, il devait avoir derrière lui une longue et terrible histoire. On lui aurait donné soixante et dix ans à peu près ; mais, malgré ce grand âge, il portait haut le poids de son tempérament sanguin et semblait jouir encore d'une vigueur extraordinaire.

Avec l'index et le pouce, il eût aisément broyé le poignet du gentleman Ned.

Comme tous les presbytes, à dix pas il avait une vue de jeune homme. Il était en outre de ceux qui pensent à tout et s'attendent à tout. Il reconnut son ancien clerc du premier coup d'œil, et l'examina curieusement, pendant qu'il montait l'escalier.

– C'est vous qui avez frappé comme cela, maître Ned ? demanda-t-il en baissant la voix.

– Oui, patron, répondit l'ancien clerc. Comment vous va depuis le temps ? Toujours vert comme un houx ! Vous pouvez vous vanter d'avoir une jolie vieillesse, et je ne souhaite qu'une chose, moi, c'est d'avoir à votre âge une santé comme la vôtre.

– À mon âge, Ned Knob, vous serez depuis cinquante ans au cimetière, si l'on y met les corps de pendus.

– C'est votre politesse qui ne diminue pas non plus, patron, repartit le petit homme en ricanant, Permettez-moi cependant d'espérer mieux que votre pronostic. Puisque vous n'avez pas été pendu, pourquoi le serais-je ?

Les gros sourcils du solicitor se froncèrent, faisant une ombre épaisse à ses yeux. Les veines de son front se cordèrent. Ned Knob fit un pas vers lui et reprit avec calme :

– Vous comprenez bien, patron, que je connais la force et le poids de votre poing. Je ne suis pas ici pour jouter avec vous, qui d'une chiquenaude pourriez me lancer par la fenêtre. Entrons dans votre cabinet et parlons raison, je vous prie, car à l'heure qu'il est et sans vous offenser, mon temps est au moins aussi précieux que le vôtre.

M. Wood tourna le dos et repassa en silence le seuil de son appartement, Ned Knob le suivit. Ce fut Ned qui ferma la porte.

M. Wood le regarda d'un air inquiet.

– Tu as été mon domestique, gronda-t-il d'une voix que la colère faisait déjà balbutier, tu as mangé mon pain, je te donne un conseil : Ne me menace pas, ou je t'écrase la tête sous mon talon !

– Vous en seriez bien capable, patron, mais je n'ai aucune menace à vous faire. Je viens de Paris et je viens de *sa part*.

– Toi ! fit l'ancien solicitor avec défiance.

– Regardez-moi donc une bonne fois comme votre élève, patron, dit rondement le petit bonhomme, et vous ne vous étonnerez plus du chemin que j'ai fait. Que diable ! l'habileté est contagieuse ; à force de se frotter à un bon général, on devient un bon soldat.

Il plongea la main dans ses cheveux durs et crépus, touffus comme une toison. Il en retira un pli roulé, large comme la moitié d'une carte de visite, et ajouta :

– Voici la lettre de créance qui vous prouvera que je suis bien un ambassadeur.

M. Wood prit la lettre. Ned Knob se plongea dans un fauteuil et croisa ses jambes lune sur l'autre.

La lettre ne contenait que deux lignes.

Quand M. Wood l'eut achevée, il regarda son ancien clerc très-attentivement.

– Il faut qu'il y ait quelque chose en toi, nabot ! grommela-t-il, car je n'ai jamais vu le fils d'Hélène se tromper ni sur un fait ni sur un homme. J'étais trop près de toi pour te juger. Derrière ton burlesque comique, s'il y a de l'intelligence, tant mieux… Quand tu es entré, j'ai pensé que tu étais dans la police.

Ned haussa les épaules avec un mépris souverain.

– Un intendant supérieur ne gagne qu'un millier de livres, répondit-il, et j'ai des passions à satisfaire.

La face du bouledogue s'épanouit en un gros rire.

– Ce Tom Brown est le diable ! murmura-t-il. Moi, je me serais toujours arrêté à la couche de stupidité grotesque qui enveloppe ce singe ! Allons, mon cher monsieur Knob, puisqu'il faut traiter avec vous de puissance à puissance, la lettre est bien de Tom Brown. Elle me dit de vous parler comme si vous étiez le fils d'Hélène lui-même. Vous en savez peut-être encore plus long que moi, après tout, et puisque Tom vous a choisi, je m'incline. Que voulez-vous de moi ?

– Je vais vous apprendre certaines nouvelles et en apprendre d'autres de vous, patron. D'abord, tout va bien à Paris ; l'affaire marche, et vous verrez sous peu le fils d'Hélène, comme vous appelez milord. Je suis dépêché, vers vous pour ce qui regarde la jeune fille principalement…

– Quelle jeune fille ?

– L'héritière de Constance Bartolozzi… Avez-vous les papiers qui constatent que Constance Bartolozzi s'appelait de son nom Constance Herbet ?

– J'ai tous les papiers, répondit l'ancien solicitor : j'ai l'acte de naissance de Constance Herbet, j'ai les engagements, où le nom

Bartolozzi est toujours suivi du nom Herbet entre parenthèses. J'ai sa déclaration au commissaire de Waterloo place.

L'identité est claire comme le jour, et cela ne peut souffrir l'ombre d'une difficulté…

– À merveille, patron ! Moi je vous apporte l'acte de naissance de mademoiselle Jeanne Herbet, mineure émancipée, et sa procuration, avec certaines autres pièces, telles que le pouvoir de la tutrice, etc.…, si besoin est… Il s'agit de retirer les testaments déposés chez le notaire Daws.

– Voilà ce que je ne comprends pas ! s'écria M. Wood.

– Pourquoi ne comprenez-vous pas cela, patron ?

– Parce que Tom Brown est l'héritier unique de Franck Turner à Lyon et, de William Robinson à Bruxelles, du chef d'Hélène Brown, leur cousine germaine, sa mère ; parce que cette jeune fille, Jeanne Herbet, est le seul obstacle entre Tom et la succession ; parce que la Bartolozzi morte emportait le secret de ses affaires, et que le notaire Daws lui-même ignore l'existence de cette Jeanne Herbet… En présence de ces faits, pourquoi mettre en lumière ce qu'il était si facile de laisser sous le boisseau ?

– Nous avons nos raisons, patron… D'abord notre qualité de convict évadé, et la gloire dont rayonne notre surnom de Jean Diable, ne nous placent peut-être pas dans la meilleure position du monde pour réclamer en justice l'héritage de deux hommes assassinés…

– On pourrait tourner l'obstacle, répliqua M. Wood. L'affaire ne doit pas être plaidée à Londres. Ce nom de Brown, aussi commun ici que le sont en France les noms de Durand, de Lebrun ou de Martin, aurait-il excité la moindre attention devant les tribunaux de Lyon et de Bruxelles ?

– Peut-être. N'oubliez pas que Gregory Temple est là-bas.

– Tom veut épouser la jeune fille ? demanda brusquement l'ancien solicitor.

– Selon toute probabilité, patron.

– C'est un coude !… Je n'aime pas qu'une histoire de femme vienne se jeter à la traverse de combinaisons aussi sérieuses ?

– Eh ! eh ! fit le gentleman Ned d'un air capable, l'amour perdit Troie !…

– Et la difficulté ici est bien plus grande ! poursuivit M. Wood en s'animant. M. le comte de Belcamp joue contre la loi française une partie audacieuse, et qui me semblerait folle si les cartes étaient tenues par tout autre que lui. La vérité est qu'il possède des ressources qui ne sont à personne… J'ignore les mesures qu'il a prises ou qu'il prendra en dehors de sa comédie de l'alibi double, qui est un enfantillage ou un chef-d'œuvre, selon la manière dont on l'exploitera : j'ignore ses combinaisons nouvelles, et je n'ai pas besoin de les connaître : je sais qu'il gagnera comme il a gagné toujours ; cela me suffit… Mais il y a des noms jetés dans le public français.

L'assassin de Turner s'appelle Belcamp, Belcamp aussi l'assassin de Robinson. Quand on verra Belcamp épouser l'héritière de Robinson et de Turner…

– Est-ce Belcamp qui épousera ? interrompit Ned Knob.

L'œil de l'ancien solicitor s'éclaira.

– Il nage là-dedans ! murmura-t-il ; il jongle avec les dangers mortels comme le Chinois d'Astley-Circus avec ses boules et ses poignards ; donnez-lui l'océan à sauter, il va, prendre son élan !… l'impossible est à lui… rien ne pourra l'arrêter, sinon quelque petit caillou de la route de tout le monde qu'un enfant aurait évité… Ami Ned Knob, vous voilà, enflé comme la grenouille de la fable qui voulait ressembler à un bœuf. Ce rôle ne vous messied point, et puisqu'il se sert de vous, ne fût-ce qu'un peu, je reste profondément convaincu de votre mérite. Seulement, pénétrez-vous bien de cette vérité : Vous ne savez rien de lui, nous ne savons rien de lui, personne ne sait rien de lui !…

Le petit homme eut un sourire plein de suffisance, et le bouledogue détourna de lui son regard avec dédain.

C'était un vieux damné. Il avait au moins la conscience de ne point voir clair ; ce qui est énorme.

– Maître Knob, reprit-il en changeant de ton, nous nous rendrons ensemble demain chez le notaire Daws, à la première heure. Les papiers que vous apportez sont en règle ; ceux qui sont en ma possession de même. Après-demain, dans la soirée, les testaments peuvent être à Paris.

– Et d'un ! s'écria le gentleman Ned comme s'il eût remporté une difficile victoire. Passons maintenant à un autre sujet ! La maison Balcomb…

– Encore une chose que je ne comprends pas ! l'interrompit froidement M. Wood.

– Patron, dit Ned, il est convenu que vous n'avez pas besoin de comprendre.

– Voudrais-tu me faire croire que tu comprends mieux que moi, petit, murmura l'ancien solicitor, qui l'enveloppa d'un regard dédaigneux. Il y a là déjà une somme énorme enfouie, Dieu sait dans quel but !… Dieu ou le diable !… Qu'y a-t-il de commun entre Tom Brown et cet attrape-nigaud qu'on nomme la vapeur ? La vapeur est bonne pour émerveiller deux cent mille badauds, rangés sur les bords de la Tamise et regardant passer un bateau qui va tout seul, sans avirons ni voiles, en jetant derrière lui une crinière de fumée. Je ne comprends pas, mais c'est tout, entends-le bien, je ne nie pas non plus. Derrière le charlatanisme de la vapeur, le fils d'Hélène Brown a dû voir une vérité, puisqu'il a fait un pas dans cette voie. S'il l'a vue, elle y est. C'est l'œil sûr et infaillible par excellence…

– Milord est inquiet au sujet de la maison Balcomb, interrompit le petit clerc.

– S'il tient à la maison Balcomb, il y a de quoi être inquiet, répondit M. Wood.

– Que se passe-t-il ?

– Les paiements sont suspendus depuis trois jours, et la machine de huit cents chevaux est saisie.

– Et vous ne l'avez pas prévenu ?…

– Il sait pourquoi j'ai gardé le silence. J'attendais de l'argent de Prague aujourd'hui même.

– Milord m'a chargé de vous dire, prononça Ned simplement et nettement, qu'il tient à la Maison Balcomb et à ce qui s'y fait comme à sa propre vie !

– Tant pis, garçon !

Ce fut la seule réponse de M. Wood.

– La regardez-vous donc comme perdue ? s'écria Ned.

– Il y a neuf cent mille francs échus.

– Mais l'argent de Prague ?

– Prague n'enverra plus d'argent.

– Les comtes Boehm ?…

– Ah ! ah ! tu en sais long, mon fils ! l'interrompit l'ancien solicitor étonné. Il n'y a plus qu'un comte Boehm, qui sera à Londres demain.

– Et les deux autres ?

M. Wood réfléchit un instant, puis il plongea la main sous le vaste revers de sa robe de chambre et en retira une lettre.

– J'aurais voulu ne confier celle-ci qu'au fils d'Hélène en personne, dit-il, mais puisque vous avez plein pouvoir, lisez, maître Knob.

Celui-ci déplia la lettre qui était ainsi conçue :

« M. Wood, à Londres.

» Monsieur,

» Je suis le cadet et le dernier vivant des trois fils du major-général comte Boehm. Mon frère aîné, le comte Albert, est mort à vingt-cinq ans ; mon second frère, le comte Reynier, est mort à Vingt-quatre ans. Je n'ai pas encore vingt et un ans.

» Le comte Albert fut tué en duel à Prague ; le comte Reynier mourut à Pesth d'un coup de poignard, par suite d'une terrible méprise.

» À sa dernière heure, le comte Reynier me dit : Albert et moi nous sommes justement châtiés.

» Il me dit encore :

» Pour l'honneur de notre nom, fais droit à toutes les demandes d'argent qui te seront adressées par la maison Balcomb et Cie, de Londres.

» Au mois de février de la présente année, j'ai fourni au compte de cette maison, et sur votre lettre, adressée à mes frères, dont sans doute vous ignoriez la fin prématurée : florins, 150,000.

» Au mois de mars, sur une réquisition semblable : florins, 275,000.

» Au mois d'avril : fl. 70,000.

» Au mois de mai : fl. 380,000.

» Sur une nouvelle réquisition de votre part, plus considérable encore, j'ai dû prendre enfin l'avis de ceux qui dirigent ma conscience et mes intérêts. Il m'a été dit, chose que j'ignorais et qui m'a navré le cœur, qu'en l'année 1813 un soupçon avait pesé sur mes nobles frères, à l'occasion du meurtre du général O'Brien. J'étais bien jeune à cette époque ; j'arrivais à l'université, et je ne suivais pas les mêmes cours que mes frères ; mais, sinon par certitude appuyée sur le témoignage de mes yeux ou des hommes, du moins par la voix de mon sang et de ma conscience, je proteste disant qu'un comte Boehm ne peut être un assassin.

» Ma détermination, approuvée par mes conseils spirituels et temporels, est d'aller autant qu'il sera en moi au fond de ce mystère. Je sais qu'il existe à Londres un homme qui a eu entre les mains les pièces de cette ténébreuse affaire, après l'arrêt d'acquit rendu par la cour de Prague ; il se nomme Gregory Temple et a occupé le poste d'intendant supérieur de la police. J'ai pris mes mesures pour me rencontrer avec lui le samedi de cette semaine. S'il s'agit d'une restitution, monsieur, je vous la ferai d'un seul coup. S'il s'agit d'autre chose, et que la restitution doive être opérée au profit d'un tiers, j'accomplirai mon devoir.

» À Londres, ma résidence sera Mivart-Hotel.

» J'ai l'honneur d'être, etc.

» Comte FRÉDÉRIC BOEHM.

IV

Scotland-Yard

Il était dix heures du matin, et le soleil de Londres, soleil à part, généralement coiffé de vapeurs ternes, mais dont tout à coup et par caprice, une douzaine de fois l'an, les rayons se mettent à brûler comme au Sénégal, éclairait brillamment l'ancien bureau de Gregory Temple, dans Scotland-Yard. Le bureau avait changé d'aspect en même temps que de maître. Une fée coquette semblait avoir soufflé sur toutes les sévérités de ce lieu, où l'ancien intendant de police avait passé dans la solitude et la méditation les meilleures années de sa vie. Des rideaux en mousseline des Indes tombaient en plis floconneux et cachaient suffisamment les barreaux de fer qui défendaient les croisées. La table de chêne toute simple était remplacée par un meuble mignon en bois de palissandre, qui rappelait le secrétaire où nos petites maîtresses écrivent leurs jolies correspondances. Les fauteuils-pompadour étaient recouverts d'étoffes gaies, à couleurs tendres, et le casier lui-même où dormaient les terribles cartons avait pris je ne sais quelle galante tournure.

C'était plaisir, en vérité, que d'être interrogé dans ce boudoir aimable avant de faire le plongeon dans les profondeurs de Newgate ou du Fleet.

Sir Paulus Mac-Allan, successeur de Gregory Temple, ancien employé subalterne et chevalier de la nouvelle création, était un homme élégant, adoré des dames, ennemi de la routine et de toutes les choses gothiques. Les médisans prétendaient qu'il avait obtenu son poste et son titre par l'entremise de miss Clara Clayton, écuyère d'un incontestable mérite, appréciée surtout par M. le marquis de Waterford, un des amis du prince régent.

Ce bon prince Georges et cet excellent marquis de Waterford ont été les victimes d'une véritable avalanche de cancans. Mais cela, dit-on encore, ne les inquiéta jamais.

Au temps de Gregory Temple, sir Paulus Mac-Allan, qui avait occupé un poste de police en Australie, passait pour un homme d'assez mince valeur, bon tout au plus pour minuter des signalements derrière un grillage ; maintenant il dînait deux fois par semaine chez le lord-chef justice et c'était un garçon de génie. Clara Clayton n'aurait pas souffert qu'on lui accordât simplement du talent. Par le fait, il n'avait ni talent ni génie, mais il rendait beaucoup de petits services aux gens dont la reconnaissance est une monnaie, et la bande des jeunes lords tapageurs qui traitent chaque nuit Londres en pays conquis, proclamaient volontiers la supériorité de son administration.

Il avait demandé autrefois la main de miss Suzanne Temple : peut-être sa démarche avait-elle été accueillie avec une hauteur un peu trop dédaigneuse. On ne peut pas dire que Gregory Temple fût exempt du péché d'orgueil.

Sir Paulus Mac-Allan venait d'entrer dans son bureau, et son valet de chambre était encore en train de passer par-dessus son habit la légère douillette de foulards des Indes qui prêtait, au dire de Clara Clayton, quelque chose d'oriental à sa physionomie... C'était un très-beau blond à la peau lisse et un peu blafarde, aux traits chevalins, à la taille longue et bien calculée pour la parade. Il n'avait pas plus de trente ans ; sa grande figure régulière et insignifiante portait précisément cet âge. Comme il y a toujours une raison au succès d'un homme, nous pensons charitablement que sir Paulus possédait quelque qualité cachée. À part toute qualité, nous ne resterions pas sans vert ; nous avons prononcé un mot qui est d'or, INSIGNIFIANT ; que de victoires dans ces simples syllabes !

Un homme de belle taille et franchement insignifiant, décoré en outre de ce flegme blond que l'Angleterre produit partout sans culture, ne manquant point enfin de cette élégance fabriquée par les tailleurs, les bottiers et les chemisiers, ne saurait prétendre à de trop hautes destinées. Quelque poète naîtra pour chanter la déesse Fadeur !

Un dernier trait : Sir Paulus Mac-Allan n'était même pas méchant.

– Je n'y serai pour personne, ce matin, Walter, dit-il à son valet de chambre, qui avait un joli petit bureau près du sien, excepté pour Leurs *Seigneuries*, bien entendu, et miss Clary, si sa fantaisie l'amène... J'ai prodigieusement de travail... Appelez les inspecteurs et qu'ils s'arrangent entre eux au salon... J'aime à laisser un certain jeu aux institutions... Il faudra me dire cependant s'il y a quelque chose concernant Leurs seigneuries... Faites monter M. Hoary !

M. Hoary avait été jadis le chef de Sir Paulus : il se présenta froid et grave avec ses dossiers sous le bras.

– Un beau temps, M. Hoary ! s'écria sir Paulus en l'apercevant. Un gai soleil, certes !

– Certes, répondit M. Hoary, un gai soleil, monsieur.

– Quoi de nouveau ?

– Un pauvre homme du guet déplorablement blessé, monsieur.

– Dans les bas quartiers, je pense ?

– Portland place, monsieur, en haut de Régent street.

C'est l'équivalent de notre rue de la Paix, à Paris.

Sir Paulus égalisa les boucles de ses cheveux.

– Ces watchmen ne sont pas toujours à jeun, murmura-t-il.

M. Hoary ne répondit point, mais le rouge lui monta au visage.

– Y a-t-il eu arrestation ? demanda l'intendant.

– Trois jeunes noblemen, monsieur, parmi lesquels le vicomte B...

– Un pair d'Angleterre !... Laissez-moi le dossier, Hoary... Diable !

– Eh bien ! reprit-il d'un ton léger, nous voilà maîtres complétement dans cette pyramidale affaire Bartolozzi ! Ce pauvre M. Temple y avait perdu son latin, mais il n'était pas très-fort. Les renseignements pleuvent depuis l'arrestation de ce Richard Thompson !

– Il y a quelque chose qui n'est pas clair, monsieur, répliqua l'inspecteur. Thompson a été adjoint dans mon bureau... C'était un digne jeune homme.

– Certes, certes… mais la justice est saisie, et ce digne jeune homme a bel et bien tordu le cou à cette brave Constance… Elle vieillissait… J'ai ici un petit paquet de lettres interceptées, se reprit-il en touchant la poche de son frac ; c'est curieux au dernier point, M. Hoary… et c'est terrible, voyez-vous. Je crois avoir déployé en tout ceci quelque zèle et un peu d'habileté… Je ne vous demande pas de compliments. Je dis que c'est terrible !… et que M. Temple fait bien de ne pas repasser le détroit.

– M. Temple est un homme respectable et distingué, monsieur, selon mon avis.

– Certes, certes… J'ai beaucoup d'égard à votre manière de voir, Hoary… les lettres sont de madame Thompson.

– La mère ?… Fanny Thompson ?

– Non pas, répliqua sir Paulus Mac-Allen, qui mit du triomphe dans son fade sourire : Suzanne Thompson, la femme de Richard.

– Elle est mariée !

– Nous avons découvert tout cela, Hoary… non sans quelque peine… non sans quelque adresse peut-être… Je ne vous demande pas de compliments. Il était marié, très-positivement… et je vous donne en cent à deviner le nom du père de sa femme !… Ne l'essayez pas, ce serait peine perdue… Mistress Richard Thompson s'appelle Suzanne Temple.

– Monsieur, répliqua l'inspecteur d'un ton roide et menaçant, je connais Suzanne Temple depuis son enfance ; c'est un cœur pur, une âme respectable !

– Certes, certes… et une belle personne, assurément !… Ses lettres ne seront pas la partie la moins curieuse de ce procès… Son Altesse royale en a déjà demandé des copies. On dirait un roman de Richardson, en vérité !… M. Hoary, j'ai l'honneur de vous offrir mes civilités, vous pouvez aller à votre besogne… Je crois devoir vous dire qu'on ne vous saurait point gré d'ébruiter cette affaire du watchman blessé.

– Nous avons fait une souscription entre employés, monsieur.

– C'est honorable... ajoutez-y ce schelling, mais ne publiez pas mon nom... Jusqu'au plaisir de vous revoir, mon cher M. Hoary.

L'inspecteur sortit. Le valet de chambre ferma la porte. Sir Paulus Mac-Allan resta seul et se plongea dans une immense bergère placée au devant du bureau de palissandre. Il y avait une chose singulière ; dans cette pièce qui avait subi une si complète transformation, un trait restait le même. Nous aurions pu voir sur la tablette de bois des îles ; exactement à la place on il était jadis sur la planche de vieux chêne, ce dossier qui portait en grosses lettres le nom de Constance Bartolozzi. Comme pour faire la parité plus entière, le mouchoir de batiste, marqué R. T., et taché d'une gouttelette de sang, était auprès du dossier avec le billet ouvert et signé des mêmes initiales.

Seulement, sur la couverture ou chemise, au dessous du nom de Constance Bartolozzi, et séparé par une large barre, on voyait écrit en gros caractères ce nom : *Richard Thompson*.

Sir Paulus Mac-Allan atteignit d'abord sa boîte à cigares, et y choisit un havannah sans défaut dont il coupa le bout avec beaucoup de précautions, à l'aide d'un instrument inventé *ad hoc*, le *patent cigar, guillotine,* de J.-H.-C. Cook et fils, fournisseurs du prince régent. Tout en se livrant à ce soin, il pensait :

– Je ne sais pas pourquoi Leurs Seigneuries éprouvent tant de plaisir à battre les watchmen, qui sont de pauvres pères de famille ; mais il est certain qu'on ne peut pas mériter la réputation d'un franc *tarker* sans estropier quelqu'un de ces malheureux. L'Angleterre est un pays joyeux et excentrique : impossible d'aller contre cela ! Ces jeunes lords ont un esprit d'enfer ! Non-seulement ils se mettent douze pour rosser un vieillard qui ne se défend pas, mais encore ils retournent les enseignes, brisent les réverbères et arrachent les marteaux des portes. Rien n'amuse le régent comme le récit de ces charmantes espiègleries !

Il alluma son cigare et tira de sa poche un petit paquet de papiers très-fins qui semblaient des lettres disposées en cahier ; à un certain endroit du cahier il y avait une corne, comme on fait aux livres qu'on est en train de lire.

– En voici une, dit sir Paulus, qui a refusé d'être lady Mac-Allan, tout net, ma foi ! et même d'une façon assez leste. Je n'étais encore qu'un inspecteur adjoint à cent vingt-cinq livres... La sotte ! et combien je lui sais gré de sa sottise ! J'aurais pour beau-père un homme disgracié. Je serais inspecteur tout au plus, et ma femme me gênerait dans mes petites affaires avec Leurs Seigneuries... Voyons le roman de miss Suzanne. J'aime bien mieux le lire, sur ma parole, que d'en être le héros. Où en étions-nous ? J'ai vu l'affaire de l'Opéra-Comique avec la chemise tâchée de rouge, l'arrestation de ce comte de Belcamp, qui est un vrai personnage de comédie... Et du diable si la justice française n'est pas folle ! arrêter un homme pour deux faits dont l'un rend l'autre impossible ! On est forcé, en avançant dans la vie, de convenir avec soi-même que toute l'intelligence du globe est concentrée dans ce pays d'Angleterre, qui est à la tête du monde... et vous voyez des gens qui avouent tout naïvement, sans rougir, qu'ils sont Français... mais il y a aussi les Esquimaux... Lettre n° 5... au milieu ; mon affaire.

« ... Combien je souhaiterais, mon pauvre Richard, que votre innocence fût facile à prouver comme celle du comte, Henri ! Son arrivée à Versailles fut un véritable triomphe. Le préfet vint le voir au greffe, malgré, l'heure avancée, et le juge d'instruction se confondit en excuses. On voulait le relâcher immédiatement. Notre bon et cher ami le marquis, son père, s'y opposa, disant qu'il fallait une réparation aussi éclatante que l'injure elle-même.

» Le comte Henri était calme, courtois insouciant. Il m'appela près de lui et me dit :

» – Votre père est décidément mon ennemi, Suzanne, mon ennemi mortel... peut-être parce que j'ai été l'ami de Richard Thompson.

» Mon cœur se serrait pendant qu'il me parlait. Je ne saurais dire pourquoi je crois que cet homme possède une puissance presque surnaturelle. J'eus peur, mais ce ne fut pas pour lui.

» – Votre père, continua-t-il, m'a déclaré la guerre ce soir. Il est en train de me porter le premier coup. Les coups qu'il me portera ne feront du mal qu'à lui... ou plutôt qu'à vous, ma pauvre Suzanne, et par-dessus tout à celui que vous aimez.

» Il disait vrai : mon père venait d'arriver. Je le voyais de loin avec sa face pâle et ses yeux qui ont toujours la fièvre maintenant. Il parlait au milieu d'un groupe composé de magistrats et d'autorités. Que disait-il ? On l'écoutait en silence.

» Je vis tout à coup le marquis de Belcamp furieux qui levait sa canne sur lui en l'appelant menteur et misérable. Henri s'élança : ce fut pour arrêter la main de son père.

» Gregory Temple s'éloigna après avoir jeté vers M. de Belcamp un regard dont je ne puis vous peindre la douloureuse expression. Qu'y a-t-il entre mon père et le comte Henri ? Mon père peut se tromper, mais il ne peut être ni méchant ni cruel.

» Les choses avaient changé. Le comte Henri ne devait point retourner au château. Le préfet de Seine-et-Oise et le président du tribunal de Versailles vinrent tour à tour offrir leur maison au prisonnier, car le comte Henri était prisonnier.

» Il refusa sans hauteur vaine ni bravade, mais avec fermeté. Il parvint même à calmer la colère du vieux marquis. Tous ceux qui étaient là pour lui, et c'était une foule, comprirent qu'il fallait les formes légales pour que la réparation exigée eût toute sa solennité.

» Nous conduisîmes tous le comte Henri jusqu'à la maison d'arrêt de Versailles.

» En chemin, je réfléchissais, Richard, et je me perdais dans ce dédale de mystères.

» Car il y a deux hommes assassinés dans tout ceci. Où sont les assassins ? et par quelle bizarre coïncidence tous deux ont-ils pris le nom de comte de Belcamp ?

» N'est-ce pas là une machination infernale, ou plutôt deux machinations, deux vengeances qui vont manquer leur but, faute de s'être concertées ? Sur mon salut ! je ne soupçonne pas mon père. Le comte Henri a sans doute d'autres ennemis…

» Au moment des adieux, qui furent bruyants et pleins de fanfaronnade du côté des amis du comte Henri, calmes et reconnaissants de sa part, il m'appela encore et trouva moyen de me parler, il me parla plus longtemps et Jeanne Herbet elle-même !

» Suzanne, me dit-il, tout ceci est comme une pièce de théâtre, et c'est un acte qui finit : voilà le rideau.

» Il me montra avec un sourire la porte de la prison.

– » Si ma vie est le drame, reprit-il, je ne regrette rien de ce que j'ai accompli pendant cet acte, le plus long, le plus laborieux, le plus douloureux aussi de toute la pièce, l'action va changer. Quand vous vous éveillerez demain, un monde d'événements se sera passé dans la coulisse… En deux mots, car le temps nous presse, je n'ai plus besoin de peser sur votre pauvre cœur. Vous ne pouvez plus rien contre moi, Suzanne ; personne ne peut plus rien ; à quoi me servirait un étage ? Faites en sorte d'être seule avec lady Frances, et vous aurez un grand bonheur avec une grande peine.

» Il nous quitta.

» J'achève cette lettre à l'auberge de Versailles où nous sommes. Je l'adresse à votre mère. Dieu veuille qu'elle vous parvienne, mon bien-aimé mari, et que j'aie enfin une réponse de vous ! »

Sir Paulus Mac-Allan secoua la cendre de son cigare et tourna la page. C'était une autre lettre datée du lendemain au château de Belcamp.

« Un grand bonheur, il l'avait bien dit ! hélas ! et une grande peine ! J'ai appris aujourd'hui que vous étiez arrêté, Richard, mon pauvre Richard ! Nos chères espérances devaient-elles donc aboutir à tant de malheur ? Vous êtes en prison ! au secret, dit-on ! Je ne sais plus même si le cri de mon inquiétude ira jusqu'à vous. J'écris toujours à votre mère, et votre mère ne me répond jamais. L'idée m'est venue parfois que mes lettres étaient interceptées.

» En m'apprenant votre arrestation, lady Frances m'a dit : Ne craignez rien ; le comte Henri répond de lui. Mais le comte Henri peut-il répondre de lui-même maintenant que le voilà prisonnier ? Et pourtant, ce matin, mon père m'a embrassée plus tendrement que de coutume. Et il a embrassé aussi notre enfant. Il n'y a point eu d'explication entre nous, mais je crois qu'il sait tout ; son regard me l'a dit, et il m'a semblé voir une larme dans ses yeux pendant qu'il donnait un baiser à notre petit Richard.

» Je lui ai parlé de vous. Il a tourné la tête et ne m'a point répondu, mais je le connais, sa colère est passée, bien passée, et il me semble voir en lui une sorte de tristesse qui est comme un repentir.

» S'il voulait, Richard, le régent lui a des obligations personnelles, et il conserve à Londres plus d'influence qu'on ne croit, s'il voulait... »

Ici, le successeur de Gregory Temple arrêta brusquement sa lecture et posa le cahier sur sa table.

– Oui-dà !... fit-il d'un air pensif ; des obligations personnelles !... Son Altesse Royale sera tout particulièrement flattée en arrivant à ce passage que je vais grassement souligner... M. Temple a dit à sa fille que le régent lui avait des obligations... et sa fille l'écrit à Richard Thompson... en toutes lettres, sur ma foi ! Et si Richard Thompson recouvre la liberté, il lui sera loisible de l'aller dire à Rome !... Or, quelles sont les obligations personnelles, – le mot y est, – qu'un régent d'Angleterre peut avoir contractées envers un employé de la police ?... J'ai beau n'avoir point de rancune contre ce bon Gregory, je ne donnerais pas cette seule ligne pour dix guinées !

Il ralluma son cigare éteint et continua :

« ... S'il voulait !... Richard, quelque chose en moi me dit qu'il voudra, et j'espère.

» Mais je vous parlais d'un grand bonheur... Notre enfant chéri, notre bien-aimé petit Richard, vous l'avez vu il y a bien peu de temps, je sais cela, et j'ai cherché vos baisers sur ses joues. Quand je songe que mon mari est venu si près de moi et que je n'ai pu le serrer sur mon cœur ! Vous m'avez accusée bien souvent d'être froide, Richard, parce que l'inquiétude et le chagrin ont jeté tout à coup un deuil sur la jeunesse même de nos amours. C'est bien vrai, je ne savais pas sourire au milieu de ces terreurs, et le poids qui oppressait mon âme m'empêchait de répondre à vos caresses. Et puis peut-être suis-je froide en effet, car mes gaietés d'autrefois m'apparaissent impossibles comme la folie d'un rêve. Mais je vous aime, Richard, et je voudrais que vous pussiez voir mes pauvres yeux fatigués de larmes. Que ne m'est-il donné de mourir pour vous ?

» C'était lui, ce blond chérubin, cet amour charmant qui consolait et trompait mon besoin de mère ! lui dont je vous parlais dans toutes mes lettres en disant : Ah ! si le nôtre lui ressemblait ! Le comte Henri ne mentait pas : un grand bonheur après une mortelle peine ! J'adorais notre fils en ce cher enfant, et la bonté de Dieu veut que toutes ces caresses égarées aient été à leur véritable objet. Je pensais toujours en berçant le petit Édouard Elphinstone sur mes genoux et sur mon cœur : Notre petit Richard a justement cet âge… et je m'accusais d'être folle lorsque j'ajoutais en moi-même : Il me semble qu'il a les traits de son père…

» De son père qui était vous, Richard, dans ma pensée déjà…

» C'était lui. Le songe était la réalité même. J'avais votre enfant dans mes bras, et j'ai été étonnée de ne pouvoir l'aimer davantage en l'appelant mon fils.

» Un grand bonheur ! un grand bonheur ! Il y avait plus de deux ans que j'étais mère, et de la maternité je ne connaissais que les larmes ! Un grand bonheur ! une joie céleste et suprême ! J'ai mon fils, mon fils me connaît et m'appelle. Il m'aime mieux que cette étrangère dont il porte encore le nom.

» Il faut que je vous parle d'elle. Lady Frances Elphinstone m'a dit que vous étiez son ami. Qui est cette femme ? Dieu me préserve d'humilier mon mari, mais vous êtes le fils de Fanny Thompson, et l'ancien secrétaire de Gregory Temple. Je ne vous savais pas d'amitiés parmi les grandes dames de Londres. Moi-même j'ai vu bien peu ce monde de la noblesse anglaise on ma naissance ne m'appelait point : mais je l'ai vu assez pour dire que Lady Frances Elphinstone ne lui appartient pas. Elle est élégante et grande, mais autrement que nos ladies ; sa distinction n'est pas la leur ; elle ignore certaines choses que nous savons toutes ; sa grâce même, qui est exquise, mais ne ressemble pas à notre grâce, la met en dehors de nous.

» Lady Frances, j'en ferais le serment, n'a jamais mis le pied dans un salon de la noblesse à Londres. Elle est merveilleusement belle, mais sa beauté n'est pas de chez nous.

» Elle est très-bonne, elle est spirituelle à miracle, elle a des hardiesses et des gaietés de Française. Elle m'a raconté votre voyage de Paris et votre visite au Colisée ; elle m'a dit aussi vos larmes quand vous reveniez de la cabane du bucheron.

» Mais elle n'a pas voulu me dire quel lien vous attachait au comte Henri ; mais elle a refusé de m'apprendre quel motif avait pu porter une vicomtesse du peerage d'Angleterre à jouer le rôle de mère près de l'enfant d'autrui... »

Le bouton de cuivre était toujours à la cloison. Sir Paulus Mac-Allan le toucha ; la cloche sonna au dehors, et la porte dérobée encadra en s'ouvrant la jaune et immobile figure de Foster.

– Un *peerage,* de 1817 demanda sir Paulus.

La porte se referma pour se rouvrir l'instant d'après, et M. Foster, sans entrer, tendit le volumineux almanach à son supérieur, qui lui dit :

– Un temps véritablement clair aujourd'hui, monsieur Foster !

– Oui, monsieur, clair véritablement, repartit l'automate.

Sir Paulus Mac-Allan feuilleta l'*Almanach de la pairie,* et arriva d'un temps à l'article Elphinstone, qu'il parcourut. Il haussa les épaules.

– J'en étais sûr, murmura-t-il, vicomtesse pour rire... c'est assez bon pour des Français !

Il bâilla et sauta plusieurs feuillets du manuscrit en murmurant :

– Je me déclare saturé d'amour conjugal et d'amour maternel : cherchons autre chose.

»... Voilà déjà huit jours que le comte Henri est prisonnier à Versailles. Le procès s'instruit par ordre supérieur, dit-on, et malgré l'opinion de la magistrature. Il est échappé à mon père de dire devant moi : Ce n'est pas là le vrai procès. Il faut d'abord un prétexte pour le retenir prisonnier.

» Vous savez que le comte Henri, sous un autre nom, a été son bras droit et son ami. Sous l'acharnement inattendu de mon père, on trouverait peut-être le mot de l'énigme…

» J'ai dû quitter le château de Belcamp, d'où mon père a été chassé après une scène violente avec M. le marquis. Je demeure au château neuf, chez lady Frances Elphinstone. Depuis son explication avec le marquis, mon père a disparu. M. Robert Surrizy, un jeune homme avec qui il entretient des rapports qui semblent avoir trait à une entreprise mystérieuse, ignore lui-même sa retraite et le suppose à Londres Dieu veuille qu'il y soit pour vous, Richard !

» Et Dieu veuille aussi qu'il abandonne son idée de séjourner en France et la guerre qu'il fait au comte Henri de Belcamp ! Je ne sais pourquoi cette guerre m'effraye de plus en plus, non-seulement pour lui, mais pour nous-mêmes, c'est-à-dire pour vous. Je n'ai à citer aucun fait nouveau, mais je sens autour de moi comme un brouillard qui va sans cesse s'épaississant. Il y a dans la route où nous marchons un abîme de mystères, si large et si profond que nous y tombons tous…

» Personne n'est contre moi, assurément, mais tout le monde est pour le comte Henri, qui est l'ennemi de mon père. Tout le monde tient à lui, soit par affection avouée, soit par des liens qu'il est impossible de définir. Lady Frances est son esclave et affirme que votre dévouement ne le cède point au sien. Le pays entier célèbre d'avance l'issue de ce procès, qui n'est pas même douteux, et quiconque parle de Gregory Temple croit se montrer clément en ne l'accusant que de folie.

» Vous faut-il un exemple de ce prestige incroyable exercé par le comte Henri du fond de sa prison ? Il y a deux jeunes filles qui l'aiment et qui restent amies, comme s'il était le soleil dont personne n'est jaloux. Ceci n'est rien. Ces jeunes filles ont abandonné leurs fiancés : deux fiers et vaillants jeunes gens. Les fiancés, qui gardent leur amour, sont les esclaves du comte Henri !…

» Or, je me souviens que, moi aussi, j'ai été son esclave, et je me demande s'il a une main assez large pour tenir ainsi chacun par une chaîne différente…

» Et je me réponds, en interrogeant ma propre pensée, qu'il y a un miracle plus grand encore, puisque moi-même je n'ai pas cessé de lui appartenir depuis que ma chaîne est brisée. Je suis encore son esclave. Pourquoi ? Parce que je vous aime Richard et que j'ai plus de confiance dans le pouvoir et dans la volonté de ce prisonnier que dans l'intervention de mon père, qui est libre.

» Une voix crie au dedans de moi-même : Ton mari sera sauvé par le comte Henri de Belcamp !... Et je prie pour lui en pressant notre petit Richard contre mon cœur... »

– Qu'est-ce, Foster ? interrompit sir Paulus Mac-Allan à la vue de la figure jaune qui apparaissait dans le cadre de la petite porte.

– C'est pour dire à M. l'intendant supérieur, répondit Foster, qu'il y a en bas quelque chose de très-drôle.

– Quoi donc, mon garçon ?

– M. Temple qui vient d'entrer dans la cour. Le chien du portier l'a reconnu et lui fait toutes sortes de cabrioles... une bête qui m'a toujours mordu !

– M. Temple ! répéta sir Paulus stupéfait. Quelle diable d'idée ! Vous rêvez tout éveillé, Foster !

Tout en parlant, il faisait disparaître les lettres de Suzanne dans la poche de son habit.

– M. l'intendant peut venir voir, répliqua paisiblement Foster. La fenêtre de mon trou donne sur la cour.

Sir Paulus Mac-Allan se leva. Le trou de M. Foster était une petite loge servant de trait d'union entre le cabinet du chef et la caserne des employés. Foster, qui était depuis longues années la chrysalide de ce cocon, trouvait moyen de s'y caser tout entier, lui et ses paperasses. Foster venait trente fois par jour au seuil de ce cabinet qu'il ne franchissait jamais. C'était un excellent commis, un mouvement parfait, comme on dit pour les montres. Au moment où sir Paulus mettait son binocle à l'œil-de-bœuf qui éclairait le trou de Foster, M. Temple, qui avait traversé la cour, entrait sous le vestibule : sir Paulus le vit seulement par derrière, mais il le reconnut et revint de mauvaise humeur dans son cabinet.

Par tous pays vous pourrez trouver bien des ridicules dans ces vieilles administrations et bien des petitesses aussi. Quoique la splendeur du type bureaucratique légumineux, méticuleux, difficultueux, important, ignorant, tranchant, fatigant, inutile, nuisible, payé pour être obstacle et se vengeant sur le public qui le paye des ennuis humiliants de sa domesticité, méchant parce qu'il est malheureux, orgueilleux, parce qu'il est dédaigné, intolérable enfin sur toutes les coutures, parce qu'il s'ennuie par tous les pores, quoique ce fruit odieux et misérable de notre civilisation soit français et n'atteigne toute sa cruelle saveur que dans les immenses marais administratifs où il est cultivé en France ; cependant, vous rencontrez ce produit, à l'état simple et plus humble, sous toutes les latitudes. En Angleterre même il existe, surtout dans les antiques bureaux de la police métropolitaine.

Eh bien ! tout au fond de ces limbes, quelque part sous ces ridicules, et derrière ces petitesses, il y a un cœur. De case en case, et je ne sais comment, la nouvelle s'était répandue que Gregory Temple, l'ancien intendant supérieur, était dans la maison de Scotland-Yard. Pour tout ce monde, Gregory Temple était un grand souvenir. Il ne faut pas prétendre que la curiosité ne fût pas pour un peu dans l'élan, qui en un instant jeta tous ces reclus hors de leurs alvéoles, mais il y avait autre chose que la curiosité.

– Que Dieu vous bénisse, monsieur Temple, lui dit le gardien sous le vestibule. On s'entretient de Votre Honneur, ici, bien souvent.

– Je voudrais parler à sir Paulus Mac-Allan, mon garçon, répondit l'ancien intendant avec une sorte de timidité.

Car il avait cette émotion du vieux marin qui, pour la première fois depuis sa retraite prise, revoit la mer et son vaisseau.

– Je vais conduire Votre Honneur.

– Pas de dérangement, mon garçon… commençait M. Temple ; mais plusieurs voix partant de l'escalier l'interrompirent :

– Dieu vous bénisse, Gregory Temple !

Une demi-douzaine de constables étaient là, le chapeau à la main, dans une attitude respectueuse ; l'ancien intendant supérieur éprouva une gêne visible et murmura :

– Mes enfants, je ne suis ici qu'un simple visiteur…

– On se souvient de vous dans Scotland-Yard, Votre Honneur, fut-il répondu ; vous étiez un chef doux et juste.

M. Temple monta l'escalier le plus vite qu'il put. Dans le grand corridor, d'autres constables, des sergents, des inspecteurs faisaient la haie chapeau bas :

– Que Dieu vous bénisse, M. Temple ! Pourquoi nous avez-vous quittés ?

Pas un ne manquait. Des larmes vinrent aux yeux du vieux Gregory.

– Mes amis, dit-il d'une voix tremblante, mes bons amis, merci !…

Il toucha plus d'une main en passant, mais il passa vite et ne se retourna point.

L'inspecteur Hoary était le dernier. M. Temple l'embrassa et lui dit tout bas :

– Qu'on ne fasse pas de bruit pour moi, mon vieux camarade. Il s'en faut que je sois ici en triomphateur… Rentrez tous, mes enfants ; je vous en prie… je vous l'ordonne !

Il tourna l'angle du corridor pendant que tous ces braves gens, émus jusqu'aux larmes, regagnaient leurs postes en silence. La porte du cabinet de l'intendant était au bout du corridor. M. Temple, avant d'y frapper, essuya ses yeux, et prit le temps de composer son visage. Ce fut Walter, le valet de chambre, qui vint ouvrir.

Chez nous, le valet de chambre est meuble d'intérieur. En Angleterre, il suit le maître, avec lequel il ne fait qu'un seul et même gentleman. Ainsi, au temps de Dunois, appelait-on « un homme d'armes » un tout composé d'un chevalier, d'un cheval, d'un écuyer et d'un varlet. Le plus mince sous-lieutenant de l'armée anglaise a son valet de chambre, qui ne porte pas sa lance, il est vrai, mais qui lui fait la barbe. La *gentlemanrie* est une fleur tout comme la chevalerie. En Crimée, si nos alliés les Anglais n'étaient pas toujours les premiers au feu, c'est qu'ils avaient de l'occupation dans leurs ménages.

Le valet de chambre anglais est invariablement doux aux durs et dur aux humbles. Il a envie de battre ceux qui lui ôtent leur chapeau. M. Temple se présenta timidement ; Walter lui dit :

– Sa Seigneurie n'est pas visible, l'homme !

– Veuillez faire passer mon nom à sir Paulus Mac-Allan, insista doucement M. Temple qui lui tendit sa carte.

– Il n'y a pas de nom qui tienne ? répliqua Walter en élevant la voix ; vous seriez le prince régent en personne…

– Animal ! interrompit la voix de son maître qui venait d'entr'ouvrir la seconde porte, – ne reconnais-tu pas M. Temple ?… La consigne n'est jamais faite pour des gens comme lui… Entrez, mon vieux et respectable maître, je suis véritablement enchanté de vous voir en bonne santé.

Il s'effaça, et M. Temple, qui avait jeté un regard furtif à la fadeur immobile de ses traits, franchit le seuil. Sir Paulus lui roula un fauteuil, en disant :

– Comment vous va, cher maître ?… Un beau temps, aujourd'hui… ne trouvez-vous pas ?

– Un temps superbe, monsieur, répondit le vieillard en s'asseyant, je viens…

– Certes, il y avait six semaines au moins que nous n'avions eu ce soleil remarquable. Vous jouissez de cela, vous maintenant, cher maître… nous autres, nous restons à l'attache.

L'œil de l'ancien intendant avait fait le tour du bureau.

– Oui, oui, dit son hôte avec un sourire satisfait ; cela est un peu rajeuni… indubitablement, cher monsieur… le goût du jour, vous savez… Des nouvelles de miss Suzanne Temple, je vous prie.

– Bonnes, monsieur, je vous remercie… M'est-il permis de solliciter de vous un service ?

– Dix, mon maître, et quinze plutôt ! s'écria sir Paulus. Je vous le répète, vous êtes ici chez vous, pardieu ! Que puis-je faire pour vous être agréable ?

– Souffrir que je prenne connaissance, sous vos yeux, bien entendu, de deux dossiers.

– De tous, cher maître, de tous ! l'interrompit sir Paulus ; je vous le répète ; vous êtes ici chez vous. Voici nos cartons, et quoique certes il ne soit pas régulier de permettre à un étranger… votre ancienne position… et la haute honorabilité de votre caractère…

– Il y en a deux pourtant, reprit-il, qu'avec la meilleure volonté du monde nous ne pouvons pas vous fournir… ce sont les deux dossiers soustraits de votre temps…

– Soustraits de mon temps ! répéta M. Temple qui pâlit.

Il avait fait évidemment une désespérée provision de calme, de conciliation et d'humilité ; mais sa fièvre était derrière tout cela, et, malgré tous ses efforts, au moindre mot sa prunelle avait des éclairs.

Sir Paulus Mac-Allan s'était assis vis-à-vis de lui dans sa bergère. Il avait cet impitoyable sang-froid des neutres. Il éprouvait en outre un vague plaisir à trôner devant son ancien supérieur.

– Soustraits sous votre administration, cher maître rectifia-t-il, pour employer une forme plus grammaticale. Le dossier Brown mère et fils et le dossier relatif à l'assassinat du général O'Brien, Prague, 1813.

Les bras de Gregory Temple tombèrent.

– Ceux-là ! justement !… murmura-t-il.

Puis son regard alla tout droit aux deux cartons, qui n'avaient pas bougé de place. Il se leva, leste comme un jeune homme, et ouvrit les deux cartons d'une main habituée. L'un et l'autre étaient vides.

– La fumée du cigare vous incommode-t-elle ? demanda sir Paulus Mac-Allan.

– Je ne me souviens pas d'avoir omis une seule fois d'emporter la clef de ce bureau, pensa tout haut M. Temple.

Sir Paulus toucha le bouton de la cloison.

– Que Dieu bénisse Votre Honneur ! dit Foster dans son cadre. C'est moi qui vous ai vu le premier dans la cour… et vous êtes-vous bien porté depuis le temps ?

– C'est vous qui avez dressé l'inventaire, l'interrompit sir Paulus Mac-Allan ; dites à mon respectable maître et ami que les dossiers Brown et O'Brien manquaient le lendemain de son départ, c'est-à-dire deux jours avant mon entrée en fonctions.

– C'est l'exacte vérité, répondit Foster, dont la figure jaune disparut sur un signe de son chef.

Sir Paulus reprit :

– On m'avait donné le conseil de suivre cette affaire ; mais mon opinion est qu'il faut avant tout se conduire en vrai gentleman. J'ai reculé devant la pensée de faire du tort à un homme de votre âge et dans votre situation…

– M'auriez-vous soupçonné, monsieur ?

– Je n'avais pas à vous soupçonner, cher maître. Vous étiez responsable purement et simplement… mais, vous comprenez, notre nouvelle administration est forte… très-forte… elle peut se montrer indulgente au besoin… Le dossier O'Brien regardait une affaire de luxe où vous avez engagé notre police en amateur. J'appartiens à une école plus sévère, et j'avoue que je tenais médiocrement au dossier O'Brien… Quant au dossier Brown, je crois pouvoir dire qu'il déparait un peu les archives de Scotland-Yard. Je compte en faire un nouveau où je placerai pour première pièce le livre des aventures de Jean Diable le Quaker… vous savez… et dans le carton O'Brien, je renfermerai la plus belle fleur de ma couronne, cher maître… Ah ! ah ! il faut bien l'avouer ; là où vous aviez échoué, nous avons glorieusement réussi. Et ce n'est pas peu d'honneur pour moi que d'avoir surpassé du premier coup mon illustre maître Gregory Temple. Je renfermerai dans le carton O'Brien le dossier Bartolozzi, dès que Richard Thompson aura payé sa dette à la justice.

M. Temple retint de force une parole qui déjà pendait à sa lèvre.

Il ferma les deux cartons et revint s'asseoir.

– Ma visite avait un double but, monsieur, dit-il, rouge de l'effort qu'il faisait pour garder le calme de sa voix ; je venais aussi vous parler de l'affaire Bartolozzi.

– Nous sommes reconnaissants d'avance, cher maître, de tous les bons renseignements que vous allez nous fournir.

– Je ne vous en fournirai qu'un, sir Paulus ; vous faites fausse route, et Richard Thompson est innocent.

Sir Paulus Mac-Allan s'attendait à ces paroles, car il répondit sans s'émouvoir :

– Tant mieux pour lui, de tout cœur, mon cher maître ; mais il y a contre lui de terribles apparences. Depuis que je l'ai fait arrêter…

– Vous ne l'avez pas fait arrêter, monsieur, interrompit Gregory Temple.

Sir Paulus releva sur lui un regard où il y avait un peu d'étonnement et beaucoup de compassion.

– Serait-ce vous, par hasard, cher maître ? murmura-t-il.

– C'est moi, monsieur, et que j'en sois puni ! répondit l'ancien intendant d'un air sombre. Toutes les notions que vous croyez avoir, c'est moi qui vous les ai fournies – James Davy était mon agent.

– Un charmant jeune homme, dit sir Paulus du bout des lèvres. Il voyage à l'étranger pour notre compte, et, de temps en temps, nous avons eu par lui de vos chères nouvelles.

Le vieux limier ne put retenir un sourire de mépris. Sir Paulus consulta sa montre.

– Walter ! appela-t-il.

– Bien cher monsieur, ajouta-t-il, ce n'est pas à vous que je ferai des excuses. Vous savez quels sont les devoirs de notre cruel métier. J'ai rendez-vous à onze heures à Sessions-house pour m'entendre avec le recorder qui instruit cette déplorable affaire Thompson... Sans cela, je vous aurais donné de tout cœur ma journée entière.

– Il faut que je voie aussi le recorder, monsieur, répondit Gregory Temple. Je vous demande une place dans votre voiture.

– Très-honoré, certes, certes... Walter ! mon chapeau et mes gants... Si milady ou Leurs Seigneuries viennent me demander, vous direz que je dîne au Hanover-Club avec qui vous savez... La voiture, Walter Très-cher maître, nous voici à vos ordres.

La maison des Sessions ou cour centrale criminelle faisait partie déjà à cette époque des bâtiments de Newgate. C'est entre cet édifice et la prison qu'est situé le vaste préau appelé *cour de la Presse*, où les prisonniers indisciplinés recevaient, longtemps encore après l'époque dont nous parlons, le barbare châtiment du fouet.

La voiture élégante de sir Paulus Mac-Allan s'arrêta dans Old-Bailey, et nos deux intendants de police, l'ancien et le nouveau, entrèrent bras dessus, bras dessous dans la sombre maison de la justice criminelle.

Je ne crois pas qu'il y ait au monde un monument d'aspect plus lugubre que Newgate. C'est du mélodrame anglais, c'est-à-dire la perfection de l'horreur, du noir sale et rougeâtre, de cette sinistre boue où l'on croit deviner des filets de sang.

La cour centrale criminelle étend sa juridiction sur les comtés de Middlesex, la Cité, Kent, Essex et Surrey. Le lord-maire est ici juge d'office, mais il n'instruit jamais sans le secours du recorder ou sergent commun, qui est le véritable magistrat instructeur. Le recorder instruit sur pièces, à la différence du coroner, qui ne peut interroger que sur le lieu du crime ou du délit.

Thimothy Bennett, sergent commun pour la session, était un gentleman de bonne apparence, gros, mais bien pris encore dans sa courte taille, et ne devant arriver définitivement à l'état apoplectique

que dans deux ou trois saisons. Il avait à peu près l'âge de sir Paulus Mac-Allan, son ami intime, et pouvait passer comme lui pour un dandy de la seconde sorte.

Son cabinet, qui était gai comme une cave à mettre des cercueils, avait vue sur Old-Bailey, au travers d'un robuste grillage en fer.

Il travaillait, assis près d'une table où il y avait un reste de jambon, du café, des gâteaux au rhum et une cruche de sherry.

– Un beau temps, n'est-ce pas, Bennett, mon cher ? lui dit sir Paulus en entrant et en clignant de l'œil pour annoncer qu'il n'était pas seul.

– Fait-il beau temps, vraiment ? répliqua le juge avec bonne humeur ; ici tous les temps se ressemblent, pardieu !

– Sur ma parole, Bennett, il fait un temps que j'appellerai remarquable !... Voici mon cher et respectable prédécesseur qui désire vous parler... monsieur Temple, monsieur Bennett ! monsieur Bennett, monsieur Temple !

Il prit la pose voulue pour prononcer cette formule sacramentelle de la présentation anglaise. Ces deux gentlemen se saluèrent ; après quoi le juge serra rondement la main de l'ancien intendant.

Derrière celui-ci était sir Paulus Mac-Allan qui haussa les épaules en faisant des grimaces.

– Bennett, mon cher, dit-il en tirant de sa poche le cahier des lettres de Suzanne, j'ai parcouru cela ; c'est moins curieux que je ne croyais.

– Cela jette un jour... répliqua le juge.

– Certes, certes, mon cher, cela jette un jour.

Bennett reprit :

– Cela jette un jour, évidemment.

Et sir Paulus Mac-Allais :

– Un jour manifeste, mon cher !

Après quoi, les trois gentlemen restèrent vis-à-vis les uns des autres silencieux et quelque peu embarrassés. Les signes et les grimaces de sir Paulus avaient mis Thimothy en garde. Il ne savait sur quel pied danser.

– M. Temple accepterait peut-être un verre de sherry ? commença-t-il. Qu'en pensez-vous, Mac-Allan, mon cher ?

– M. Temple, répondit sir Paulus, appartient à l'ancienne école. Je suis certain que nos manières l'étonnent. Il doit savoir pourtant que Son Altesse Royale aime les joyeux compagnons. M. Temple va prendre la peine de vous dire ce qu'il souhaite, et nous entamerons notre besogne, le temps est précieux.

– Je suis entièrement aux ordres de M. Temple, ajouta Thimothy ; le temps est précieux, indubitablement.

– Monsieur, commença l'ancien intendant de police avec lenteur, car il se recueillait en lui-même, je sollicite près de vous un permis pour voir Richard Thompson, mon ancien secrétaire du bureau de Scotland-Yard.

Derrière lui, sir Paulus fit avec sa tête un signe négatif.

– Impossible, monsieur, répliqua rondement Thimothy Bennett. J'aurais voulu de tout mon cœur être agréable à un homme tel que vous, mais l'accusé Richard Thompson est au secret. Le lord-chef-justice lui-même ne pourrait pas vous accorder votre demande.

Il y avait sur les traits de l'ancien intendant une pâleur mate et profonde que des plaques rouges venaient marbrer par instant. L'effort terrible qu'il faisait sur lui-même était maintenant si apparent que le juge interrogea sir Paulus du regard.

Sir Paulus se toucha le front d'une façon toute significative.

Il y avait une glace en face de M. Temple. La glace reflétait la longue, blonde et lymphatique figure de sir Paulus Mac-Allan. M. Temple vit son geste.

– Non, monsieur, dit-il en se retournant, je ne suis pas fou ; regardez-moi bien.

Sa parole était froide, mais sous ce calme la passion frémissait. Son visage était froid, mais ses yeux brûlaient. La tenue de sir Paulus Mac-Allan changea ; il se mit à jouer avec son binocle de cet air que prennent les personnes raisonnables, pour ne point répondre aux importunités des enfants.

– Messieurs, continua Gregory Temple, il ne serait peut-être pas prudent de me pousser à bout, si bas que je vous paraisse tombé !

Thimothy Bennett affecta un grand étonnement.

– Ah ça ! murmura-t-il en se tournant vers son ami, quelle mouche pique ce respectable gentleman, mon cher ?

– Mon cher, M. Temple croit à l'innocence de Richard Thomson, répondit sir Paulus Mac-Allan.

Bennett éclata de rire.

– Et vous n'ignorez pas, poursuivit sir Paulus d'un ton de froid persifflage, que M. Temple jouit d'une grande influence à la cour ; Son Altesse Royale lui a des obligations.

– C'est juste, c'est juste ! s'écria Thimothy, des obligations personnelles, sur mon honneur !

– Personnelles, comme vous dites ! répéta le nouvel intendant. Il faut faire attention à cela !

La sueur perlait sous les cheveux de Gregory.

– Il y aura malheur sur quelqu'un, prononça-t-il entre ses dents serrées, si je vais jusqu'au régent d'Angleterre.

– Ne menacez pas, monsieur Temple, dit Bennett sans colère ; j'ai l'honneur de vous faire observer que je suis dans ma fonction de magistrat.

– Je ne menace pas, monsieur, je sais que je parle à un magistrat ; je tente mon dernier effort pour éclairer une conscience.

– J'ai le droit de vous écouter comme témoin, dit Bennett, malgré les signes de son ami ; Votre déposition ira devant la cour.

M. Temple étendit la main droite avec une violence convulsive.

– Je jure devant Dieu de dire la vérité, toute la vérité, rien que la vérité : Richard Thompson est innocent !

– C'est votre gendre, prononça la voix glaciale de sir Paulus.

Gregory bondit sur son siége comme s'il eût senti la morsure d'un serpent.

– Ah !… fit-il en étreignant sa poitrine à deux mains, on ne me tuera pas tout d'un coup, et j'aurai le temps d'allumer un flambeau dans cette nuit !

– Calmez-vous, monsieur, dit Bennett d'un ton où l'intérêt naissant perçait ; nul ne songe à tuer, Dieu merci !…

Connaissez-vous le coupable ?

– Oui, répondit l'ancien intendant.

– Nommez-le, je vous prie.

– C'est James Davy.

– Parbleu ! ricana sir Paulus Mac-Allan.

– Le fait est que nous savons très-bien cela, monsieur Temple, fit observer le recorder. Richard Thompson a été arrêté porteur de la passe du commissaire adjoint, James Davy ; il se servait de cette pièce, qu'il avait soustraite pour tromper les investigations de la justice. En ce sens, le coupable a bien nom James Davy.

– Vous êtes encore un jeune homme, prononça péniblement le vieux Gregory, bien que vous occupiez un poste qu'on réservait de mon temps aux vétérans de la magistrature. L'honneur et la bonne foi sont vivants à votre âge. Je vous jure, sur l'espoir de mon salut, que James Davy a donné lui-même sa passé à Thompson comme Nessus donna sa robe empoisonnée.

– Ceci est de la fable, interrompit sir Paulus entre haut et bas. Pas fort ! pas fort !

– Pourquoi James Davy aurait-il tendu ce piége à Thompson ? demanda plus sérieusement le recorder.

– Parce que tout gibier aux abois cherche à donner le change. James Davy savait que, j'avais la main sur lui.

– Vous ?… Que pouvait-il craindre de vous, simple particulier désormais ?

– Le sort de Richard Thompson ! s'écria le vieillard en se frappant la poitrine, car c'est moi, c'est moi seul, trompé par James Davy, qui ai fait arrêter Richard Thompson !

Le nouvel intendant de police fit des épaules un mouvement qui signifiait clairement :

– Que voulez-vous répondre à de semblables extravagances ?

– Ignorez-vous donc, poursuivit M. Temple, à qui sa passion impuissante mettait des larmes dans les yeux, que votre James Davy et le comte de Belcamp, accusé d'un double meurtre en France, ne font qu'une seule et même personne ?

– Oui, pardieu ! j'ignore cela, mon digne monsieur ! s'écria Bennett perdant son sérieux. Pourquoi n'allez-vous pas conter vos histoires aux juges de France, bien dignes de les écouter, j'en fais serment !

– Ignorez-vous donc, éclata Gregory avec un accent et des gestes qui véritablement étaient d'un fou, car la colère trop longtemps contenue et faisant explosion ressemble à la démence, ignorez-vous donc que votre James Davy est Tom Brown ?

– Tom Brown aussi ! gémit Bennet, qui se tordait de rire.

– Et aussi Jean Diable, parbleu ! lança sir Paulus.

Gregory se leva et lui mit ses deux mains sur les épaules.

– Et aussi Jean Diable ! hurla-t-il, en lui jetant au visage l'écume de ses lèvres ; Jean Diable, oui, Jean Diable aussi vrai que vous êtes, vous, aveugle de naissance, sourd incurable et misérablement idiot !

Sir Paulus Mac-Allan recula, car il eut peur. M. Temple était effrayant à voir.

Quand les épaules de sir Paulus ne soutinrent plus les mains crispées du vieillard, ses bras tombèrent. Il resta au milieu de la chambre, frissonnant, les yeux baissés, les jambes chancelantes, comme un homme foudroyé par une malédiction.

– Ah !… balbutia-t-il avec horreur et sans savoir qu'il parlait, c'est vrai ! c'est vrai ! je suis la cause de tout cela… et je suis fou !

– Mon cher, dit sir Paulus en se tenant prudemment à distance et derrière la table, je crois qu'il faut appeler un constable, non pas pour arrêter ce pauvre homme, mais pour le reconduire jusqu'à la rue. C'est de la charité, mon cher.

Le recorder sonna et ajouta avec une sincère tristesse en buvant un verre de sherry :

– Ce que c'est que de notre pauvre cervelle humaine !

L'instant d'après deux constables entraînaient Gregory Temple, qui se laissait faire comme un enfant. Au moment où ils gagnaient Old-Bailey après avoir franchi la voûte, la voiture du lord-chef-justice montait la colline au grand trot de son magnifique attelage. Le regard de Sa Seigneurie tomba sur cet homme qui était soutenu des deux côtés par les aisselles.

Il prononça tout haut le nom de Gregory Temple, et ajouta, mêlant l'orgueil du prophète à un sentiment de banale compassion :

– Voici longtemps que j'avais prédit cela !

M. Temple s'affaissa contre la muraille, au-dessous de l'endroit où l'on dresse l'échafaud, et resta immobile comme une pierre tombée. Les deux constables, ayant accompli leur devoir, qui était strictement de mettre un homme dans la rue, revinrent à la maison des Sessions au moment où sir Paulus Mac-Allan, courbé en deux devant le lord-chef-justice, apprenait à Sa Seigneurie que le temps était clair aujourd'hui, positivement et ce qu'on appelle remarquable, certainement.

V

Un coup à boire

Il est à Londres, comme à Paris, des gens qui se ressemblent et font cercle autour d'un homme tombé, à terre. À Paris, la curiosité, est presque toujours secourable, et vous voyez journellement le pauvre ouvrier, l'ouvrière pauvrette, jouer le rôle de la Providence et faire une richesse à l'enfant qui pleure, au vieillard terrassé par la faim, en cotisant leurs indigences. C'est que Paris est beau jusqu'en ses misères, pour ceux qui ont du cœur !

À Londres, la curiosité est trop souvent inféconde. Un malheureux hasard a fait que je l'ai vue la plupart du temps dédaigneuse et sarcastique. Il m'est arrivé de m'éloigner navré des insultes qu'elle avait à la bouche. C'est que tout est laid à Londres, depuis les grossiers écrasements de la richesse impitoyable jusqu'à ces inconcevables duretés dont le pauvre use envers le pauvre.

Ils ont un mot qui se trouve, hélas ! être trop fréquemment l'expression de la vérité : *intoxicated* veut dire à la fois ivre et empoisonné !

Empoisonné par le gin, il faut s'entendre. Ce sont eux qui l'avouent : leur ivresse est un lugubre empoisonnement.

Autour de tout corps gisant, la foule dit, si c'est un homme : il est ivre ! – Elle est ivre ! si c'est une femme.

Autour de Gregory Temple, ils étaient là, une douzaine de cockneys qui riaient et qui disaient : Il est ivre ! Deux ou trois avaient assez de charité pour produire cette variante : Il est fou ! On ne sortait pas de là. Au bout de dix minutes, M. Temple demanda un verre d'eau. Un homme se trouva pour lui rendre ce service avec un louable empressement. Cet homme poussa le dévouement jusqu'à le soutenir pendant qu'il buvait. En ouvrant ses yeux pleins de gratitude, l'ancien intendant de police reconnut un célèbre pique-poches, et n'eût que le temps de sauvegarder sa bourse.

Au bout de dix autres minutes, un tilbury s'arrêta brusquement devant le groupe et tout le monde cria : Un physicien ! un physicien !

À Londres, en effet, les médecins portent ce nom, qui est chez nous le titre adopté par Bosco et par Robert-Houdin.

Le physicien perça le cercle, saisit sa trousse et releva, ses manches en homme qui va gagner avec plaisir le droit de faire insérer dans le *Times* ce petit article : « Nous citons avec plaisir le trait d'humanité suivant : Aujourd'hui, à midi, dans Old-Bailey, et devant une foule de curieux qui applaudissaient à sa généreuse action, le jeune docteur J.-N White, spécialité pour les maladies des enfants ; 17, High-Holborn, a sauvé la vie d'un pauvre homme frappé d'apoplexie à l'aide d'une saignée opérée à propos et avec toute l'habileté qui distingue ce jeune praticien déjà, fort connu. Le docteur J.-N. White, a refusé toute récompense. »

Et, de plus, l'insertion de ces lignes lui coûte deux guinées. Quel cœur ! prenez l'adresse.

M. Temple ne s'était pas levé pour faire le pick-poket, mais à la vue du physicien secourable, un suprême effort le mit sur ses jambes. Les cokneys voulaient s'emparer de lui pour qu'on le saignât de force : Cela fait passer un moment agréable ; mais Gregory gagna le milieu de la voie, et tourna l'angle de la cour du Berceau-Vert, célèbre dans les trois-royaumes par cet escalier haut et roide que Jack-Sheppard, poursuivi par une armée de constables ; descendit un jour au galop de son cheval. Tout le monde, à Londres, vous racontera ce brillant tour de force ; bien peu songeront à vous montrer, auprès de l'escalier, la petite fenêtre d'une chambre où Olivier Goldsmith écrivit *le Vicaire de Wakefield*. M. Temple n'avait perdu aucun de ses cokneys persécuteurs quand il s'engagea dans Green-Arbour-Court, mais le fameux escalier en arrêta quelques-uns, au haut de l'escalier commence un de ces étonnants dédale qu'on nomme à Londres des passages ou des cours, et qui forment souvent de véritables villages intérieurs, pleins de ruelles croisées, où le diable ne retrouverait pas son chemin. M. Temple, qui savait par état sur le bout du doigt sa géographie des quartiers fantaisistes, traversa deux ou trois maisons percées, et se vit bientôt délivré de sa suite incommode. Il déboucha dans Cheapside, et se prit à marcher rapidement, droit devant lui, sans avoir la conscience de la route qu'il voulait suivre.

La cohue affairée qui encombre la Cité déborde bien dans Cheapside, mais c'est Fleet street surtout qui est le lit naturel de ce brutal courant. Il faut avoir vu les deux fleuves distincts qui vont montant et descendant la grande artère du commerce londonnien, pour se faire une idée de la grossièreté, du sans gêne, de l'égoïsme sauvage qui peut devenir la manière d'être de tout un peuple. C'est une rue d'affaires ; le temps est de l'argent ; on doit tenir sa droite. Étant donnés, ces trois axiomes, tant pis pour les femmes terrassées, pour les vieillards lancés sous l'omnibus. Le temps est de l'argent ; c'est une rue d'affaires ; que ne tenaient-ils leur droite ?

Entre le flux qui monte avec une violence terrible et la marée qui descend non moins impétueuse, il n'y a pas de place pour glisser un mouchoir. Ce sont des affaires qui vont et qui viennent ; des *intérêts respectables,* comme ils disent, des commandes de cotons filés qui croisent des ordres de coutellerie, deux trains d'avidités à toute vapeur qui grincent en se frôlant sans cesse. Tel coup de coude dans le sein d'une femme vaut dix mille livres sterling.

Que viennent faire là les femmes ? C'est une rue d'affaires. Tous les hommes ont l'air de bouledogues ou de boxeurs. Que viennent faire là les enfants ? Le commerce est comme la guerre, il a ses dures nécessités : le temps est de l'argent. Les vieillards peuvent rester au coin du feu. Faute de casser un bras, on peut manquer une commission capitale !

Que diable ! les hommes, les enfants, les vieillards ne vont pas se mettre devant les canons au polygone ! À quoi servent les femmes qui ne tiennent pas les livres, les enfants qui n'ont pas encore le carnet, les vieillards qui n'en ont plus ? On a beau les estropier, les broyer, les massacrer, parce qu'ils ne prennent pas leur droite, ils font perdre encore plus d'un million sterling à Fleet street chaque année.

Il y a des heures pour être humain. Le soir, la fonte de fer, les sucres et même les cotons sont pères de famille. Ils se fâcheraient si quelqu'un coudoyait milady par mégarde, et je ne les blâme pas pour cela. Mais la bourse est la bourse. À midi, dans Fleet street, le coton, pour passer, étoufferait sa propre femme.

Allez voir cela, et prenez votre droite.

Le courant qui descendait vers Royal-Exchange saisit l'ancien intendant de police et l'entraîna comme ces brins de paille que le ruisseau gonflé par l'averse fait tourbillonner. Il y a des nageurs si habiles qu'ils ne peuvent plus couler ; les vieux londonniens ont tellement l'habitude de ces cohues homicides qu'ils se laissent aller au flux et au reflux en faisant la planche. Du moment qu'ils savent nager, ils ne comprennent pas que d'autres s'y puissent noyer. Ils sont calmes sous la protection de leurs coudes arc-boutés en béliers. Le mal sera toujours pour autrui, en conséquence, rien à craindre.

M. Temple, au milieu de ce tourbillon, nageait aussi, mais dans une autre mer. Une véhémente fièvre succédait en lui à cette prostration qui tout à l'heure l'avait terrassé. La lucidité de son cerveau renaissait ; il avait conscience d'avoir commis un acte de folie ; il souffrait ; mais toute sa volonté de combattre se réveillait plus tenace que jamais et plus vaillante.

La foule elle-même, l'agitation, la presse n'était pas étrangères à la soudaineté de cette résurrection. De tout cela un fluide se dégage, c'est certain. Des poches m'ont dit les fécondités étranges d'une rêverie dans la cohue. Chose plus bizarre, des calculateurs m'ont vanté la cohue comme un milieu propice aux grands problèmes résolus.

Il y a pour cela une raison ; c'est qu'au monde entier il n'est pas de condition où l'on soit plus absolument seul que dans la foule. La foule isole au même titre que les ténèbres qui bornent la vue ; elle isole par la multiplicité des distractions ; elle isole encore au même titre que la lumière trop vive qui force à fermer les yeux ; elle berce l'idée comme la mer ; elle met l'attention sur la défensive ; elle sollicite l'effort, elle surexcite l'élan.

Gregory Temple n'aurait pas été plus concentré en lui-même au fond d'un désert. Il ne sentait pas qu'on le poussait et qu'on le meurtrissait ; il songeait.

– Je ne suis pas fou, pensait-il, puisque j'apprécie ma conduite qui a été celle d'un insensé. Le sang a envahi mon cerveau ; la passion brutale a été plus forte que le calcul intelligent. Je n'ai pas su vaincre la colère que la seule vue de cet homme excite en moi. Pourquoi ? parce qu'il m'a succédé Misère de l'âme humaine !

Je ne suis pas fou ; seulement, ma tête est plus faible qu'autrefois. Il faut que je me hâte.

Ma science a tué Thompson, que j'aimais ; Thompson, qui est le mari de ma fille et le père de mon petit-fils. Cependant ma science n'est pas vaine. Une influence de démon a égaré mes calculs, je connais le démon, Thompson doit revivre.

J'ai résolu le problème il y a longtemps. J'ai vu la lumière le jour où mon regard s'est attaché sur ce faux timbre de la poste de Londres, qui était imprimé sur la lettre de James Davy. De ce point de départ, je suis revenu sur mes pas, marchant d'un pas ferme désormais ; j'ai rencontré tous les crimes de Tom Brown comme des étapes sur ma route : la Bartolozzi au centre ; auparavant O'Brien ; plus tard, Robinson et Turner ; hier, Noll Green et Dick de Lochaber… Des meurtres pour cacher des meurtres… comme ces caissiers infidèles qui commettent des faux pour dissimuler des vols. Je sais tout, maintenant, tout !

Non, ma science n'est pas vaine ; non, je ne suis pas fou.

C'est avec ma propre science que Tom Brown m'échappe. Je lui ai révélé ce chemin de l'impossible : il m'y devance, et pourrai-je l'y rejoindre jamais !…

Il arrivait au coin de Lombard street, où les courants contraires forment cet éternel remous, cette barre, ce mascaret que les affaires traversent par des prodiges de vaillance. Gregory Temple ne savait pas où il était. Son intelligence s'absorbait en son idée fixe aussi complètement que s'il eut respiré l'air enfermé de sa chambre de la rue Dauphine, à Paris, au milieu de ses dates funèbres, de ses noms de morts, de ses implacables *mémento.* Il passa d'un courant dans l'autre à son insu, et dériva en sens contraire dans le parvis de Saint-Paul contusionné par de nouveaux coudes, malmené par d'autres livraisons et d'autres commandes.

– Est-il plus fort que moi ? se demandait-il en tendant sa pensée. Ma formule entre ses mains est-elle une baguette de sorcier ? Il me devance ! il me devance ! Son habileté suprême est de n'avoir aucun complice et de se faire des complices de tous des complices aveugles, qui ne savent pas. Je suis arrivé trop tard en France, pour Robinson et Turner. J'arrive trop tard en Angleterre pour la Bartolozzi. L'opinion est faite. On dresse devant moi ce fantôme évoqué par moi-même : l'impossible !... et l'on rit, et l'on rit en disant : Voilà un vieillard qui a perdu la raison !

Ce n'était pas du tout cela qu'on se disait autour de lui. On se disait :

– Voilà un malheureux qui n'a pas flairé la baisse des houilles ou qui a des cotons à livrer en hausse.

Et quelques petits commis, n'ayant encore qu'une demi-écaille autour du cœur, lui criaient :

– Prenez votre droite, vieil homme !

– Montez ! lui disaient les conducteurs d'omnibus : – Pimlico ! Chelsea ! Paddington ! Pancrass !

Sur le pavé, une autre cohue, celle des voitures, se dévidait sans trop d'accidents, grâce au miraculeux sang-froid des cochers anglais.

Gregory Temple ne voyait rien et n'entendait rien.

– Je combattrai ! reprenait-il, suivant sa rêverie obstinée ; tant que j'aurai le souffle, je combattrai ! Qu'ils rient ! le moment vient où la vérité fait explosion comme la poudre d'une mine... Ah ! misérable ! misérable ! je me suis fait petit pour devenir invisible ; j'ai jeté mes armes pour mieux courir. Je me disais : Que je trouve seulement, que je découvre, que je sache ! J'ai trouvé, j'ai découvert, je sais, et je reste impuissant ! La lumière est en moi, je ne peux pas la faire luire ! L'intendant Gregory Temple aurait parlé si haut qu'il eût bien fallu l'entendre. Je ne suis plus rien ! rien ?... Je n'ai pas une preuve, je n'ai pas une arme... L'impossible est autour de moi comme un réseau qui me garrotte !... Ma fille va être veuve, mon petit-fils va être orphelin... par moi ! tout cela par moi ! Oh ! je combattrai, j'irai témoigner devant le jury, je défendrai Thompson ; j'irai chez le régent !... Et si rien ne fait, par la mort ! moi qui ai juré respect à la loi, je me lèverai contre la loi : je pénètrerai dans la prison ; je sauverai Richard de vive force !

– Holà ! bourgeois ! cria-t-on en français à son oreille.

Un homme qui portait le costume du paysan des environs de Paris lui mit sans façon-la main sur l'épaule.

– Dormez-vous tout éveillé, bourgeois ? reprit-il, voilà une demi-heure que je vous parle et vous ne me répondez pas.

M. Temple avait l'air en effet de sortir d'un profond sommeil. Il regarda le paysan d'un œil fixe et terne.

– Pierre Louchet, dit l'autre en riant ; le commissionnaire de l'hôtel français de Leicester square, que vous avez envoyé ce matin porter deux bouteilles de liqueurs à la dame de Rosemary-Lane… En voilà une gaillarde qui a de rudes moustaches !

L'ancien intendant de police passa la main sur son front. Le paysan l'avait entraîné hors du courant, à l'abri d'une encoignure de la grille de Saint-Paul.

– J'ai parfaitement ma raison, lui dit Gregory Temple, avec cette timidité de l'hermine qui précisément n'est pas sûr de ne point sentir sa raison chanceler. Vous m'avez parlé de Robert Surrisy, et j'ai promis de faire quelque chose pour vous.

– Et vous m'avez dit que si je vous avais raconté l'histoire de l'enfant, avec le nom de la dame écrit sur ma porte, il y a seulement trois semaines, vous m'auriez donné un pourboire en conséquence… mais on ne pouvait pas deviner… il y a donc que j'ai porté les deux bouteilles de genièvre dans Rosemary-Lane. J'ai demandé madame Molly. On m'a fait monter tout droit. Il n'y a pas de façons dans cette maison-là. Madame Molly était en jupon et en chemise, assise sur le pied de son lit. Elle criait pour avoir un coup à boire, et ça m'avait l'air qu'elle en avait déjà pas mal eu à boire, des coups ! Je suis entré avec mes deux bouteilles, une dans chaque main. Elle a ri en passant sa grande main noire sur ses lèvres. – Est-ce pour moi, mon joli garçon ? qu'elle m'a demandé… On l'a été dans le temps, tout de même au régiment, joli homme et tout… J'ai répondu selon la consigne : C'est deux échantillons de boisson qui vous sont envoyés par une ancienne connaissance qui en vend, pour les goûter ; il viendra savoir la réponse… Je ne sais pas si elle a compris, mais elle a débouché et avalé une lampée à me coucher par terre, moi qui parle… Mais les Anglaises, ça reste froid comme l'éponge qui s'imbibe… Elle m'a tendu, après ça, la bouteille poliment ; mais, vous savez, l'ancien soldat considère la propreté ; j'ai remercié sans faire semblant du dégoût, pour ne pas humilier personne, et j'ai retourné à l'hôtel. Voilà le rapport.

M. Temple l'avait écouté avec distraction. Sa physionomie changeait à vue d'œil, son front s'éclairait et une lumière était dans ses yeux.

– Avez-vous toujours envie de retourner en France, Pierre Louchet ? demanda-t-il.

– Toujours, bourgeois, répondit le bûcheron. Le Milord m'a envoyé ici voir s'il y était ; c'est connu à présent. Il n'y a que les fonds qui manquent.

– Venez me voir ce soir à l'hôtel, mon garçon, dit M. Temple en lui mettant une couronne dans la main. Vous faites bien les commissions : je veux vous en donner une pour votre pays.

Il le congédia d'un geste amical, et tourna la cathédrale pour entrer dans Watling street, laquelle est parallèle à la grande rue du Fleet, mais ordinairement aussi calme que sa voisine est bruyante et affairée, M. Temple avait maintenant un but. Il marchait d'un pas rapide et ferme. Vous n'auriez retrouvé sur son visage aucune trace de maladie morale ; il avait le front haut et l'œil clair.

Il suivit Watling street jusqu'au square de la Trinité, qu'il traversa pour s'engager dans Rosemary-Lane. Il allait à l'hôtel du gentleman Ned.

Ce n'était pas un palais, mais cela n'avait nullement la physionomie de nos garnis de bas étage. La porte triste mais propre, à laquelle on arrivait par trois marelles en maçonnerie rongées par l'humidité, continuait un pont traversant le petit fossé qui donnait jour aux cuisines en sous-sol. Le vestibule avait des tapis fanés, usés, mais rapiécés soigneusement. L'escalier avait aussi un tapis, le carré de même, de même toutes les chambres. Il n'y a point de carreau brisé, dépareillé, de plancher éraillé ou vermoulu qui puisse être aussi misérable que ces haillons de tapis. C'est comme les loques d'habit noir dont nous avons parlé déjà. Dès que l'Angleterre n'est plus toute riche et toute neuve elle fait froid à regarder.

À droite de l'entrée, un parloir à vaste cheminée, dont la grille était à hauteur de poitrine, montrait ses boiseries noirâtres qui suintaient la glace du dernier brouillard. On sentait le gin en passant près de la porte comme on sent le tabac, la bière ou le café mélangé d'eau-de-vie sur les trottoirs où nos estaminets borgnes respirent leur repoussante haleine. Il y avait autour de la table, enfumée comme les boiseries, des voyageurs de médiocre mine qui buvaient.

Le parloir est toujours la plus belle pièce d'un hôtel.

Le gentleman Ned et sa femme, la jolie Molly, demeuraient au second étage, dans une chambre assez vaste et pourvue comme tout le reste de tapis en lambeaux. Mais comme il y avait déjà vingt-quatre heures que la jolie Molly habitait cet appartement, la chambre était déjà pleine de désordre et de souillures. L'hôte conduisit M. Temple jusqu'à moitié de l'escalier et lui dit :

– Je n'ai pas une maison de Grosvenor square… ni même de Picadilly, monsieur… mais du diable si je reçois souvent du monde pareil !… C'est une futaille à gin que cette lady, sur mon honneur !… La chambre en face de l'escalier, numéro 16. Montez !

M. Temple frappa à la porte du numéro 16, au travers de laquelle on entendait un chant rauque et lugubre. On ne répondait point, et le chant ne cessa pas. M. Temple frappa une seconde fois : toujours la chanson sinistre ; mais pas de réponse. M. Temple ouvrit et entra.

Il s'était assuré d'avance que le gentleman Ned n'était pas encore de retour.

Les rideaux étaient fermés, plongeant la chambre dans une demi-obscurité. Par l'interstice des deux pièces de serge, usées jusqu'à la corde, un rayon de soleil passait et frappait obliquement la joue osseuse de Molly, assise sur la table au milieu de l'appartement, et balançant avec lenteur ses jambes ballantes. Le lit était défait ; la robe de soie rouge, bouchonnée, traînait à terre ; le chapeau coiffait la pendule arrêtée. À proprement parler, il n'y avait point là de misère, mais cela suait un dégoût navrant, horrible.

Éclairée ainsi à revers, Molly paraissait d'une taille gigantesque. Sa charpente musculaire se montrait sous sa chemise ;

sa joue était d'un vert terreux aux rayons du soleil ; sa bouche humide avait de ces convulsions fixées qui restent après la mort ; son œil disparaissait au fond de ses orbites.

Elle chantait, les lèvres à demi ouvertes et immobiles. Les mots d'une langue peignent un peuple. Cela est vrai tristement : l'ivresse, là-bas, n'est pas de l'ivresse, c'est l'agonie produite par un toxique.

Il est juste d'ajouter que la terrible propriété du substantif anglais *intoxication* ne pouvait jamais ressortir d'une façon aussi effrayante qu'en face de cette créature, dont la force native, énervée et prostrée, luttait encore contre une dose de poison capable de tuer trois hommes jeunes et robustes.

Il y avait en effet sur la table trois bouteilles de grès, dont deux étaient complétement vides et la troisième entamée aux deux tiers. Molly avait englouti tout cela depuis la visite de Pierre Louchet. L'envoi de M. Temple ne lui avait point suffi : il lui avait fallu une troisième bouteille. Et la journée n'était pas à beaucoup plus de moitié !

Et Molly se tenait droite, en équilibre sur sa table !

Elle chantait !

M. Temple lui dit, en passant le seuil :

– Bonjour, Molly, ma bonne fille.

Elle se retourna vers lui lentement, et son corps versa sur sa main gauche.

– Oh ! oh ! gronda-t-elle en riant, je tomberai si je n'ai pas un coup à boire… Ce n'est pas vous encore, mon homme Ned ?

Elle approcha de ses lèvres le goulot, qui sonna contre ses grandes dents.

– Je viens pour le gin de ce matin, reprit M. Temple dont le cœur se soulevait.

– Le gin, maître Knob ?... Il y a longtemps que je n'ai eu du vrai gin à boire... Savez-vous ? Ils font maintenant le gin avec de l'eau !

– Alors vous n'en voulez pas d'autres bouteilles, Molly ?

– D'autres bouteilles, l'hôte ? On ne le sent pas dans la bouche et il brûle la gorge... J'ai vu le temps où il y avait du gin à boire en Angleterre !

Elle secoua la tête de haut en bas gravement. M. Temple pensait :

– La dose était trop forte ; elle est incapable de me répondre.

Mais l'ancienne porteuse de charbon éleva la voix tout à coup.

– Je suis une lady maintenant, et je n'ai pas peur des gens de police ! s'écria-t-elle.

Elle eut un rire énervé qui faillit la lancer tête première contre le carreau.

– Le gin est bon, Molly, dit M. Temple, puisqu'il vous met en gaieté comme cela. Je viens vous demander s'il faut vous en fournir d'autre.

– Mon homme Ned a tout l'argent, répondit la grande femme. Il ne laisse rien à la maison.

– On vous fera crédit, Molly.

– Et qui donc me fera crédit ?

– Le marchand, pardieu !

– Et comment se nomme le marchand ? demanda Molly, que la pensée d'avoir d'autres bouteilles éclairait comme une lueur de raison.

– Eh bien ! vous ne le savez donc pas ? répliqua M. Temple, dont l'œil aigu essayait d'entrer dans le regard de Molly pourvoir l'effet de ses paroles : C'est Noll Green de Southwart.

Les jambes de la géante cessèrent de se balancer. Ses paupières battirent. Elle tourna les yeux vers les mains de Gregory Temple qui s'était approché de la table.

– Noll Green, murmura-t-elle ; vous n'êtes pas Noll Green, puisque vous avez vos cinq doigts de la main droite.

– Pas moi, Molly, pas moi !... J'ai bien des années de plus que Noll... Je viens seulement de sa part.

Elle pointa du pied une pipe cassée qui gisait sur le tapis.

– C'était à lui... grommela-t-elle.

Puis se redressant de son haut :

– Je suis comme une pierre quand je veux ! Ils ne me feront pas parler !

– À lui qui ? demanda M. Temple doucement.

– Et bien d'autres choses en vérité, fit Molly qui pensait tout haut ; mais qui peut se vanter de me faire parler ?

– À Noll le boxeur, n'est-ce pas ?... interrompit Gregory Temple. Il peut en avoir de plus belles, maintenant qu'il vend des liqueurs aux gens riches.

La femme de Ned, eut un rire silencieux.

– Ce n'est pas celui-là, Votre Honneur, dit-elle en prenant soudain un ton respectueux. Je sais comment il faut parler aux shérifs. Pensez-vous que j'en sois à mon premier interrogatoire ?

– Molly, ma bonne fille, repartit M. Temple en riant de soi mieux, je viens pour le gin et je ne suis pas un shérif.

– Alors, allez votre chemin, l'homme. Le premier venu n'a pas le droit d'entrer chez la femme d'un gentleman. Si Noll est ressuscité, je n'y comprends rien, et que m'importe ?

– Noll et Dick, pardieu ! Molly.

– Oui, oui… et avec eux on avait toujours un coup à boire… C'étaient deux amis… et ils ne se quittèrent pas même cette nuit là…

– Quelle nuit. Molly, ma belle ?… Voulez-vous les venir voir tous les deux ?

Elle frissonna de la tête aux pieds. Un éclair traversait la nuit de sa cervelle.

– Qui êtes-vous, l'homme ? demanda-t-elle d'un ton bref et sec.

L'ancien intendant de police entr'ouvrit sa houppelande, et montra un flacon d'eau-de-vie de France qu'il venait d'acheter sur la place de la Tour.

– Je vends de cela, Molly, répliqua-t-il au comptant ou à crédit, selon les personnes.

Elle tendit la main comme malgré elle.

– C'est de la bonne *étoffe*, poursuivit M. Temple ; vous avez dû vous en régaler à Paris.

– Je suis comme une pierre, gronda la grande femme en fronçant le sourcil. Je vous défie de me faire parler !

Elle avançait toujours la main. Le vieux Gregory déboucha le flacon avec bruit.

– Goûtez-moi cela, petite mère ! s'écria-t-il d'un ton engageant.

Molly mit le goulot entre ses dents, comme pourrait faire un voyageur perdu dans les sables, qui n'aurait pas vu d'eau depuis trois jours. Elle poussa un large soupir après avoir bu, et fit claquer sa langue.

– C'est bon, dit-elle, mais j'aime mieux le gin le vrai gin !

Puis s'appuyant des deux mains à la table, parce qu'un vertige la prenait, elle ajouta :

– Est-ce vous qui m'avez parlé de Noll Green et de Dick de Lochaber ?

– Qui sont ceux-là ? répondit effrontément l'ancien intendant de police ; est-ce que vous rêvez debout, bonne femme ?

Les yeux morts de l'ivrognesse roulèrent dans leurs orbites caves.

– Quelqu'un m'a parlé de Dick et de Noll... balbutia-t-elle péniblement ; mais il était autrement habillé que vous... Il voulait savoir...

– C'était quelque sergent déguisé, Molly ; il faut prendre garde.

– Ah ! ah ! ils peuvent se déguiser, jeune homme ! je suis comme une pierre quand je veux... Dick n'aurait pas pu boire autant de gin que moi, non, lui qui avalait un seau de bière... et je ne craignais pas un coup de poing de Noll... J'ai porté Ned, mon homme, pendant quatre lieues, en venant de Boulogne à Paris. Il ne pèse pas moitié d'une corbeille de charbon de mer, quoique ce soit un gentleman !

M. Temple poussa un tabouret auprès d'elle et s'assit.

– Prêtez votre pipe, dit-elle, si vous êtes un bon compagnon.

M. Temple était un bon compagnon, ou du moins un compagnon trop habile pour ne pas être, muni de tous les accessoires de son rôle. Il tira de sa poche une pipe de matelot, comme vous n'en auriez pas trouvé du tunnel à Vauxhall-Bridge. Molly lui donna, sur l'épaule, en témoignage de son contentement, un coup de poing qui fit craquer ses os. Elle bourra la pipe avec volupté.

L'heure avançait cependant, et la besogne n'avait pas fait un pas. L'ancien intendant de police, prêtait l'oreille souvent aux bruits de l'escalier. D'un instant à l'autre le gentleman Ned pouvait revenir.

Il prit une demi-poignée de tabac et la pétrit dans sa main pour en faire une chique, sauf le respect qui est dû aux lecteurs. Molly avait sur lui ses yeux ternes. Elle dit :

– À Paris, je ne vous aurais pas laissé me prendre une si grosse bouchée, l'ami !

– C'est qu'à Paris vous n'aviez pas un chapeau neuf et une belle robe de soie, mon enfant. Maître Knob m'a dit que vous aviez manqué de pain, là-bas ?…

– Du pain ! répéta la grande femme avec un ineffable mépris ; on a toujours assez de pain ! – Mais, ajouta-elle, tandis que son briquet attaquait le caillou d'un choc assez ferme encore, j'ai été un jour et une nuit sans avoir un coup à boire !

Elle prononça ces derniers mots d'un accent solennel, et sa physionomie exprima une véritable horreur.

– Ça n'a pas duré longtemps, heureusement, glissa le vieux Gregory.

– Ça a duré jusqu'au soir où mon homme a rencontré milord.

Elle appuya familièrement ses deux gros pieds sur les genoux de M. Temple, et se prit à fumer sa pipe avec plaisir. M. Temple avait de la sueur par tout le corps. Il sentait bien que toutes les subtilités employées d'ordinaire dans les interrogatoires s'émousseraient contre cette borne. Il eût fallu la verge de Moïse pour en faire sortir la fontaine.

Et cependant il avait la complète certitude que Molly pouvait d'un mot rétablir sa partie perdue et lui fournir l'arme qui lui manquait. Il était là, rôdant comme un renard autour d'un poulailler sans portes.

Molly était retombée dans le silence.

– Ned Knob est riche maintenant, reprit M. Temple ; je fournirai cinquante bouteilles à crédit, si l'on veut.

– De gin ? prononça Molly dont les prunelles eurent une lueur livide.

– De gin ou de brandy… Maintenant qu'il travaille pour milord, on peut avoir confiance, c'est certain.

Molly but une lampée d'eau-de-vie, et dit avec une vague intention de faire aussi de l'habileté :

– C'est certain, vieil homme. Comment perdre avec des gens tels que nous ? vous pouvez mettre soixante bouteilles et les apporter demain, sans rien risquer.

– Demain, soit ! soixante bouteilles.

Il vint un peu de rouge aux joues de la grande femme. Elle avait confusément l'idée de ne point montrer sa joie. Mais soixante bouteilles ! elle ne put résister ; elle se mit sur ses pieds d'un effort violent et traversa la chambre en trois ou quatre longues enjambées. C'est à peine si elle chancelait. En revenant, elle agita ses bras musculeux et essaya de danser. Sa chanson, entonnée d'une voix d'homme, éclata comme un tonnerre.

Elle se tut soudain et s'arrêta devant M. Temple, dont elle caressa le menton.

– Dieu me damne ! cria-t-elle, car le mouvement avait modifié la nature de son ivresse, et l'exaltation la prenait, Dieu me damne ! et vous aussi, gentleman ! et toute la terre ! J'ai ouï dire dans les églises qu'il n'y avait pas de gin au ciel !... Mon homme Ned est tout petit, voyez-vous, mais il a encore plus d'esprit que moi... Il m'a dit : « Sois comme une pierre quand on voudra te faire parler ! Ai-je parlé ! répondez !... Jamais ! quand il s'agirait d'un coup à boire ! Eh bien ! écoutez cela ! Mon homme Ned a suivi milord depuis le pont de Blackfriars, à Londres, jusqu'au Palais-Royal de Paris, et du Palais-Royal jusque...

Elle hésita.

M. Temple mit toute sa force à la repousser et dit brusquement :

– Laissez-moi la paix, bonne femme ! Est-ce que j'ai besoin d'écouter vos histoires ?

La folle colère de l'ivresse mit du sang sous les paupières de Molly.

– Et si je veux causer, vieux courtier de liqueurs volées ! s'écria-t-elle en joignant à cette apostrophe un chapelet de blasphèmes. C'est trois bouteilles de gin tout au juste qu'il faut pour me délier la langue, entends-tu et alors je vaux mieux qu'un avocat. J'ai mon compte. Sois pendu si tu ne conviens pas que mon homme Ned a de l'esprit comme quatre !

– Le gin volé ne vaut-il pas bien l'autre ! grommela l'ancien intendant de police qui saisit l'idée aux cheveux.

– Vieux coquin ! continua Molly caressante… Oui, oui… je me souviens bien de t'avoir vu quelque part… au Sharper's ou au Saint-Antoine !… Mon homme Ned vint m'éveiller là-bas, dans notre trou, avec un coup à boire, et il me fit prendre la pelle et la pioche… Il était aux environs de minuit, et je marchais vite pour me réchauffer. Maître Knob soufflait derrière moi… Il y a de ce côté-là un bal, et, de par tous les diables, Maître Knob m'y conduisit le lendemain… J'ai dansé à Tivoli, et tout le monde regardait ma robe rouge… Les jeunes gentlemen français m'apportaient des petits verres d'eau-de-vie… Autant boire dans un dé à coudre, n'est-ce pas ?… Je leur dis : Soyons tous damnés, jeunesses, ai-je l'air d'un moineau franc pour boire dans un joujou ? et j'en versai trente de leurs petits verres dans le chapeau de mon homme Ned, qui criait : Gentlemen ! c'est à moi ce trésor-là !… Ils ne savaient pas ce que nous avions fait la veille, de l'autre côté du mur… et personne ne le saura, vieil homme, car je suis comme une pierre !

– Parlons plutôt de nos affaires, femme ! dit M. Temple d'un ton bourru, dès qu'il la vit s'arrêter. Tout cela ne me regarde point.

– Sois brûlé par le feu éternel, toi ! hurla Molly qui le saisit par le cou ; je t'étranglerai comme une poule si tu ne veux pas faire à ma fantaisie !

Elle le lâcha et s'assit sur ses genoux.

– Ils étaient tous les deux à la taverne qui est de l'autre côté du chemin, reprit-elle avec complaisance, – j'entends du chemin qui borde le jardin du bal… et j'y ai dîné à cette taverne… mon homme Ned voulut dîner dans la chambre… Il ne mangeait guère, car il pensait aux deux corps morts que nous avions enterrés… et c'était pour cela que j'avais emporté la pelle et la pioche… Non, il ne mangeait guère : c'est encore tout jeune... mais moi, je buvais... Noll et Dick étaient des amis, mais n'est-il pas vrai que nous mourrons tous ?... Tant pis pour ceux qui n'ont pas du tout ce qu'ils pouvaient boire ! Passez la bouteille, l'homme : pas l'eau-de-vie, le gin !

Le vieux Gregory défaillait sous l'énorme poids de la géante ; ses pauvres genoux fléchissaient. Il passa, la bouteille, et Molly en téta le goulot avec délices.

– Ah ! ah ! ah ! reprit-elle en riant de son rire pesant, tu ne veux pas m'écouter ! La taverne a un nom français, quelque chose comme *le Gourmand du jour*. Les Français sont des gloutons qui aiment mieux manger que boire... Maître Knob avait suivi milord depuis le Palais-Royal jusque-là... Noll et Dick attendaient milord... Maître Knob se glissa dans les champs et grimpa jusqu'à la croisée pour voir ce qui allait se passer. Milord n'entra pas tout de suite, parce que bien sûr il écoutait à la porte. Maître Knob eut le temps de voir que Dick et Noll avaient leurs couteaux sous la chemise. Ils comptaient faire une fin de milord.

Milord entra. Il apportait de l'argent. Noll et Dick avaient travaillé pour lui, je ne sais pas à quoi, mais ce devait être de bonne besogne, car il mit pour six cents livres sterling de banknotes sur la nappe. On peut faire n'importe quoi pour six cents livres. Chacun sait bien du reste que milord paye comme un roi, et c'est une bonne place pour un jeune homme de l'âge de maître Knob...

L'argent fut compté. Dick et Noll étaient ivres à demi ; cependant ils n'osaient pas attaquer milord, qui était sans armes. Ils avaient l'air de deux taureaux auprès de lui, élégant comme une femme ; mais il faut du courage pour se mettre sur Jean Diable, quand on n'est que deux. Ils se faisaient des signes, chaque fois que milord tournait la tête... à qui commencerait... Ned les voyait bien ; peut-être que milord les voyait bien aussi, car il voit tout.

Il était calme entre eux deux, les coudes sur la table. Il fit apporter un punch, du madère, du rhum et de la menthe pour faire un *strongburnt*. Il l'accommoda lui-même. C'était l'occasion : Dick et Noll attendirent, pensant que la boisson allait leur donner du cœur.

Quand le bol fut vide, ils étaient ivres tout à fait, mais ils n'osaient pas encore.

Milord se leva et dit à Noll tout d'un coup.

– Ce n'est pas bien de voler un camarade !

Et pendant que le boxeur le regardait bouche béante, milord dit à Dick :

– Noll t'a volé tes trois cents guinées.

Dick fouilla dans sa poche, qui était vide. Les six cents livres étaient dans le gousset de Noll.

Mon homme Ned, qui était assis sur le bord de la fenêtre avait regardé de tous ses yeux. Demandez-lui comment la chose se fit, il ne pourra vous le dire ; Jean Diable est un sorcier.

Noll et Dick se levèrent à leur tour, tremblants sur leurs jambes et le sang aux yeux. Satan sait ce que milord avait mis dans le bol. Leur ivresse était de la fureur. Dick se jeta sur Noll comme un dogue enragé.

Milord les sépara en disant :

– Sortez et boxez comme des Anglais sur le gazon ou la terre fraîche. Je serai témoin, et s'il y en a un de mort, l'autre ne sera point inquiété.

Ils vinrent dans le champ. Milord fut témoin. Noll était trop fort pour Dick ; mais, avant de tomber assommé, Dick avait tiré son couteau et taillé le poignet de Noll, qui s'en alla se coucher sous un buisson.

Maître Knob voyait tout cela, caché derrière un talus. Il vit milord aller à Dick d'abord. Dick soufflait comme un bœuf. Milord lui souleva la tête sur un genou et lui posa la main sur la gorge : Dick ne souffla plus. Noll râlait. Milord passa une main sous ses cheveux et mit l'autre à la gorge, comme il avait fait pour Dick ; Noll cessa de râler. Milord se retira. Et quand nous vînmes avec la pelle et la pioche, ils étaient bien morts tous les deux, Noll et Dick. Ils étaient habillés, Dieu merci ! comme des princes. Moi, en cherchant si Noll avait des bagues, je vis son doigt de moins, et je ne le reconnus que là... Nous eûmes un bon paquet de nippes... Maître Knob, pendant que je creusais la fosse, arracha des chardons pour les replanter dessus dans la terre fraîche... Il a de l'esprit, et je ne le contredis jamais... Cependant les chardons étaient une mauvaise idée, car ils ont dû se dessécher... et si j'avais à retrouver les deux cadavres, j'irais tout droit aux chardons morts, là-bas, dans la plaine de Tivoli...

M. Temple déroba ses jambes endolories. Molly tomba comme si une trappe se fût ouverte sous elle. Elle s'étendit tout de son long sur le tapis, au lieu d'essayer de se relever. Ainsi couchée, elle riait le rire épuisant de la dernière ivresse.

Puis devenant sérieuse :

– Je n'ai rien dit de tout cela, prononça-t-elle d'une voix rauque et chargée de sommeil. Ils n'auront jamais de moi une parole, car je suis comme une pierre... je me sens faible, l'homme ! Il y a trop longtemps que je n'ai eu un coup à boire !...

VI

Mivart hôtel

Une heure après, Gregory Temple était plongé jusqu'au cou dans un bain et donnait ordre au valet de l'hôtel qu'il habitait dans Leicester square de faire passer à la vapeur le linge et les vêtements dont il s'était servi depuis deux jours. Il y avait là-dedans des souvenirs du Sharper's et des parfums empruntés au domicile du gentleman Ned. M. Temple gardait ces terribles effluves tout au fond de ses fosses nasales. Il eût voulu se retourner comme un gant pour baigner à grande eau l'intérieur de son corps. Le mieux, en ces cas-là, est de se faire transpirer violemment par un moyen gymnastique ou autre ; mais rien n'y fait, en définitive, et à cela, comme aux grandes douleurs, il n'y a qu'un remède : le temps. L'odeur de la jolie Molly et du gentleman Ned est en effet pour le moins aussi tenace qu'elle est pénétrante. Une société de pharmaciens, d'artistes et de savants ferait sa fortune à inventer une essence pour la toilette qui jouirait de propriétés pareillement obstinées. Mais le mal seul semble être durable en ce bas monde, et les plus gracieux arcanes deviennent souillures en quelques minutes au contact des plus beaux corps.

Dieu a fait l'air pur ; le diable a obtenu la permission d'attacher à chaque vice un miasme : ce sont les deux extrêmes. Entre Dieu et le diable, les dames ont glissé l'eau de Cologne, ce parfum-légion qui porte mille noms et qui pue toujours. Pardon du mot, pardon à genoux, mais le verbe *sentir mauvais* ne me paraît ni assez français ni assez fort pour rendre la torture infligée aux narines par toutes les bonnes odeurs de ces dames. Le divin Platon était bien jeune, puisqu'en proscrivant les poëtes, il n'a pas songé aux parfumeurs !

Gregory Temple, en sortant du bain, se fit brosser à grande eau comme une serviette à la lessive ; on lui coupa les cheveux, on lui rasa la barbe, ses ongles furent passés à la pierre ponce et ses dents au corail. Cela suffisait pour les tiers, mais, pour lui-même, c'était peu. Quand une émanation pestilentielle est entrée en nous, elle s'accroche à nos muqueuses avec un entêtement qui tient du prodige. Le sentiment d'horreur peut persister une semaine et se renouveler à chacune des aspirations pulmonaires qui sont la vie même. On emporte le mal avec soi comme l'*atra cura* d'Horace ; vous avez beau fuir, l'aiguillon est dans votre chair, le poison voyage avec vous.

Gregory Temple ne se plaignait pas. Le soldat vainqueur eut-il jamais l'idée de maudire sa blessure ? Gregory Temple était vainqueur encore une fois, après avoir subi un si humiliant échec dans la matinée, et, selon la pente de sa nature, il triomphait en lui-même hautement et sans réserves. Il tombait vite, mais il se relevait de même. Il ne faut jamais dédaigner les adversaires qui sont faits ainsi. Là était la force de l'hydre qui vivait toujours en rime de ses sept têtes. L'Olympe eut besoin d'Hercule pour vaincre ce reptile. Aussitôt qu'il était relevé, M. Temple recouvrait tout de suite ses plus hauts esprits, comme disent les Anglais ; il remontait d'un élan au sommet de sa confiance en lui-même, et ne se souvenait de sa défaite que pour aspirer plus passionnément au triomphe définitif.

Il avait conquis son arme. Son carnet, qui était près de lui, avait déjà ses notes rapidement crayonnées. Il allait courir à une bataille nouvelle dont son infatigable besoin de travailler établissait d'avance le plan.

Ses calculs, nous l'avons laissé voir, avaient changé complètement de but. Nous l'avons vu autrefois enfermé dans son fantastique laboratoire et poursuivant, avec un acharnement d'alchimiste, la solution du problème qui le fuyait. Le problème était résolu pleinement désormais ; le calculateur avait dégagé l'inconnue de son équation ; sa méthode algébrique d'abord fourvoyée s'était trouvée juste, en définitive ; il savait. Il pouvait se dire à lui-même et crier aux autres : Voici un homme qui est l'assassin de Constance Bartolozzi.

Il avait donc marché en définitive, marché très-vite et très loin.

Mais celui qu'il poursuivait avait couru.

La distance entre eux deux restait la même si elle n'avait pas grandi.

À l'exemple de ces assiégés indomptables qui élèvent de nouveaux remparts derrière leurs murailles démolies, la citadelle, assaillie par Gregory Temple, restait intacte. L'ennemi avait abandonné ses ouvrages extérieurs, il est vrai, mais il était debout, solide et sans blessures, derrière les glacis d'une nouvelle forteresse.

Et de là il avait attaqué à son tour, et de son premier coup il avait rempli de deuil la maison de son adversaire.

M. Temple savait : sa certitude était mathématique ; mais il était seul à savoir et il n'était pas juge. Le problème posé maintenant était de faire entrer sa conviction en ceux qui avaient mission de juger.

Or, c'était là que son adversaire, quelque nom qu'on lui donne ici désormais, Tom Brown ou le comte Henri de Belcamp, James Davy ou Jean Diable, c'était là que son adversaire l'avait devancé, coupant le terrain de tranchées et d'obstacles, multipliant ses défenses avec cette activité infatigable, avec cette intelligence supérieure qui force presque toujours la victoire.

Dès l'abord, il s'était introduit auprès de M. Temple sans défiance, et c'était entre les murs mêmes du bureau de police de Scotland-Yard qu'il avait préparé à loisir ses premières machines de guerre. Aujourd'hui même, M. Temple en avait eu une éclatante et toute nouvelle preuve. James Davy était resté seul dans son bureau, après son départ, le soir où il avait donné sa démission d'intendant supérieur, et deux dossiers avaient disparu : le dossier Brown, le dossier O'Brien.

Et maintenant que M. Temple avait une clé pour expliquer les énigmes du passé, il retrouvait partout ce même agent mystérieux de ses erreurs, de son malheur. C'était James Davy qui, tout en feignant de protéger Richard Thompson, ce doux et loyal enfant, avait dirigé vers lui les soupçons. James Davy avait été le témoin du mariage secret. Qui sait s'il n'avait pas été le premier auteur de ce roman ? Comme on sème l'amour, il vient. Suzanne et Thompson, ignorant la vie tous les deux, avaient dû céder à quelque influence étrangère. Ni l'un ni l'autre n'aurait osé de lui-même commettre un acte si grave.

Chose plus caractéristique encore, Suzanne, enfant gâté, n'avait point de raison sérieuse pour craindre son père ; Richard, traité toujours en favori, se trouvait dans le même cas.

Pourquoi n'étaient-ils pas venus tous les deux en se tenant par la main, et pourquoi n'avaient-ils pas dit : Père, nous nous aimons, faites notre bonheur.

Gregory Temple n'eût point répondu par un refus. Sur l'honneur ! il en était sûr.

Une fois, il est vrai, une parole imprudente et orgueilleuse lui était échappée. Il avait dit, en parlant de la fille d'un lord en train de jouer ce vaudeville si commun en Angleterre :

« On n'épouse pas le fils d'une comédienne ! » Mais cela eût-il suffi si quelque méchante interprétation n'eut grossi l'importance de cette boutade ?

Or, il n'y avait pas à chercher l'interprète : James Davy était là quand la parole avait été prononcée.

Faire de Richard le gendre de Gregory Temple, puis lancer Gregory Temple sur les traces de Richard faussement accusé de meurtre, telles étaient les prémisses de ce syllogisme en action, taillé depuis à mille facettes, que Jean Diable opposait à son adversaire.

Car l'ancien intendant de police, détectif puissant, éprouvé, sûr de lui-même, devait trouver des traces, même dans une fausse voie. Jean Diable se chargerait du reste d'en parsemer le sol. L'ancien intendant de police devait marcher en avant toujours, comme c'était son génie, rassembler un arsenal de preuves, dépenser les trésors de son habileté à rendre ces preuves vraisemblables, et fonder enfin les bases d'une de ces belles et difficiles instructions qui avaient rendu son nom célèbre.

Pour peu qu'il eût le temps de polir l'œuvre, son gendre était perdu !

Et la perte de Richard Thompson, c'était le salut de Jean Diable.

Jusqu'ici, le calcul de Jean Diable était juste exactement et terriblement. L'œuvre de Gregory Temple, accomplie avec conscience, avec passion aussi, avait une telle solidité que Gregory Temple lui-même ne pouvait plus la détruire. L'histoire des erreurs judiciaires est un livre effrayant et long. Les sociétés, pour le besoin d'une défense légitime, dressent certains hommes à une certaine gymnastique intellectuelle dont le but est de faire d'eux, précisément les limiers qu'il faut pour chasser au malfaiteur. L'homme, on doit bien l'avouer, n'a pas les sûrs instincts de l'animal. Le chien court au loup : quand il ne trouve pas le loup, jamais il n'étrangle le mouton errant sous prétexte que ce mouton, ressemble à un loup. L'homme, qui a au-dessus du chien la raison et la manie, prend son loup où il le trouve ; et quand ce loup est un lapin, ma foi ! qu'y faire ?

Errare humanum est ! s'écrie le désolant axiome des philosophes. Et il fallait un loup.

Le vrai loup, cependant, est au bois, où il continue tranquillement son commerce.

Gregory Temple avait fait un loup. Ce loup était un chef-d'œuvre, d'autant mieux que Jean Diable y avait mis la main. Gregory Temple avait beau crier désormais : Ce loup est une brebis, on lui riait au nez. Son œuvre était plus forte que lui, et Pygmalion succombait étouffé sous Galatée.

Pendant toute la première phase de la lutte, où il allait perdant sa réputation, sa raison et sa vie, pièce à pièce en quelque sorte, et comme les malades du jeu perdent leur honneur avec leur argent, c'était l'inconnu qui s'était dressé devant lui. Maintenant le fantôme avait pris corps, et, au moment où Gregory triomphant s'élançait pour le saisir, le fantôme armé de toutes pièces l'avait arrêté d'un défi et d'une menace : défi sérieux : menace redoutable, que Gregory Temple retrouvait désormais partout et toujours autour de lui. La seconde phase de la lutte était bien plus terrible que la première. Celui qui fuyait jadis frappait maintenant. Du fond de sa prison, il étreignait son ennemi d'un bras surnaturel ; il l'attaquait à la tête et au cœur ; l'écrasait sous la raillerie méprisante, il l'ensevelissait dans le deuil.

Il se chargeait, par une expérience implacable, de démontrer à l'inventeur la véritable portée de sa méthode ; il se chargeait d'enseigner au dialecticien la puissance de son propre argument ; il disait à Archimède, enfant : Voilà ce qu'est ton levier !

Et l'inventeur éperdu voyait sa pensée dans les profondeurs nouvelles ouvertes sur ses pas. Figurez-vous le moine de Fribourg au lendemain du jour où le hasard fit détoner entre ses mains un peu de soufre et de salpêtre.

Figurez-vous Berthold Schwartz en face d'une mine chargée de dix mille kilogrammes de poudre et qui fend une montagne en éclatant ! Figurez-vous Salomon de Caus quittant la bouilloire qui vient de lui dire à l'oreille le premier secret de la vapeur, et voyant passer tout à coup sur le viaduc sonore ce démon aux entrailles de feu, qui change aujourd'hui la face du monde et entraîne des milliers d'hommes dans sa fuite rapide comme un tourbillon !

Gregory Temple n'avait fait qu'entrevoir l'impossible. Jean Diable, son élève, avait reçu de lui le principe et en tirait les conséquences.

Cette forteresse où Jean Diable s'enfermait s'appelait l'Impossible. Il était là-dedans, comme l'Arioste place l'enchanteur Atlant, dans son château magique dont les murailles étaient d'acier poli.

Mais, dans la réalité comme dans ces contes de fées, il y a un mot toujours pour détruire les plus forts enchantements. L'impossible aussi a sa clef, parce que, Jean Diable nous l'a dit lui-même, l'impossible humain ne peut jamais être que l'invraisemblable, poussé à une certaine puissance.

Il est un ordre d'idées dans lequel nous aurions pu trouver des trésors de comparaisons. Les peaux rouges de l'Amérique du Nord ont une façon de faire la guerre qui ressemble exactement au duel engagé entre Gregory Temple et Jean Diable. Ils ne s'attaquent jamais de front, et leur suprême habileté est prodiguée toujours dans le seul but d'arriver à une surprise. La guerre est pour eux la chasse à l'homme.

Supposez cependant le plus habile d'entre eux un de ceux que l'inimitable pinceau de Fenimore Cooper a fait vivre : quelle que soit son adresse et quelle que soit sa subtilité, il laissera toujours une dernière trace, car pour effacer l'empreinte d'un pas il faut avoir fait un autre pas.

Le mot qui détruit l'enchantement, c'est cette dernière trace ; la clef de l'impossible, c'est cette suprême empreinte que rien ne peut effacer.

Jean Diable n'avait pu échapper à cette loi. Sa dernière empreinte, c'est-à-dire son dernier crime, à l'aide duquel il avait effacé peut-être tous ses autres crimes, devait exister quelque part. Gregory Temple avait tenu aujourd'hui sur ses genoux la géante Molly, pour savoir où chercher cette dernière empreinte.

Déjà, bien des fois, M. Temple avait ainsi ouvert la main avidement, croyant saisir une arme. Jean Diable, comme quelques grands peintres, traitait en effet certains détails avec une incroyable négligence. Nous citerons par exemple ce qui se rapporte à l'enfant de Suzanne et à Pierre Louchet. Mais, pour ce cas comme pour d'autres, la négligence de Jean Diable avait sa raison d'être. Il marchait très-vite vers son but final, très vite et très-droit, Malgré la multiplicité de ses détours apparents. Chaque pas fait, nous le verrons bien, était une position prise. Personne n'avait le secret de son travail, et ses conquêtes n'étaient pas toujours apparentes. Loin de là, quelques – unes pouvaient ressembler à des pertes ou à des échecs ; mais c'étaient des conquêtes.

Or, la position prise reléguait dans l'inutile toutes les préparations que la conquête avait nécessitées. Le niveau changeait. Il n'était plus permis d'attaquer d'en bas cette nouvelle plate-forme. Jean Diable, on peut le dire en toute rigueur, mesurait la solidité de chaque ressort à la durée de son utilité.

L'enfant de Suzanne, et par conséquent tout ce qui se rapportait à ce levier devait cesser de jouer un rôle aussitôt après la double arrestation au château de Belcamp. C'était combiné ainsi ; jean Diable n'avait plus à s'occuper de cela. Il laissait derrière lui une jeune mère heureuse, et gardait, pour expliquer au besoin sa conduite, ce fait que le secret de Suzanne ne lui appartenait point. La femme de Thompson conservait volontairement son nom de miss Temple ; miss Temple ne pouvait publiquement reconnaître son enfant. Que reprocher à celui qui rend un service à une femme ?

Ainsi du reste. Dans son système, tout lien qui ne servait plus pouvait rompre ou lâcher, mais toute attache sérieuse était un câble.

Aujourd'hui cependant M. Temple avait une arme, une vraie arme. Pourquoi ? parce qu'un fait imprévu s'était jeté à la traverse des combinaisons de Jean Diable. Le soir de la représentation de *Joconde,* à l'Opéra-Comique, le gentleman Ned s'était glissé dans la calèche stationnant rue Saint-Lazare, et le gentleman Ned avait une femme.

Telle barre de fer qui porterait une maison contient une paille et rompt sous le poids d'un enfant.

M. Temple avait une arme. Les natures spéculatives restent jeunes en dépit de l'âge, parce que en elles l'âge n'éteint pas la passion. En sortant de son bain, l'ancien intendant de police se sentait fort comme aux meilleurs jours de sa gloire. Il ceignait ses reins pour la bataille, et son exaltation lui montrait déjà le triomphe. Vers cinq heures du soir, il se fit habiller avec beaucoup de soin, et monta dans une voiture qui le conduisit à l'hôtel Mivart.

La célébrité de l'hôtel Mivart à Londres dépasse de beaucoup celle de l'hôtel Meurice à Paris. Ce sont les hôtes qui font la gloire de ces maisons, et toute l'Europe illustre a passé à l'hôtel Mivart. Ce magnifique caravansérail qu'on a bâti chez nous depuis peu, en face du Louvre, mériterait de gagner la première place entre toutes les hôtelleries de l'univers, s'il ne passait déjà, pour avoir une clientelle un peu mêlée. Les rois n'aiment pas à prendre, même pour un jour, un palais dont les combles ont tant de petites chambres à louer.

À l'hôtel Mivart, M. Temple demanda le comte Frédéric Boehm.

On lui fit monter un escalier latéral dont les marches, le mur et la rampe étaient habillés de tapis turcs, suivant le luxe anglais. Sur le carré, vêtu comme l'escalier, un valet au pas silencieux, vêtu de noir bien mieux qu'un ministre, lui demanda son nom discrètement, et l'introduisit dans une antichambre vaste, doublée de moquette dans toute son étendue.

M. Temple donna sa carte. L'instant d'après, un abbé autrichien, avec sa grande redingote et ses bottes de gendarme, vint le recevoir à la porte du salon.

Le salon, autre boîte doublée de laine sombre, et triste à navrer le cœur, contenait quatre personnages assis à grande distance les uns des autres, autour de la grille où brûlait un feu de houille. C'étaient, outre le prêtre, docteur en théologie, un docteur en médecine et un docteur en droit. On paye des primes aux gens qui ne sont pas docteurs en Allemagne.

Le médecin s'appelait docteur Weber ; le légiste, docteur Spiegel ; le prêtre, docteur Arnheim. Ils dirigeaient, le premier la santé, le second les affaires, le troisième la conscience du jeune comte Frédéric Boehm, qui n'était pas moins docteur qu'eux, ayant soutenu trois thèses à l'université de Prague.

Le docteur Weber, le docteur Spiegel et le docteur Arnheim avaient en effet l'air de trois docteurs parfaitement respectables. C'étaient trois honnêtes figures allemandes, paisibles et un peu massives, qui gardaient entre elles je ne sais quelle couleur de parenté. Leurs trois perruques étaient blondes, leurs six joues avaient un ton clair et blafard, leurs douze paupières possédaient la même tendance à se rapprocher périodiquement, battant le rappel de la somnolence.

En entrant dans cette vaste pièce, Gregory Temple cessa de sentir l'arrière-goût du tabac de la jolie Molly, parce que les pipes des trois docteurs et celle du jeune comte mettaient dans l'atmosphère un pur et véhément parfum de tabac levantin, excellent pour les amateurs.

Les docteurs avaient des pipes de porcelaine ; le jeune comte se servait d'une admirable pipe turque à tuyau d'ambre. C'était le feu éternel de Vesta : cela ne s'éteignait jamais.

Le comte Frédéric Boehm était un très-grand jeune homme, d'apparence maladive, et beau comme une femme remarquablement belle. Ses magnifiques cheveux noirs, soyeux et lourds s'échappaient en boucles nombreuses de sa toque illyrienne en velours brodé d'or. Il portait une robe de chambre de velours aussi, en forme de dalmatique, relevée aux hanches par une torsade de soie où couraient de minces fils d'or. Sous sa robe de chambre, il était botté et éperonné.

Si le caractère se peut juger d'après la physionomie, Frédéric Boehm devait être brave comme un lion et timide plus qu'un enfant. Il y avait je ne sais quelles harmonies sérieuses, tristes même, dans les courbes de son front noble et largement ombragé. Son regard tendre nageait sous la ligne délicate de ses sourcils ; et la couleur féminine était surtout dans l'étrange mélancolie de son sourire.

Il se leva ainsi que tout son monde afin de recevoir M. Temple, et fit quelques pas vers lui pour le saluer cordialement mais gravement.

– Je vous remercie d'être venu, monsieur, lui dit-il.

– Comte, répondit l'ancien intendant de police, si vous n'étiez pas venu me trouver en Angleterre, j'aurais fait le voyage d'Allemagne.

– Pour me voir, monsieur ? demanda le comte Frédéric Boehm qui baissa les yeux.

– Pour vous voir, comte… J'ai besoin de vous plus encore que vous ne pouvez avoir besoin de moi.

Les trois docteurs étaient debout. Ils gardaient le silence. M. Temple n'avait besoin que d'un coup-d'œil pour juger un homme : c'était rigoureusement son métier. Il resta en face de ces trois hommes comme s'il eût tourné trois pages d'un livre écrit en langue inconnue.

Frédéric Boehm roula lui-même un fauteuil et le désigna d'un geste courtois à l'ancien intendant de police.

– Comte, lui dit M. Temple, il faut que nous soyons seuls.

Les docteurs choisirent précisément cet instant pour s'asseoir tous les trois à la fois, et leurs trois longues pipes, lancèrent de nouveau des nuages de fumée.

– Je suis l'intendant de Son Excellence, dit Spiegel.

– Je suis son médecin, reprit Weber.

– Je suis son confesseur, ajouta Arnheim.

Et tous trois en chœur.

– Le jour, nous ne quittons jamais Son Excellence ; la nuit, nous dormons dans sa chambre, autour de son lit.

Gregory Temple repoussa le siège qui lui était présenté.

– Comte, dit-il, notre entrevue a pris fin avant de commencer.

Une nuance rosée vint sous la pâleur de Frédéric Boehm. Il ne tourna point les yeux vers les trois docteurs, qui semblaient parfaitement décidés à conserver leur poste.

– Quel droit ont sur vous ces gentlemen, demanda franchement M. Temple.

Le jeune comte hésita et répondit :

– Ce sont mes amis.

– N'y a-t-il que cela ?

– Je suis mineur, ajouta Frédéric en baissant la voix, et j'ai dépensé un million de florins depuis quatre mois.

– Sont-ils vos tuteurs ?

– Non, murmura le jeune comte.

– Nous sommes mieux que cela, dit enfin le docteur Spiegel sans tourner la tête.

Et les deux autres répétèrent avec une certaine emphase :

– Nous sommes mieux que cela.

Ils étaient assis face au foyer tous les trois. Le regard aigu de l'ancien intendant de police interrogea leurs profils perdus.

Frédéric Boehm prononça d'un ton si bas qu'on eut peine à l'entendre :

– J'ai l'honneur d'être le parent et le pupille de Sa Majesté Impériale et Royale François-Joseph d'Autriche, et l'archiduchesse Marie-Louise, femme de Bonaparte, est ma marraine.

– Excellence, dit sévèrement le docteur Spiegel, vous touchez à un secret d'État !

Arnheim et Weber se tournèrent de son côté comme des automates.

– Avez-vous la volonté d'agir librement, jeune homme ? demanda M. Temple, la tête haute, en promenant son œil résolu sur les trois docteurs.

Mes amis, murmura Frédéric Boehm, dont les tempes pâles avaient de la sueur, je vous donne ma parole d'honneur qu'il ne sera question entre M. Temple et moi ni de l'impératrice Marie-Louise, ni de son fils, le petit duc de Reischtadt… Je vous prie de vous retirer.

– Et si les gentlemen désirent rester, ajouta l'ancien intendant de police, j'ai en bas ma voiture. En Angleterre où nous sommes, les médecins tâtent le pouls, les avocats plaident et les prêtres officient ; c'est tout, quand même ils tiendraient une autre mission du fait de Sa Majesté Impériale et Royale, qui n'est maîtresse que chez elle !

Les trois docteurs se levèrent sans témoigner la moindre irritation. L'orateur de ce triumvirat était Spiegel. Il vint jusqu'au comte Boehm et le salua respectueusement en disant :

– Excellence, nous avons fait notre devoir, nous ferons notre rapport.

C'était une simple affirmation dépourvue de toute menace. Les deux autres s'inclinèrent et ils s'en allèrent tous les trois avec leurs pipes. Dès qu'ils furent partis, M. Temple prit la main du jeune comte et lui dit :

– Je sais votre histoire aussi bien, peut-être mieux que vous-même ; je vous plains de tout mon cœur et je suis prêt à vous servir.

La timidité de Frédéric Boehm sembla se changer en étonnement. Ses grands yeux languissants se fixèrent sur son interlocuteur, puis ses paupières battirent comme si une larme eût été derrière ses cils.

– Vous savez mon histoire !… répéta-t-il. Je ne l'ai dite à personne, monsieur.

– Ces trois espions…

– Je ne puis souffrir, interrompît Frédéric avec vivacité, que vous parliez ainsi des trois hommes qui ont été les amis dévoués de mon père. Ils essaient de me soustraire au sort de mes deux frères aînés ; ils seront vaincus, parce que rien ne résiste à la destinée, mais ce sont de loyaux et dignes serviteurs.

– Comte, vous n'avez que vingt ans !… murmura Temple, qui ne put réprimer un sourire de supériorité.

– C'est jeune, il est vrai, pour mourir, répliqua le jeune homme ; mais j'ai déjà beaucoup souffert.

Il y avait une gravité si fière dans son accent, et un si haut rayon d'intelligence s'était allumé tout à coup dans sa prunelle, que la réplique s'arrêta sur les lèvres de M. Temple.

– Je me suis trop avancé, dit-il après un silence ; au-delà de ce que je sais il y a peut-être d'autres malheurs.

– Que savez-vous !… ou plutôt permettez-moi cette formule, monsieur, car les choses qui se passent chez vous revêtent parfois de trompeuses apparences que croyez-vous savoir ?

– Comte, s'écria l'ancien intendant stupéfait, à vous entendre, je doute de moi-même !… J'ai besoin de vous demander tout de suite si vous ne venez point à Londres pour apprendre la vérité sur le meurtre du général Maurice O'Brien, votre cousin par alliance.

– Et ami du major général Boehm, mon père… Si fait, monsieur.

– J'ignorais ce dernier détail, prononça M. Temple avec une certaine amertume. Je vais vous dire ce que je sais, ou ce que je crois savoir, pour employer votre propre expression. Le général Maurice O'Brien fut assassiné dans la nuit qui précéda le jour fixé pour son mariage avec une dame française, dont il avait eu un fils. Il me serait impossible de vous fixer aujourd'hui les dates précises, parce que les pièces relatives à cette affaire ont été soustraites au bureau de police de Scotland-Yard…

– Ah !… dit le jeune homme dont l'œil s'anima ; sous-traites !

Le feu qui brilla un instant sous sa paupière ne parla point à la perspicacité, d'ordinaire si subtile, de l'ancien intendant. Était-ce surprise, peine ou plaisir ?...

– L'assassin du général O'Brien, continua M. Temple, était, selon ma conviction personnelle, un célèbre bandit anglais, Tom Brown, surnommé Jean Diable, qui était précisément alors en Autriche sous le nom de George Palmer, avec sa mère, Hélène Brown. J'aurais pu donner en ce temps aux tribunaux de Prague tous les moyens de condamner cet audacieux malfaiteur. Mais deux jeunes gens appartenant à l'une des plus nobles familles de l'Allemagne étaient compromis.

L'affaire fut étouffée systématiquement. Ceci rentre-t-il dans l'ordre des faits qui vous sont connus, monsieur le comte ?

– De pareilles calomnies ont été répandues contre les comtes Albert et Reynier Boehm, mes bien-aimés frères, répondit Frédéric avec une froideur glaciale. Je ne l'ignore point : veuillez poursuivre.

– À vos ordres... Le comte Albert eut, le premier, l'administration de l'immense fortune de votre famille, augmentée des biens de Maurice O'Brien, qui, permettez-moi de vous le dire, ne vous appartiennent à aucun titre, puisque le général avait une fille, née dans le mariage...

La main de Frédéric Boehm se leva, puis retomba. Il était si pâle que M. Temple s'interrompit pour lui demander :

– Comte, vous trouvez-vous mal ? et faut-il appeler votre médecin ?

Au lieu de répondre le jeune homme appuya sa tête entre ses deux mains.

– Je parlerai après vous, murmura-t-il avec effort ; c'est pour la fille du général O'Brien que je suis venu à Londres...

Je vous prie de continuer, monsieur.

– Le comte Albert dut se croire quitte envers l'assassin, – vous comprenez que je suis toujours ma version, et bien heureux serais-je de la voir rectifiée, – quand il eut payé la somme convenue, deux cent mille florins d'Autriche, selon un témoin en face duquel je vous mettrai à Paris... Le comte Albert, en effet, ne fut point inquiété pendant plusieurs années. L'assassin était entre les mains de la justice anglaise, à la Nouvelle-Galles du Sud. Il s'évada, il revint en Europe ; le comte Albert eut alors à subir de considérables exigences. Le jour où il essaya de s'y soustraire, une insulte publique lui fut adressée au théâtre de Vienne. Un duel s'ensuivit, et le comte Reynier devint administrateur des biens de Boehm à la place de son frère mort... Est-ce cela ?...

– Non, monsieur, répondit Frédéric, mais cela y ressemble... je vous écoute.

– Même histoire pour le comte Reynier, sauf qu'un coup de poignard remplaça le coup d'épée. Vous avez succédé au comte Reynier, vous avez, comme lui et comme votre frère aîné, cédé largement à de certaines exigences ; comme eux vous vous êtes lassé : vous avez peur d'être assassiné comme eux.

– Jamais peur, monsieur, prononça lentement le jeune homme, dont un intrépide sourire éclaira le visage ; mais, pour moi, il faut que l'assassin se hâte : sans cela on verra, pour la première fois depuis bien longtemps, un comte Boehm mourir dans son lit.

Il passa le revers de sa main sur son front et sembla un instant se recueillir. Puis regardant l'ancien intendant de police en face.

– Cet entretien doit être confidentiel des deux côtés, monsieur, dit-il. De ce que vous m'apprenez je n'userai que selon votre volonté ; puis-je compter sur la même discrétion de votre part ?

– Je suis un homme privé maintenant, reprit M. Temple. Je puis m'engager à garder un secret.

– Je prends cela comme une promesse, monsieur, et je vous parle à cœur ouvert... Le général O'Brien est mort assassiné, c'est ma foi vrai, bien que les médecins aient déclaré la mort naturelle. Mes deux frères sont morts assassinés... C'est la terrible guerre que se livrent en Allemagne deux sectes de francs-juges, dont l'une croit soutenir les rois, dont l'autre pense servir les peuples... Les rosen-kreuz ont tué O'Brien, leur implacable ennemi, cela, au nom des peuples... au nom des rois, les porte-glaives ont tué les deux comtes Boehm, qui conspiraient contre la Sainte-Alliance.

– Conspiraient-ils ? murmura M. Temple, et cette inquisition des tribunaux secrets existe-t-elle ? Ma vie est déjà bien longue ; j'en ai dépensé plus de moitié à surprendre le secret des choses et des hommes. J'ai vu de ces associations mystérieuses jurer sur le poison ou sur le poignard, et, presque toujours, profitant du bruit de leur serment, un vrai malfaiteur est venu derrière elles, servant sa propre cupidité ou sa propre vengeance. Nous ne sommes plus au temps des francs-juges, mais le crime, qui est éternel, profite de ces comédies... Avez-vous ouï parler du meurtre de Constance Bartolozzi ?

– J'ai assisté à sa condamnation, monsieur, répondit Frédéric Boehm avec calme.

M. Temple recula comme s'il eût reçu un coup en plein visage. Puis ses deux mains frémissantes touchèrent son front, avec ce geste qui trahit la raison chancelante.

– Y avait-il donc un homme, balbutia-t-il, qui portait le nom de prince Alexis Orloff ?

– Moi-même, monsieur, répliqua le jeune comte, lors de mon premier voyage à Londres.

– Et ce voyage eut lieu à quelle époque ? s'écria M. Temple d'une voix étranglée qui faisait un étrange contraste avec le sang-froid de son interlocuteur.

Celui-ci répondit :

– Aux mois de janvier et février de la précédente année. Gregory Temple se tut anéanti.

Ses calculs, son système, sa science, la passion de sa vie entière ! tout était-il néant ? Et n'y avait-il qu'une vérité : la folie qui tournait autour de son cerveau ?

– Mes nobles frères conspiraient, reprit Frédéric Boehm de sa voix tranquille et grave. Les porte-glaives existent et leur serment n'est point un jeu. Les francs-juges sont de tous les temps.

L'empereur d'Autriche a pleuré à la mort d'Albert Boehm, qu'il aimait d'une affection toute paternelle ; à la mort du comte Reynier, son filleul, il fit le voyage de Bude, où le crime avait eu lieu, et présida de sa personne la table royale de Hongrie. La présence du souverain ne fit jaillir aucune lueur de cette nuit… Au contraire de vous, monsieur, je suis tout jeune et j'ai peu vu. Je parle de ce que j'ai vu : notre Allemagne. Dans cette lutte ténébreuse et suprême, les rois ne sont pas plus les maîtres de ceux qui combattent pour eux que les peuples ne dirigent leurs propres champions. C'est une bataille à mort entre deux géants, qu'ils aient nom Principes, Intérêts ou Haines. Vous parliez du temps et des choses qu'il tue. Il y a une chose morte, c'est l'obéissance. Rien ne sépare plus le vizir du tribun, et Séide est un Gracque qui sert le roi son maître à la manière dont les fils de Cornélie servaient le peuple, leur esclave. Je ne suis pas venu vers vous, M. Temple, pour savoir ce qui s'est passé à Prague pour Maurice O'Brien, à Vienne pour Albert Boehm, à Pesth pour le comte Reynier. Ma lettre était un prétexte… Je n'ai besoin de renseignements ni sur le solicitor Vood, à qui mes frères ont compté des millions, ni sur la maison Balcomb et Cie, qui va étonner deux fois le monde : avec la vapeur et quelque chose de plus grand encore. Vous avez une réputation européenne ; à votre nom est attaché le mot *détectif,* qui veut dire *découvreur.* J'ai perdu un trésor sans prix ; pour le retrouver je donnerais la dernière goutte de ce sang qui va manquer à mes veines. Je suis le plus riche de toute l'Allemagne, après le prince de Lichtenstein, qui a un revenu de 20 millions de florins. Vous avez des passions et des devoirs qui vous ont fait pauvre sans que votre passion soit assouvie ni votre devoir accompli ; je viens vous acheter votre aide.

M. Temple mettait tous ses efforts à écouter, mais le sens précis des paroles prononcées lui échappait, parce qu'une idée bizarre et soudaine avait traversé son esprit, portant au comble la confusion de son cerveau. Jean Diable était là-dedans ! Que ce fût le cri de sa manie qui voyait partout Jean Diable désormais, ou que ce fût la voix de la vérité même, ce cri, cette voix, évoquaient un fantôme. Pourquoi ne dominait-il pas cet enfant de vingt ans qui avait besoin de lui ? D'où venait encore ce mirage qui, déjà une fois, avait trompé sa vue ? Allait-il croire au prince Alexis Orloff, maintenant que ce personnage était là sous ses yeux, disant : « Me voici. » Était-ce là l'homme qui avait laissé à la gorge de Constance Bartolozzi cette meurtrissure homicide ?

Il regardait le jeune comte Boehm avec des yeux effrayés et troublés, parce que la pensée du surnaturel qui avait essayé plusieurs fois de naître en lui frappait à coups redoublés au seuil de sa cervelle. Il était homme de calculs ; il avait passé sa vie à vanter la rigueur de son positivisme, mais ces fanatiques de la déduction, ces algébristes du chiffre moral, ces Barème, qui vont additionnant et pondérant les colonnes des probabilités, sont précisément toujours près du rêve. Leur instrument possède une puissance réelle, puisqu'ils arrivent à des prodiges ; mais dérangez seulement l'aiguille, au point de départ, de l'épaisseur d'un cheveu, et vous les verrez atteindre fatalement aux erreurs les plus fantastiques.

Gregory Temple regardait le jeune comte Boehm, parce qu'il se demandait s'il n'y avait pas là quelque diabolique illusion. Où pouvait s'arrêter l'audace de Jean Diable ? où son pouvoir ? Depuis trois mois, lui, M. Temple, ne marchait-il pas environné d'impossibilités et de sorcelleries ?

N'était-il pas le jouet d'un prestidigitateur prodigieux dont l'habileté trompait non-seulement son intelligence, mais encore ses sens ?

Il regardait Frédéric Boehm parce qu'il se disait : C'est peut-être Jean Diable !

Mais ces longs cheveux noirs soyeux, et bouclant leurs gracieux anneaux sur un front de femme ! mais ces grands yeux languissants, et cette pâleur, si belle, mais si fatale, que nul artifice ne saurait produire !

Non, celui-là n'était pas James Davy, et les verrous de la prison de Versailles se fermaient sur Henri de Belcamp.

Mais il y avait un être inféodé à Jean Diable et qui était en quelque sorte sa seconde incarnation, celle que la légende lui donnait pour maîtresse : la belle Irlandaise.

La soie brillante de ces cheveux noirs, les courbes féminines de ce front... Il y a des déguisements qui tiennent du miracle...

Gregory Temple regardait. Ce ne pouvait pas plus être Sarah O'Neil que Jean Diable lui-même. Cette taille haute et amaigrie par la souffrance n'appartenait pas à une femme. C'était bien un jeune homme de vingt ans, possédant cette beauté idéale que certaines âmes romanesques bercent dans leurs songes.

– J'attends votre réponse, monsieur, dit le comte Frédéric Boehm de ce ton froid et doux qui ne l'avait pas quitté un seul instant depuis le commencement de l'entrevue.

– Comment se peut-il faire, répondit l'ancien intendant, perdu dans ses doutes et ses soupçons, que vous soyez venu me révéler le secret des chevaliers de la Délivrance… à moi !

– Vous n'avez plus votre charge, monsieur, et le dernier chevalier de la Délivrance qui soit en Angleterre, à l'heure où nous sommes, c'est moi.

– Dois-je comprendre, prononça M. Temple à voix basse, que j'ai devant les yeux le meurtrier de madame Bartolozzi !

Le jeune comte eut un sourire mélancolique et fier.

– Je suis gentilhomme, monsieur, répliqua-t-il avec un singulier accent de tristesse, je suis chrétien, et les médecins disent que je n'atteindrai pas ma vingt-deuxième année… J'ai empêché parfois le sang de couler, mais je ne l'ai jamais répandu.

VII

Frédéric Boehm

Le jour baissait. Entre les rideaux des hautes fenêtres, le crépuscule du soir glissait ses lueurs grises, et la houille brillait davantage dans la grille rougie. La grille éclairait l'ancien intendant de police, dont le visage semblait écarlate, tandis qu'un rayon du dehors tombant sur la joue du jeune comte, la faisait plus creuse et plus pâle.

Ils étaient assis l'un près de l'autre et seuls ; Frédéric parlait ; M. Temple écoutait avec une extrême attention.

– ... L'impératrice des Français, qui était alors l'archiduchesse Marie-Louise d'Autriche, disait le comte Boehm continuant un récit, n'avait que six ans quand elle me tint sur les fonds de baptême. J'ai été élevé près d'elle, au palais impérial de Vienne, sous l'aile de Marie-Thérèse des Deux-Siciles, femme de François Ier, l'empereur mon maître. Reynier, mon second frère, était comme je vous l'ai dit, le filleul de l'empereur, Albert et lui vivaient près de notre père ; qui avait un commandement dans les provinces illyriennes ; où nous possédons des domaines immenses. Mes frères furent affiliés aux bons-cousins de Venise, vente d'Istrie, par leur gouverneur ; était un gentilhomme milanais. C'étaient deux nobles cœurs, et l'université de Prague ne se souvient pas d'avoir eu jamais deux plus vaillantes épées.

Du plus loin que je me souvienne, je me vois, enfant de quatre ans, dans les bras d'un autre enfant de dix ans que j'appelais ma petite mère. C'était Marie-Louise, qui devait avoir cette grande gloire et ce grand malheur d'être femme de Napoléon. Il ne manque pas de gens pour détester la politique de la maison d'Autriche, mais chacun rendit toujours hommage aux patriarcales vertus de François Ier et de sa famille. Le peuple de Vienne l'aimait comme un père. Ces premières années de mon existence ont laissé en moi une impression de repos et de respect. Le burg, avec ses portes babyloniennes et ses terrasses regardant le glacis changé en promenade par-dessus les ombrages des jardins du Peuple et de la Cour ; les grandes pelouses de Lachsenburg et cette verte pente des parterres de Schœnbrunn, montant du château entre deux charmilles, les plus hautes du monde, jusqu'à la colline qui voit d'un côté la tranquille campagne viennoise où coule le géant Danube, de l'autre, à l'horizon clair, la tête rase du Mont Leitha, qui annonce et promet les cimes tyroliennes, sont restés dans ma mémoire, paisibles comme ce doux sommeil de l'enfance dont la jeunesse est le réveil.

J'étais encore un enfant quand Marie-Louise, ma marraine, quitta Vienne pour Paris, moitié craintive, moitié enthousiaste, et songeant à réunir, comme Cornélie, deux races de héros. Elle voulut m'emmener. Je partis avec elle, et j'étais là, quand on lui lut ce contrat de mariage copié sur celui de Louis XVI avec Marie-Antoinette.

L'empereur Napoléon n'avait pas pour m'aimer les mêmes raisons que François Ier, et la cour de France était bien loin de ressembler à celle d'Autriche. On affectait de m'y regarder comme une poupée, apportée du pays par une fillette devenue trop tôt femme. Cependant j'y fus traité avec bienveillance, et l'empereur, un jour qu'il était galant, permit à Marie-Louise de me donner rang de page. Je refusai, disant que je me nommais Boehm et que j'avais rang de lieutenant-colonel dans l'armée autrichienne. L'empereur me toucha la joue de son doigt blanc et fin.

– Et si le fils de ta Marraine, empereur, fait la guerre à l'Autriche ? me demanda-t-il.

Je rougis parce que je sentais que je faisais mal, mais je répondis :

– Je n'aime rien tant que ma marraine.

Marie-Louise, peu de jours après cela, mettait au monde un fils, le roi de Rome. Elle me dit en allemand :

– S'il a besoin, Friedrich, tu seras pour lui ce que j'ai été pour toi.

À la fin de 1812, je quittai la France pour faire mes années d'université. Mes frères étaient à Prague et avaient pour résidence d'été Reichstadt, ancien domaine de notre famille, médiatisé et devenu possession impériale. Au château même de Reichstadt, l'empereur avait institué une tutelle pour six jeunes filles nobles, au nombre desquelles était ma jeune cousine O'Brien, âgée de quinze ans et placée là après la mort de sa mère. Je la vis et je l'aimai…

La voix du comte Frédéric baissa pendant qu'il prononçait ces derniers mots, et sa belle tête pâle, qui maintenant disparaissait dans la nuit, s'inclina sur sa poitrine. Ce récit était bien loin des pensées qui tenaient captive l'attention de l'ancien intendant de police, et cependant son attention restait violemment excitée. Il n'aurait point su définir quel lien existait entre ce tableau d'une enfance noble et heureuse et les événements à la fois terribles et mystérieux qui se groupaient autour de lui comme un faisceau de lugubres énigmes, mais ce lien, il le sentait, et malgré lui le narrateur éveillait en son cœur un sentiment de vive sympathie.

– Non pas comme je l'aime aujourd'hui, reprit ce dernier dont la voix trembla tout à coup dans sa gorge oppressée, car un sourire charmant et béni ne peut ressembler aux convulsions de l'agonie. Je l'aimai comme on respire un parfum ou comme on contemple l'horizon rose où va se lever le soleil. J'avais seize ans ; je m'étais enfui de France parce que ma marraine, dans le calme de sa noble amitié, ne s'apercevait pas que je n'étais plus un enfant et que j'avais peur de ses caresses.

J'étais grand ; on me disait très-beau ; je ne savais pas la signification du mot souffrir. J'étais heureux, joyeux, plein d'espoirs splendides qui faisaient de mon avenir le plus beau des poëmes…

J'aimais comme on aime dans le bonheur, quand on a toute une longue vie pour se faire aimer, et que les années s'étendent au-devant de vous à perte de vue, immense horizon tout verdoyant de cette moisson de désirs que la félicité fauche et regrette.

J'aimais comme on prie quand le cœur a gardé toute sa virginale pureté. Mon amour était si doux et si beau que, en regardant mon âme en deuil, je répète malgré moi mon nom, me disant : Suis-je le même ?

Car j'aime en pleurant, maintenant, et en souffrant ; j'aime avec un cœur qui saigne, j'aime avec ma pauvre âme en deuil. J'ai beaucoup d'angoisses et j'ai bien peu d'espoir. Chaque heure qui passe emporte une part de ma confiance en moi-même, chaque jour écoulé m'arrache un lambeau de ma foi. J'économise ce pauvre restant de souffle qui est dans ma poitrine. Je me force à vivre, moi qui me sens mourir, pour avoir le temps de la retrouver et de l'entendre peut-être me dire : Je t'aime !…

Il me semble qu'elle doit m'aimer. Il me semble que c'est ma destinée de rendre mon dernier soupir dans ses bras.

Car je l'aime cent fois plus maintenant que je souffre, oh ! mille fois plus ! Et si je devais être aimé, ne fut-ce qu'une heure, je mettrais cette heure suprême, pendant laquelle je voudrais vivre toute une vie de félicités, au dessus des espérances de mon salut éternel !…

Le comte Frédéric s'arrêta encore, parce que son souffle épuisé s'embarrassait dans sa poitrine.

M. Temple lui prit la main et la serra entre les siennes, en disant avec émotion :

– Je m'étais trompé sur vous, je vous demande pardon, M. le comte.

Car l'Anglais et l'Allemand se ressemblent et sympathisent en ceci qu'ils sont friands tous les deux de voluptés en deuil et de mortelles amours.

Mais ce n'était pas de la passion à froid, comme en ont fait les poëtes funèbres de la lyre germanique, qui brisait le souffle de cet enfant. C'était bien l'amour, le grand amour qui ressuscite ou qui tue, l'amour viril mais tout jeune, flexible et fort comme une chaîne d'acier.

– Elles allaient, poursuivit-il, comme si son souvenir l'eût entraîné malgré lui, toujours ensemble, les six jeunes filles de la tutelle, escortées par les deux gouvernantes nobles, et suivies de loin par les deux écuyers à la livrée de l'empereur. Un instinct me guidait pour savoir à quel endroit du parc immense et tout plein de merveilleuses solitudes mes pas croiseraient leur route. Que de fois ai-je vu sa course folle effrayer la sauvagerie des daims dans la clairière ? Elle ne ressemblait pas à ses compagnies. Au milieu de ces blondes filles dont les cheveux tressés battaient les épaules, son front hardi et joyeux ressortait sous sa couronne de boucles noires. Elle était belle, rieuse, heureuse…

Moi, je restais souvent caché dans le fourré, plus timide que les daims qui fuyaient, quoique j'eusse défendu mon poste au péril de ma vie. Je la voyais au travers des feuilles balancées par le vent qui tombait des montagnes. Parfois elle était rêveuse, et je me disais : Si elle songeait à moi !…

Elle me sourit, un matin que le soleil jouait dans la rosée. Cette heure est restée vivante pour moi. Je vois l'échappée de lumière qui pénétrait sous l'ombre du bois, j'entends la lointaine cascade, je respire l'odeur des feuillages mouillés. Elle est là qui passe, le bras autour du cou de la mieux aimée de ses compagnes et se retournant à demi pour me donner ce rapide regard et ce sourire d'or…

Mais ceci n'est pas une histoire d'amour. Je vins à Prague pour suivre les cours à l'université. Je ne la vis plus. Le général O'Brien donnait des fêtes, et je reçus plusieurs invitations. Mes frères aînés me défendirent de m'y rendre. Ils étaient bons pour moi, nous nous aimions tous les trois tendrement.

Un dimanche au soir, à la cathédrale, aux lumières des vingt-quatre lampes d'argent et d'or qui éclairent le monument de Saint-Népomuc, je vis auprès de l'uniforme blanc du général, la forme gracieuse d'une jeune fille agenouillée. Mon cœur battit ; j'avais reconnu cette noire couronne de cheveux abondants et fins où se baignaient tous les baisers de mes rêves. C'était la *commémoration*, tous les fidèles se rendaient après le salut à la chapelle Wenceslas, dont les murs sont faits de pierres précieuses, car, entre toutes les villes de l'univers notre Prague est riche et magnifique. On s'agenouilla devant le tombeau du saint, où restent son casque et sa cote de mailles ; chacun toucha l'anneau de fer que serra sa main mourante au moment où son frère le frappait par derrière ; chacun se signa en face du tableau de Lucas Cranach représentant cette tragédie fratricide. J'avais pris place auprès du bénitier, scellé entre les deux améthystes brutes qui valent les trésors d'une couronne, et j'attendais pour présenter l'eau bénite à la pupille de l'empereur. Un homme se mit au devant de moi et me prévint. Elle lui sourit. Je ne pus apercevoir son visage, mais ma jalousie me montra sa taille plus héroïque et plus haute que celle d'un roi dans les récits chevaleresques.

Il sortit avec O'Brien et sa fille. Tous les trois montèrent dans la même voiture, pour descendre du Hradschin au Kleinseite, où le général avait son habitation d'été. Je suivais aisément, car les chevaux allaient au pas dans le Spornergasse ; à cause de la pente rapide. Je ne saurais pas dire quelles étaient mes pensées ; mais, pour la première fois, je ressentis à la poitrine et au cœur cette angoisse profonde qui accompagne maintenant chacune de mes respirations.

Elle n'était pas venue que pour un jour.

Aux vacances, je retournai à Reichstadt. Elle avait grandi. Je distinguais encore le rire de sa joie éclatante parmi les tranquilles causeries de ses compagnes mais elle rêvait plus souvent. Ce fut en vain que je cherchai son sourire. Elle me reconnaissait pourtant, car son regard évitait le mien, dont elle craignait la muette tristesse comme un reproche.

Il n'y avait pas loin du pavillon que j'habitais au château de la Tutelle. Une nuit, je fus éveillé par les chiens qui hurlaient. Je sautai hors de mon lit ; on entendait au dehors des pas de chevaux et des cris d'appel. Une des pupilles de Sa Majesté Impériale et Royale avait été enlevée. Je sentis mes lèvres humides et j'y portai la main, que je retirai teinte de sang. On ne m'avait pas dit le nom de la pupille enlevée, mais je savais déjà aux élancements de mon cœur que c'était Sarah O'Brien...

– Sarah !... répéta l'ancien intendant de police qui tressaillit.

– Le lendemain matin, continua le comte Frédéric, on apprit à Reichstadt le meurtre du général. C'était bien Sarah qui avait été enlevée. Toutes les recherches furent inutiles ; on ne put joindre ses ravisseurs.

Je n'eus que des notions très-vagues sur la double instruction judiciaire qui suivit ce rapt et l'assassinat du général. La fièvre me clouait à mon lit. Je fis une longue et douloureuse maladie : les médecins me condamnèrent. La mort m'a donné un sursis, mais je n'ai point appelé de la sentence des médecins. Je ne me suis jamais relevé dans la force de mon âge et de ma constitution. Ma blessure est au cœur ; mes heures sont comptées.

Quand ma santé me permit de retourner à Prague pour suivre les cours de l'université, je trouvai un grand changement dans la conduite de mes frères. Ils avaient rompu avec leurs habitudes de plaisir. C'étaient maintenant des jeunes gens sérieux et forts assidus à leurs études. Cette assiduité cachait cependant d'autres préoccupations : mes frères étaient à la tête de la confrérie des rosen-kreuz. On ne parlait déjà plus de l'affaire O'Brien.

– Permettez-moi une question, interrompit ici l'ancien intendant de police. Dans le peu que vous avez pu savoir touchant ce tragique événement, le nom de John Devil ou Jean Diable se trouvait-il mêlé ?

– Hans Teufel, répondit Frédéric en allemand. Le peuple attribuait la mort du général à un bandit mystérieux et introuvable dont c'était là le sobriquet ou le nom.

– Et n'y avait-il point, demanda encore M. Temple, lors de votre première apparition à l'université ; j'entends avant le meurtre, n'y avait-il point parmi les étudiants amis de vos frères un jeune homme appelé Henri Brown ?

– Non, répondit le comte Boehm sans hésiter.

– Non plus un certain James Davy ?

– Non plus.

– Y avait-il au moins quelque étudiant anglais à l'université de Prague ?

– Il y avait Georges Palmer, répliqua Frédéric.

L'ancien intendant de police sourit et demanda :

– Connaissez-vous ce Georges Palmer sous un autre nom ?

– Sous plusieurs autres noms, répondit le jeune comte.

– À la bonne heure ! s'écria M. Temple qui salua ironiquement.

– Je ne vous demande pas même, poursuivit-il, si ce Georges Palmer avait disparu de Prague quand vous revîntes après le meurtre ?

– Monsieur Temple, dit vivement le jeune comte, je vous prie de vouloir bien remarquer que vous parlez ici de mon meilleur ami, de mon seul ami peut-être, du plus noble cœur et de la plus haute intelligence que j'aie rencontrés en ma vie... Georges Palmer était reçu docteur, il avait repris avec sa mère le chemin de l'Angleterre.

– Avec sa mère ! répéta l'ancien intendant qui fronça le sourcil. Savez-vous qui était sa mère ?...

– Du point où vous êtes, M. Temple, interrompit Frédéric, en homme qui a sa conviction profondément assise et n'en veut point changer ; je vous préviens que vous ne pouvez pas juger le comte Henri de Belcamp. Vous êtes des ennemis, quoi que votre lutte ait eu lieu sur un terrain autre que celui où nous nous trouvons maintenant. Son rôle a été de vous combattre et de vous donner le change en toutes occasions. Je sais qu'il vous l'a donné. Vous n'êtes pas à son égard dans des conditions d'impartialité.

– Mais qui êtes-vous donc à la fin, jeune homme ? s'écria Gregory Temple dont le sang chaud trahissait toujours la prudence. Qui êtes-vous pour parler froidement de telles choses et de tels hommes ?

– Je suis le dernier d'une famille illustre qui va s'éteindre, répondit Frédéric avec calme. Je sais ce que vous ne savez pas. La main sur la conscience, si Dieu me prenait à l'heure même, je mourrais en chrétien !

– Si vous savez ce que je ne sais pas, à quoi bon venir de si loin pour m'interroger ?

– Parce que vous savez peut-être ce que j'ignore.

– Poursuivez donc, monsieur le comte, dit l'ancien intendant dont les sourcils étaient froncés. Vous êtes bien jeune pour repousser l'expérience d'un vieillard. Mais, d'après ce que je devine, nous ne nous séparerons pas de sitôt désormais, et je puis faire serment que vous serez éclairé malgré vous.

– Je refusai de m'affilier aux rosen-kreuz, continua Frédéric, jusqu'en 1814, époque où ma marraine, l'impératrice Marie Louise, quitta la France après l'abdication de Napoléon, et fut confinée à la résidence de Schönbrunn avec son fils le roi de Rome. Avant d'abandonner Prague pour me rendre auprès d'elle, je fis serment sur la rose et sur la croix. J'étais à la fille de François Ier avant d'être à François Ier lui-même, et les rosen-kreuz, qui avaient juré une haine mortelle à Napoléon empereur, étaient les alliés naturels de Napoléon prisonnier à l'île d'Elbe. Ce sont des jeux bizarres, où l'atout change souvent de couleur comme dans les parties de cartes.

À Schœnbrunn, avec l'agrément de Sa Majesté Impériale et Royale, Marie-Louise me choisit pour son écuyer. Je n'avais plus entendu parler de Sarah O'Brien. Mon amour n'était pas éteint, car je suis de ceux qui n'oublient point, mais il sommeillait et ma vie se donnait tout entière à mes devoirs. Une députation des rosen-kreuz, dont mes deux frères faisaient partie, était maintenant à Vienne. Un service de dépêches était établi entre nous et la France. Marie-Louise, à Paris, m'avait dit une fois de rendre à son fils ce qu'elle avait fait pour moi : je commençais à payer ma dette…

– Et m'est-il permis de vous demander, monsieur le comte, interrompit encore M. Temple non sans une intention évidente de sarcasme, si à cette époque vous eûtes quelques nouvelles de votre ami Percy-Balcomb ?

– Oui, certes, monsieur, répondit gravement Frédéric. J'allais vous parler de lui. La justice anglaise commet d'étranges erreurs, dont quelques-unes, dit-on, sont volontaires… Si vous descendiez en vous-même et que vous prissiez la peine de repasser les événements de la journée où nous sommes, vous ne me contrediriez pas.

M. Temple le regarda stupéfait.

Le comte Boehm reprit :

– À l'époque dont il est question, la justice anglaise, confondant Percy-Balcomb avec les plus vils criminels, l'envoya en Australie, d'où il est revenu, car les voies de la Providence sont profondes, avec une idée qui peut écraser l'Angleterre et changer la face du monde… Je n'ajoute rien, M. Temple, parce que en ce moment vous seriez peut-être encore contre nous… Mais la patience humaine a des bornes, tandis que la brutale insolence n'en connaît point, quand elle se croit sûre de l'impunité… Qui sait si demain vous ne serez pas avec nous ?

L'ancien intendant de police garda le silence.

– En 1815, poursuivit Frédéric Boehm, vers la fin de mars, nous reçûmes presque en même temps la nouvelle du débarquement de Cannes et l'ordre de tout préparer pour l'enlèvement du roi de Rome et de l'impératrice. Marie-Louise portait alors officiellement le titre de princesse de Parme, dont François Ier lui avait assuré la souveraineté ; mais elle avait protesté et se faisait appeler la duchesse de Colorno. Mesdames de Menneval, de Brignoles, de Beausset et de Karaksai, ses femmes, la couronnèrent ce soir-là en lui rendant son titre d'impératrice.

M. le duc de Wellington était à Vienne. Sous prétexte de son départ prochain et pour le service prétendu de sa fuite, nous retînmes, mes frères et moi, tous les chevaux de poste dans un rayon de vingt-cinq lieues autour de Vienne ; une fois le premier relais franchi, il y aurait eu impossibilité de poursuivre les illustres fugitifs. La nuit tomba. Outre les fidèles de Marie-Louise, il y avait cent cinquante rosen-kreuz, armés jusqu'aux dents, sous bois, de l'autre côté de la Gloriette. À dix heures du soir, je vins annoncer que les voitures étaient prêtes à l'extrémité des charmilles, et je pris le petit roi de Rome dans mes bras.

Au moment où les dames descendaient le perron du côté du parc, et comme Marie-Louise paraissait à la porte au bras de son premier écuyer, des commandements militaires retentirent sous les bosquets, situés à droite et à gauche de la rampe qui monte à la Gloriette. En un instant, la pelouse fut blanche d'uniformes.

Des hommes noirs, sortis du château même par les portes latérales, nous entourèrent et Onslow, le sous directeur de la police impériale, engagea, chapeau bas, la princesse de Parme à rentrer dans ses appartements. Il y avait eu trahison.

Marie-Louise quitta Schœnbrunn le soir même, pour n'y rentrer jamais. On lui assigna pour résidence le palais de la chancellerie, à Vienne, et désormais elle fut séparée de son fils. Je restai, pour ma part, auprès du jeune prince, et quand, cette année même où nous sommes, l'empereur l'a fait duc de Reichstadt, avec grade de colonel dans l'armée autrichienne, j'ai reçu mon brevet de lieutenant-colonel.

J'aime l'empereur François d'Autriche, je n'ai pour l'empereur Napoléon que le respect dû à la gloire et à l'infortune. Vous êtes Anglais, M. Temple, je vous dirai cependant quel est le véritable sentiment qui pousse en avant toute une armée de jeunes et généreux cœurs : c'est l'horreur inspirée par l'égoïsme et la trahison de l'Angleterre…

À la fin de 1816, le comte Albert Boehm fut tué en duel par le capitaine Baumgarten, de l'artillerie impériale et royale ; deux mois après, en sortant du burg d'Ofen, où l'archiduc-vice-roi de Hongrie l'avait mandé, le comte Reynier, sur le pont de bateaux qui sépare Bude de Pesth, reçut un coup de couteau d'un magyar jaloux de sa femme, et qui le prenait pour l'amant de celle-ci. Il m'est connu que le magyar Kerolvi et le capitaine Baumgarten sont affiliés aux porte-glaives ; Reynier était à Pesth pour organiser une ligue ou vente de rosen-kreuz.

J'arrivai le lendemain de l'*accident* pour recevoir son dernier soupir. Il me donna ses secrets et mourut dans mes bras.

Ceux qui nous connaissaient tous les trois n'auraient jamais pu croire que je resterais le dernier vivant. Mes frères étaient forts et hardis comme deux lions ; moi, je n'ai de ma race que le courage.

Reynier devait venir à Londres en janvier de la présente année 1817 ; je m'y rendis à sa place et pour accomplir une de ses dernières volontés. Le comte Henri de Belcamp m'attendait sous London-Bridge, lors de l'arrivée du paquebot. En débarquant, et sans prendre le temps de changer mes habits de voyage, je montai dans une voiture qui me conduisit dans Regent street, chez la signora Constance Bartolozzi, où le conseil de la Délivrance était assemblé. Je fus reçu compagnon sur la présentation du comte Henri de Belcamp, et je prêtai serment entre ses mains. Mon nom de frère fut : Pierre-Alexis Orloff, pour dépister la surveillance des agents autrichiens.

Ce qui fut décidé chez Constance Bartolozzi, à cette séance et à d'autres, ne doit point vous être dit. En dehors de ces séances, la Bartolozzi recevait et donnait à jouer. Un soir, je me trouvai chez elle en présence de Sarah O'Brien, qu'on me dit être sa dame de compagnie. Je passe de longues heures, souvent, à me demander si Sarah me reconnut. Son regard se fixa sur moi plusieurs fois. Je m'approchai d'elle, et la voix s'arrêta dans ma gorge. On m'emporta évanoui.

Pauvre histoire, n'est-ce pas, monsieur ? enfance prolongée, timidité puérile et qui sans doute mériterait un autre nom ?... Je ne sais ce qui se passa en moi ; je crus que j'allais mourir. Cet amour est tellement au-dessus des forces de mon cœur qu'il fait trembler ma voix en ce moment et mouille mes tempes comme un effort épuisant. Sarah me sembla mille fois plus belle qu'autrefois. C'était une femme ; et cependant sa prunelle nageait dans cette eau diamantée que le mariage dessèche, dit-on ; elle avait les fiertés farouches et les caprices souriants des jeunes filles.

Sarah n'était qu'une jeune fille avec son port de reine et son éblouissant diadème de beauté.

Je voulais savoir, je voulais parler, je voulais agenouiller mon aveu à ses pieds ; je n'osai pas ; le bonheur, la crainte, l'espoir, étreignirent à la fois mon pauvre cœur malade ; je fus paralysé : j'avais parfois souhaité cette mort.

Par quelle série de circonstances était-elle tombée jusqu'à cette condition ? Elle avait plus de quinze ans quand elle avait quitté Prague, et elle ne pouvait ignorer ni sa naissance ni ses droits. Le mystère reste tout entier ici ; aucune de mes questions n'a eu de réponse ; l'occasion perdue ne devait point renaître.

Sarah O'Brien avait maintenant un autre nom, un nom irlandais aussi ; elle s'appelait Sarah O'Neil chez Mme Bartolozzi.

– J'aurais pu vous l'apprendre, comte, murmura M. Temple.

– Tant mieux si vous en savez assez long pour me satisfaire, monsieur, dit Frédéric dont la fatigue était maintenant visible. Puissé-je apprendre auprès de vous tout ce que j'ai si grand besoin de savoir ! Mais laissez-moi poursuivre. Encore quelques mots et j'aurai achevé.

Le 1er février, je fus convoqué selon la forme, non plus chez madame Bartolozzi, mais, chose qui me surprit, dans le propre salon que j'occupais ici, hôtel Mivart. Je n'étais pas sorti de ma chambre depuis que j'avais vu Sarah ; je n'avais donné aucune autorisation ; j'attendis.

À onze heures du soir, sept membres étaient présents. L'un d'eux accusa la signora Bartolozzi de trahison, et le fait ne fut prouvé que trop clairement par deux lettres de cette malheureuse femme, adressées à vous-même, monsieur, et qui avaient été interceptées dans vos propres bureaux. Sept voix unanimes la condamnèrent, et l'exécution fut fixée à la nuit du lendemain.

Le lendemain, je me munis chez mon banquier d'une somme considérable, et je louai une chaise de poste. J'avais l'intention d'enlever madame Bartolozzi et de la conduire à Douvres, où je l'aurais embarquée sur le paquebot de Calais.

J'aurais payé son obéissance au lieu de la forcer.

J'avais l'intention de m'expliquer avec Sarah et de lui offrir ma main. En cas de refus, je voulais lui rendre intégralement la fortune de sa mère.

Il n'est pas besoin de vous apprendre qu'à Londres surtout l'argent est le maître. Rien ne résiste à l'argent. Devant mon talisman, les portes de la maison de madame Bartolozzi s'ouvrirent, et les domestiques désertèrent leurs postes. À deux heures du matin, j'étais seul dans cette demeure abandonnée, bien plus seul, hélas ! que je ne croyais, car des deux femmes que j'étais venu chercher, l'une était absente, l'autre était morte.

Morte sur son lit en sommeillant sans doute, et telle que je me figure O'Brien décédé, d'après les récits de mes frères ; morte les deux bras paisiblement arrondis, la bouche tranquille, les yeux fermés, ses bijoux auprès d'elle.

Je quittai Londres le lendemain matin, partie pour fuir le théâtre de cette tragédie, partie pour obéir à un ordre de rappel de

M. le prince de Metternich. À Vienne, où je repris mon service auprès du roi de Rome, la maison Balcomb et Cie, de Londres, par l'ordre de M. Wood, ancien sollicitor…

– Un des plus dangereux coquins des trois royaumes ? s'écria M. Temple.

– Je sais cela, monsieur, et c'est le malheur de ceux qui travaillent dans l'ombre de n'avoir pas toujours le choix de leurs agens… À Vienne, disais-je, la maison Balcomb et Cie m'adressa de Londres trois demandes d'argent… Je devais : je payai.

– Vous deviez ?… répéta M. Temple, qui malgré l'obscurité, complète maintenant, jeta sur lui un regard inquisiteur.

– Pas comme vous le pourriez entendre, monsieur, répliqua le jeune comte, si vous mettiez à m'écouter la même entière bonne foi que je mets à vous parler… Mais enfin je devais, j'avais promis en pleine connaissance de cause.

– Dans la lettre que Votre Seigneurie m'a fait l'honneur de m'écrire, objecta l'ancien intendant de police, j'ai trouvé copie d'une missive adressée à ce M. Wood, et contenant le bordereau des sommes payées depuis le 1er janvier à la maison Balcomb et Cie. Cette missive parlait tout autrement que ne le fait maintenant Votre Seigneurie.

– Cette missive avait un but que vous saurez tout à l'heure. Mon intention est de ne vous rien cacher. Je fis honneur à ces trois premières demandes d'argent, et mon banquier de Vienne me dénonça à l'empereur. François me fit mander au Hofburg. Il y avait sur la table une lettre pour le gouverneur de la forteresse de Spandau. « Vous êtes le dernier d'une race illustre et fidèle, » me dit-il, « votre père était, mon ami. Entre les mains d'un enfant comme vous, des revenus comme les vôtres sont en danger. Vous êtes mêlé à de certaines menées ; je vous excuse, parce que j'aime l'archiduchesse de Parme, ma fille. Mon Conseil veut faire de vous un prisonnier d'État, mais vous n'irez pas à Spandau si vous consentez librement à vous mettre en tutelle. » Je consentis sans hésiter, et, faisant valoir les menaces de mort prochaine écrites trop lisiblement sur mon front, j'obtins de Sa Majesté la permission de voyager en Italie, en France et en Angleterre. En me donnant congé, l'empereur, parlant à voix basse et le front soucieux, fit une allusion rapide au sort de mes frères et me recommanda la prudence.

Mes trois compagnons de voyage furent choisis en conseil parmi les serviteurs de ma famille qui offraient le plus de garantie à la cour. Nous partîmes ; on m'avait fixé un budget de prince. Je savais en outre que, à Paris comme à Londres, je trouverais des spéculateurs hardis tout prêts à passer, en vue d'un gros bénéfice, par-dessus l'obstacle de minorité. À peine arrivé en France, je reçus une demande de 380,000 florins, à laquelle je pus faire droit immédiatement...

– Près d'un million ! murmura M. Temple.

– Je comptais passer tout de suite en Angleterre, mais un incident me retint. Le lendemain de mon arrivée, je voulus visiter le jardin du Colisée. J'étais dans la foule, admirant la vogue de ce divertissement bizarre qu'on nomme les montagnes russes, quand je vis la beauté de Sarah glisser devant mes yeux comme un rêve, emportée sur la pente avec une folle rapidité. Dans son traîneau, il y avait un jeune homme qui m'était inconnu. Je m'élançai, mais la foule retarda ma course, et, quand je parvins au lieu où les voyageurs descendent de traîneau, Sarah et son cavalier avaient disparu.

Elle était à Paris. Je restai plusieurs semaines remuant ciel et terre pour la trouver. Tous mes efforts furent inutiles. Au commencement de juin, il y a quelques jours à peine, je revenais d'une promenade au bois, à cheval, quand j'aperçus du bout de la rue et sortant de mon hôtel, une femme en élégante toilette qui remontait dans sa voiture. Sa taille me frappa. La voiture me croisa l'instant d'après, et je reconnus Sarah O'Brien à travers le carreau de la portière fermée. J'étais à cheval, je piquai des deux : elle ne pouvait m'échapper cette fois !...

Au bout de cinquante pas, les sergents de police me barrèrent le passage. Il est défendu de galoper dans les rues de Paris. La discussion dura quelques secondes ; quand elle prit fin, la voiture de Sarah était hors de vue.

À mon hôtel, je trouvai une lettre contenant une cinquième demande d'argent. La demande dépassait un million. Je devais, j'aurais fait cette fois comme les autres, mais j'appris que la lettre avait été remise par une jeune femme, élégante et charmante, dont la description se rapportait exactement à Sarah. Mon esprit, appliqué sans cesse aux moyens de retrouver Sarah, se prit à travailler. J'avais ouï parler de vous, et l'on m'avait désigné M. Wood comme l'agent avec lequel, au besoin, je devais correspondre. J'écrivis à M. Wood et à vous les deux lettres que vous savez. C'est là l'explication que je vous promettais tout à l'heure. Mon refus n'était qu'une ruse de guerre. Au moyen de cette manœuvre, soit par vous, soit par M. Wood, il me semblait certain que je retrouverais Sarah. Voilà tout ce que j'avais à vous dire.

Le jeune comte Boehm cessa de parler. M. Temple réfléchit un instant.

– Alors, murmura-t-il sans prendre souci de dissimuler l'amertume dédaigneuse de sa pensée, votre but principal, ou plutôt votre but unique est de retrouver cette femme ?

– Je l'aime, prononça tout bas Frédéric.

– Et suivant toute apparence vous n'écouteriez pas volontiers tout ce qui serait dit contre elle ?

– Je l'aime ! répéta le jeune comte avec une énergie concentrée. Il me la faut pour vivre par le bonheur ou pour mourir de joie !

– La douleur aussi fait mourir, dit M. Temple comme malgré lui.

Puis, après un silence, il reprit de cette voix précise et ferme que nous lui connaissions du temps où il trônait dans son bureau de Scotland-Yard.

– Monsieur le comte, vous avez vingt ans. À cet âge les illusions sont tenaces. En vous écoutant, il m'est venu tout un monde d'idées, dont quelques-unes arrivent à l'extravagance : quand il s'agit d'un homme comme Jean-Diable, il faut parfois chercher la sagesse dans l'extravagance… C'est moi qui l'ai formé… Je vous prie de ne point m'interrompre ; je serai bref et clair… C'est moi qui l'ai formé, dis-je, sans le vouloir et sans le savoir : je connais les routes où va sa pensée… Les gens comme lui montreront toujours aux gens comme vous, dans un lointain plus ou moins brumeux, quelque immense édifice commencé, en disant : Voici mon œuvre : je suis un grand architecte !... Écraser l'Angleterre et changer la face du monde, avez-vous dit ; c'est bien cela ! il me semble l'entendre !... Mais quel roc assez lourd, détaché de quelle cime assez haute, écraserait l'Angleterre, contre laquelle votre Napoléon s'est brisé ?... L'Angleterre vit et grandit pendant que son ennemi se meurt, rongé par les vautours de sa colère impuissante... Et le monde va sa route, ignorant le rôle que les charlatans lui font jouer dans leurs contes à dormir debout ! Assez là-dessus : je ne suis ni assez jeune, ni assez poëte pour discuter en politique les théories de Polichinelle ou de Jean Diable. Vous avez mis la question tout en haut de je ne sais quelle fantastique échelle, elle est pour moi tout en bas : nous ne saurions nous entendre. Ce qui est réel, ce sont les millions qu'on vous a extorqués. J'appuierais sur ce point vis-à-vis d'un autre, mais avec vous à quoi bon ? ce n'est qu'une goutte d'eau dans le profond réservoir de votre richesse. Je pourrais vous renseigner catégoriquement sur l'homme lui-même ; je le ferai sans doute plus tard ; aujourd'hui, non ; vous êtes prévenu, et si je vous disais que votre comte Henri était un employé infidèle de ma police, vous me répondriez sans doute encore : je le savais.

– Je le savais, il est vrai, monsieur, répondit Frédéric.

– C'est au mieux !... Alors vous n'avez pas à chercher le nom de celui qui intercepta les lettres de l'infortunée Constance Bartolozzi, même peut-être le mot de cette énigme funèbre... Mais je veux m'attacher à un seul ordre d'idées et me renfermer dans un seul fait. Je comprends les idées fixes : j'ai la mienne comme vous avez la vôtre. Je sais où est Sarah O'Brien, et je vous l'apprendrai.

– Pour prix d'un tel service... commença le jeune comte qui lui saisit les deux mains.

M. Temple se dégagea de cette étreinte et ne le laissa pas achever.

– Monsieur le comte, dit-il d'un ton triste et fier, j'étais riche... non pas comme vous, mais assez pour vivre une tranquille vieillesse et donner l'indépendance à mon unique enfant. Je suis maintenant un mendiant, car j'ai tout dévoré, jusqu'au pain de ma fille !...

J'accepterai un payement, je l'exigerai considérable, mais ce ne sera pas pour moi, cet argent, non ! ce ne sera pas même pour ma fille chérie… ce sera pour ma justice, à moi, qui suis désormais franc-juge aussi… ce sera pour ma vengeance !

– Vous fixerez vous-même la somme, monsieur.

– J'ai achevé, sauf un dernier mot. Dans tout marché, il faut savoir ce qu'on achète. Ce fut Jean Diable, ou George Palmer, ou le comte Henri de Belcamp, ou, si mieux vous aimez, le chef de la maison Balcomb et Cie, qui enleva Sarah O'Brien du château de la Tutelle, à Reichstadt. Le comte Henri de Belcamp vous a joué comme il vous a pillé. Les maîtresses des bandits sont célèbres aussi bien que celles des héros. Sarah O'Neil est là *Belle Irlandaise*, maîtresse de Jean Diable le Quaker.

– Vous avez la preuve de cela, monsieur'? prononça le jeune Allemand d'une voix à peine intelligible.

– Et je vous la fournirai, je m'y engage, si vous voulez me suivre à Paris.

Frédéric Boehm sonna et donna l'ordre d'apporter des flambeaux.

La lumière vint, éclairant la mortelle pâleur de ses traits si beaux, et ses grands yeux où la fièvre lente mettait un sinistre éclat.

– Qu'on fasse venir M. Spiegel, M. Arnheim et M. Weber, ordonna-t-il encore.

Puis, se tournant vers M. Temple, il demanda :

– Vous plait-il que nous partions pour Paris ce soir même ?

– Je voudrais auparavant, répondit l'ancien intendant de police, connaître le caractère précis de ces messieurs.

– Trois conjurés comme moi, répondit le jeune comte.

Les trois docteurs rentraient avec leurs pipes et leurs bonnes faces allemandes resplendissantes de santé.

– Nous partons pour Paris dans une heure, leur dit Frédéric Boehm ; M. Temple vient avec nous.

– Quelle est la suite de men herr ? demanda le docteur Spiegel, chargé des préparatifs.

– Un seul homme, Français, du nom de Pierre Louchet, répondit M. Temple.

Il se leva pour aller quérir son bagage. Le comte Boehm appuyé sur son bras, l'accompagna jusqu'à la porte.

En arrivant au seuil, il retira de sa bouche son mouchoir blanc, qui avait des taches de sang, et dit de sa voix glacée :

– Je vous attends, monsieur… Si Sarah O'Brien est la maîtresse d'Henri de Belcamp, je le tuerai, je vous le jure !

VIII

Versailles

Les Russes bâtissent avec les glaces de la Neva de féeriques palais, ornés de statues que l'on taille dans des blocs de frimas. Ils donnent des fêtes là-dedans, et c'est, dit-on, splendide. Mes mâchoires ont le tétanos, et je sens du frisson plein mes veines, rien qu'en songeant à ces fantaisies hyperboréennes. J'ai vu, dans un rêve de décembre, des quadrilles de femmes demi-nues, gelées sur place avec des diamants au cou et des fleurs dans leurs cheveux : tout gelait, tout : la beauté, l'amour, la lumière ! Les sons de l'orchestre se glaçaient dans l'air sans vibration, et je vois encore le terrible épanouissement de tous ces sourires immobiles.

Nous avons cela chez nous. Versailles aussi, tombe éblouissante et glacée, a des splendeurs qui font froid. C'est comme un autre monde habité par des marbres qui s'ennuient à regarder les ifs monstrueux tondus en pyramides. Il n'y a de vivant que ces eaux verdâtres dont chaque goutte a le prix d'un verre de vin. Ce château gèle les rayons du soleil ! Il manque des mausolées dans ces parterres en deuil. On s'entend à ouïr le bruit du papier froissé quand la brise passe dans le feuillage de ces arbres.

À l'heure où le poëte allemand vit la grande revue fantastique aux Champs-Élysées, sous les rayons de la lune blême, aplatie contre un ciel de porphyre bleu, quelque grande procession doit descendre à pas lents et silencieux l'escalier des Géants pour gagner la pièce d'eau des Suisses, autour de laquelle attendent les carrosses du roi. Bourdaloue a prêché ; Molière en baisse s'est enfui avec son Tartuffe dans sa poche ; Ninon cabale en vain en faveur du diable ; le carême est vainqueur partout ! Le roi descend, courbé sous ce fardeau qu'il porta pendant soixante-douze ans de règne : l'ennui, le grand ennui, un dieu, le père des fêtes compassées, des divertissements réglés, des tableaux commandés, des parcs fabriqués, et des palais carrés : le roi descend, fermant l'oreille aux derniers sons de la musique qu'on fit pour lui, et ne voulant plus voir la muette flatterie de toutes ces statues ; le roi blasé sur la pâle verdure de ces arbres qu'on lui apporta malades ; le roi détestant ces eaux qui viennent de si loin pour parodier à ses oreilles un murmure de ruisseau : le roi, ennemi de la nature qu'il a voulu surpasser, et las en même temps de toutes ces imitations impuissantes ; le roi découragé, le roi se mourant d'étiquette, le roi étranglé entre un bal et un sermon, le roi fatigué, triste, misérable, le roi Louis XIV, le grand roi, le roi de Colbert, de Condé, de Vauban, de Bossuet, de Le Sueur et de la Fontaine !

Derrière lui, c'est sa cour, navrée du même mal, la plus brillante cour du monde, Saint-Simon, Sévigné, Bussy, Racine, Lully, Lavallière et tant d'autres étoiles, baignées dans la lumière de ce soleil !

Ils descendent, ils passent, les femmes adorables, les poëtes divins, les grands hommes... Le maître a bâillé ; Racine bâille, et aussi Sévigné son ennemie, et aussi Lully qui réchauffa Quinault, et aussi tous les autres. Les chevaux font le tour de l'eau d'un pas d'enterrement. On revient au point de départ.

Le roi bâille. Tous ces géants remontent leur escalier en bâillant. La partie était de bâiller.

Et quel tact ils avaient en ce siécle d'Auguste ! Versailles n'est-il pas, dans l'univers entier, le lieu où l'on bâille le mieux !

On n'y bâille plus guère maintenant. Ces magnificences figées s'ennuient toutes seules, et c'est à peine si, deux ou trois fois par an, *quand les eaux jouent*, les faubourgs de Paris daignent y venir dîner sur l'herbe.

Depuis Louis XIV, Versailles eut cependant encore un moment de vie, quelques bons jours, pendant lesquels son sommeil, tourmenté par les bruits de caserne, fit trêve brillamment et gaiement. Ce fut en 1817, au mois de juin ; et c'était Miremont qui réveillait ainsi Versailles ! Il y avait bien, nous le concédons, quelques différences capitales entre la société miremontaise et la cour du fils d'Anne d'Autriche, mais ces différences n'étaient pas toutes au désavantage de Miremont. Certes, l'ambassade de Siam ne put sembler plus drôle aux naïades du bassin de Neptune ou aux déesses de la grande allée que le trio Bondon de la Perrière : un tartan gris entre deux redingotes brunes promenant le long des charmilles l'idylle du bonheur conjugal. Madame Célestin, paissant ses deux moutons dans ces allées ombreuses qui mènent aux

Trianons, entremêlait sa conversation d'enseignements utiles ; quand elle lâchait leurs bras, ils ramassaient des cailloux ronds ou quelques fleurs champêtres dont ils lui composaient un bouquet. C'était une femme sérieuse, et si pure qu'elle demanda une fois à M. Potel, le plus instruit des deux adjoints, ce que signifiait le mot bigamie.

L'autre adjointe, Madame Morin du Reposoir, venait aussi souvent en compagnie de Madame Besnard ou de Madame Touchard, qui avait parfois avec le prisonnier des entretiens privés qui rendaient ses compagnes jalouses. Le ménage Chaumeron et mademoiselle étaient en quelque sorte des Versaillais maintenant. M. le marquis, en effet, donnait volontiers à dîner à ceux qui venaient voir son fils, et tenait table ouverte à l'hôtel de France. Les Chaumeron aimaient l'hôtel de France, et en rapportaient toujours quelques souvenirs.

M. le marquis habitait l'hôtel de France avec presque toute sa maison. Madame Étienne, sauf le chagrin de manger la cuisine des autres, engraissait comme un coq en pâte. Elle avait été déjà à l'hôtel, du temps de son ancienne dame, une fois qu'on avait relevé les parquets à la maison, et c'était à l'hôtel de Pontoise ! Julot et Anille allaient et venaient, avec la bride sur le cou ; Pierre se faisait servir : c'était fête.

Le marquis avait généralement pour société ses deux belles chéries, comme il appelait Jeanne et Germaine. Elles avaient toutes les deux leurs chambres à l'hôtel, où plusieurs fois par semaine lady Frances Elphinstone et Suzanne venaient visiter M. de Belcamp. Il n'y avait dans tout ce monde que Suzanne de triste ; nous connaissons la cause de sa tristesse ; mais nous savons aussi quelle consolation elle avait au fond de son cœur. M. le marquis ne lui tenait point rigueur. On ne parlait jamais du vieux Temple, qui passait naturellement pour un maître fou.

Le soir, à l'hôtel de France, il y avait réception chez le marquis. Les gens bien posés de la ville avaient brigué l'honneur d'être présentés, et le vieux gentilhomme mettait une certaine ostentation à montrer la parfaite liberté de son esprit.

Ce fut là que se noua, pendant la captivité du jeune comte, un épisode qui étonnera certes nos lecteurs, mais qui tient trop au cœur même de ce récit pour que nous le puissions passer sous silence : nous voulons parler des fiançailles de notre belle Jeanne, qui eurent lieu sous les auspices réunis de sa tante Madame Touchard et de M. le marquis de Belcamp.

Le fiancé n'était pas le comte Henri.

Les clairvoyants de Miremont avaient pu remarquer entre Jeanne et le comte Henri, pendant le court séjour de ce dernier au château, quelques symptômes d'inclination réciproque, mais depuis l'emprisonnement les apparences avaient changé. Il n'y avait des deux parts qu'une franche et fraternelle amitié ; la preuve, c'est que Jeanne accueillait au dehors et d'une façon fort apparente la recherche d'un autre prétendant.

Cet autre prétendant n'était pas Robert Surrizy.

Et, chose plus surprenante que tout le reste, Robert Surrizy, triste mais calme, semblait accueillir ce congé définitif avec résignation.

Le fiancé de Jeanne, car les choses en étaient à ce point que nous pouvons lui donner ce titre, était un jeune Anglais que nous connaissons déjà, quoiqu'il n'ait pas encore été présenté au lecteur ; c'était l'ami du comte Henri, ce Percy-Balcomb, héros de l'aventure en Australie et chef actuel de la grande maison Balcomb et Cie de Londres. Le comte Henri avait annoncé sa visite autrefois ; le hasard avait fait que Percy-Balcomb était arrivé le lendemain même de l'emprisonnement.

Cette ressemblance singulière dont le jeune comte avait parlé frappa tout le monde au premier aspect. C'était la même taille et le même port, la même coupe de visage aussi : de telle sorte que par derrière on aurait dit le même homme, mais il n'y avait pas besoin néanmoins de faveur lilas, rose ou bleue pour faire la différence entre les deux amis. Les cheveux de Percy-Balcomb étaient beaucoup plus bruns, les sourcils plus foncés, les paupières plus ombrées ; il portait moustaches, contre l'habitude expresse des Anglais, et, dès qu'il parlait, sa voix grave et profonde, qui faisait un contraste complet avec celle d'Henri, achevait de rendre toute méprise impossible.

Il venait en France pour affaires, et passait régulièrement ses journées à Paris ; il était bien appuyé, car il avait obtenu de voir Henri à la prison, à une heure où les portes se fermaient rigoureusement pour tous. Sa carte d'entrée était personnelle, et le marquis lui-même ne pouvait l'accompagner dans ses visites.

Percy-Balcomb professait pour Henri une amitié chevaleresque ; ceci, joint à ses qualités aimables, lui avait concilié tout d'un coup les amitiés du petit cercle. Le marquis, on peut le dire, aimait son fils en lui.

Il fut aisé de voir, dès l'abord, que Jeanne et lui se plaisaient. Balcomb pouvait être un chevalier, mais ce chevalier était à la tête d'une maison de commerce : les choses furent menées rondement et commercialement. Henri, dans sa prison, fit la demande à Madame Touchard, en présence du marquis. Les avantages réciproques furent stipulés, et comme Jeanne, émancipée, venait d'être envoyée en possession de l'héritage Turner, de Lyon, la dot fut fixée à deux millions, payables à la signature du contrat. Tous les biens venus et à venir entraient du reste dans la communauté.

Le marquis dit ce jour-là à Henri :

– Fils, si tu avais pris les devants, je m'y connais, elle t'aurait aimé.

Percy-Balcomb, esclave des affaires, était reparti pour Londres. On l'attendait de jour en jour et le contrat était prêt.

C'était fête : nous avons prononcé ce mot qui n'est pas trop fort. On pensait à cette noce, dont chacun escomptait les plaisirs comme si de rien n'eût été. C'était fête pour tout le monde : les gens qui s'intéressaient au comte de Belcamp ne concevaient pas l'ombre d'une inquiétude, et la partie aigre de la société miremontaise gardait néanmoins quelque espoir de grabuge. Les uns et les autres étaient contents.

Quant à l'opinion publique, elle n'était même pas divisée. Le tribunal était tout bonnement accusé d'absurdité pour avoir jugé qu'il y avait lieu à suivre. Le double alibi sautait si violemment aux yeux que tous les esprits forts de l'endroit, ceux qui *ont une opinion à eux,* déclaraient d'avance que le juge d'instruction finirait sa vie aux Petites-Maisons. La magistrature elle-même, il faut le dire, avait été d'avis de surseoir, non pas qu'elle eût une conviction bien arrêtée, mais parce qu'il fallait du temps, à son sens, pour percer ce mystère.

On prétendait tout bas, – soit que la chose eût ou n'eût point de vraisemblance, – que le juge d'instruction avait cédé à une influence supérieure.

Les prudents attendaient, disant que le mot de ces énigmes judiciaires surgit tout à coup, au moment où l'on y pense le moins.

En somme, il y avait eu deux meurtres…

Trois meurtres ! disait le vieux marquis, car cette machination infernale des deux passe-ports pris au nom de son fils était bien évidemment une tentative de meurtre.

Henri était arrivé au château de Belcamp incognito ; il venait du bout du monde, il n'avait vu personne à Paris. Le lâche et cruel ennemi qui lui avait tendu ce piège le croyait sans doute encore en pays étranger, où peut-être Henri aurait eu grande peine à établir judiciairement sa présence au moment du meurtre.

Mais la Providence avait voulu qu'il en fût autrement. Une commune entière, son maire en tête, allait témoigner devant la cour d'assises.

M. le marquis avait cru devoir adresser une lettre autographe au juge d'instruction pour le remercier de sa décision. Il fallait que la question fût hautement tranchée !

Mais c'était dans la prison même que l'on pouvait voir à quel point les gens d'administration, hauts et bas employés, regardaient sa condamnation comme impossible. Ce n'étaient pas des faveurs qui lui étaient accordées ; on lui reconnaissait en quelque sorte des droits. En dehors de la pistole, on lui avait arrangé deux chambres d'employés, vastes et commodes, qui formaient un véritable appartement. L'une d'elles lui servait de salon. Il y *recevait*, dans toute la force du terme, bonne et nombreuse compagnie. Le conseiller Boisruel, de la cour de Paris, qui s'était récusé comme président d'assises à cause de sa parenté, venait l'y voir très-souvent, et ne cachait pas qu'il le regardait comme un des hommes supérieurs de l'époque. Des personnages considérables avaient désiré lui être présentés, et les quatre ducs, qui peut-être l'auraient bien laissé tranquille au château, étaient venus le visiter dans sa prison avec leurs quatre duchesses. Le faubourg Saint-Germain le revendiquait maintenant. Les journaux, tout petits alors, il est vrai, mais disant à peu près tout ce qui se passait par la tête de leur rédaction, donnaient de lui les biographies les plus diverses et les plus contradictoires. Toutes étaient intéressantes ; toutes étaient dévorées par le public avide d'émotions. Depuis longtemps, en dehors de la guerre et de la politique, nul n'avait excité une attention pareille ; la curiosité générale arrivait à la fièvre, et le procès qui s'instruisait allait être, au plus haut degré, une *cause célèbre.*

Nous avons dit : en dehors de la politique, et le mot est juste. Cependant, à ces époques d'opinions tranchées, et si près des révolutions, quels hommes et quelles choses peuvent échapper complétement à la politique ? Les biographies du comte Henri de Belcamp, travail de Pénélope qui allait se faisant et se défaisant, roman à mille chapitres auquel chaque jour apportait son contingent de faits dramatiques et merveilleux, pouvaient se diviser en deux classes bien distinctes : les biographies royalistes et les biographies bonapartistes. Personne n'aurait su dire où les auteurs de ces poèmes puisaient leurs renseignements contradictoires ; mais il est certain que, au milieu d'une grande quantité de fables, il s'y trouvait bon nombre de vérités. La vie entière du comte Henri était là-dedans par morceaux, et il fallait qu'un historien fût au fond de tout cela. Seulement, les uns appuyaient sur sa qualité de fils d'émigré et mettaient en avant ce fait qu'il avait remporté à l'étranger toutes ses victoires universitaires. Il était docteur d'Édimbourg, de Cambridge, de Prague, d'Iéna, etc.… Mais il n'avait voulu repasser la frontière française qu'après le triomphe des vrais principes. Les autres prenaient occasion de son voyage d'Australie, amendé et transfiguré, pour raconter sa visite à l'empereur. Et tous parlaient vaguement de grandes idées et d'immense avenir.

Ce qu'il y avait sous ces réticences pouvait être interprété selon la passion de chacun, car chacun croit toujours à ce qu'il veut, et rien de plus. L'histoire contemporaine a toujours deux versions, l'une blanche, l'autre noire, qui s'impriment concurremment, et qui, mutuellement, s'accusent de mensonge.

Le comte Henri souriait à cette renommée de héros de roman avec un dédain calme qui lui allait à merveille. Il ne mettait aucune affectation à marquer sa profonde indifférence au sujet de tout le bruit qui se faisait autour de lui. Il ne disait même pas qu'il n'ouvrait jamais un journal.

Son père les lisait pour lui ; son père écoutait avec un infatigable ravissement toutes les voix qui parlaient du fils bien-aimé. Il était avide de gloire et s'enivrait littéralement aux échos de ce concert. La visite des ducs, ses parents, l'avait rendu fier, lui qui était si sincèrement digne, lui dont l'âme avait tant de sereine hauteur. L'adoration qu'il avait pour Henri le rendait femme ; il avait le cœur faible et grand comme une mère.

Et qui sait où allaient maintenant ses ambitions ? Regrettait-il Jeanne, ou songeait-il encore à Germaine pour ce fils qui était désormais un héros ? songeait-il même à lady Frances Elphinstone ? quelle princesse était au-dessus d'Henri ? Son triomphe était parfois si naïf et si complet, que la société miremontaise, impatiente, jalouse, fatiguée d'admirer, songeait à l'ostracisme, bien qu'elle eût peu lu l'histoire d'Athènes. Il y avait des moments où ce héros de comte Henri eût été condamné au dernier supplice, – pour faire enrager M. le maire, – si Miremont eût été jury.

C'était une chaude et orageuse journée d'été. Midi venait de sonner à l'horloge du château, dont les lignes droites tranchaient en blanc mat sur un ciel plombé. Pas un souffle de vent n'agitait l'eau des bassins où les groupes de bronze, défigurés par leurs tuyaux inutiles, sommeillaient comme des acteurs au rebut qui n'endossent plus qu'à de longs intervalles leurs paillettes de comparses. Quelques provinciaux regardaient la façade, aussi célèbre que le fameux *coup d'archet* de l'Opéra, et se livraient à des dissertations historiques, abondamment émaillées d'anachronismes. Le palais ne contenait pas encore toutes les gloires de la France, comme l'affirment à la fois l'enseigne et le livret ; mais les voyageurs aimaient à voir les ifs. Le long des rampes, des bonnes et des soldats négligeaient des enfants ; sous les premiers arbres de l'avenue du Tapis-Vert, une douzaine de vieilles dames et la marchande de petits pains s'assoupissaient.

Sur le tapis vert lui-même, un spectacle plus animé s'offrait aux six curieux répandus dans l'allée. Je vous défie d'aller à Versailles sans voir une pareille représentation. Au fond de tout deuil, il y a toujours un pauvre petit grain de gaieté.

Toute la gaieté de Versailles est dans ce carré long de vilaine herbe, bordé de beaux arbres et de statues, qui va du parterre de Latone au bassin d'Apollon. Depuis des centaines d'années, les dieux et les déesses de la fable, adossés aux charmilles, n'ont pas d'autre récréation.

Ils étaient trois : deux gros hommes et une maigre femme. Les deux gros hommes portant bandeaux comme des Amours, essayaient de descendre le carré à tâtons sans perdre l'herbe ; la femme maigre tricotait un bas en les regardant.

Garniture Bondon ! âmes simples ! tels étaient vos plaisirs ! Les deux jumeaux venaient ici chaque jour à la même heure depuis l'*événement*. Ils pariaient chacun une petite pièce de cinq sous contre leur dame. Ils perdaient toujours, et ils s'étonnaient de ne pas faire de progrès.

Ce séjour de la capitale de Seine-et-Oise n'était pas absolument sans danger pour le célibataire Florian, nature brûlante, dont une jeunesse trop orageuse n'avait pas complétement éteint les feux. Bien souvent il regardait d'un œil malintentionné quelque forte Normande dévolue à un soldat du centre. Mais madame Célestin le tirait alors par la faveur lilas qui ornait son bras, et Florian dissimulait sous un sourire soumis le coupable dévergondage de sa pensée.

Célestin, lui, était de marbre, comme *Achille sous l'habit de Pyrrha,* dû au ciseau de Vigier.

La ville de Versailles commençait à connaître ces deux végétations symétriques. Dans les hôtels, on prévenait les étrangers que ces curiosités s'ajoutaient momentanément à celles du parc.

Quand les familles s'arrêtaient pour les regarder, ils se laissaient voir avec complaisance et les Anglais obtenaient la permission de toucher.

Les allées du parc étaient encore aujourd'hui plus abandonnées que de coutume, à cause de la menace du temps. Le silence régnait sous les nobles arceaux des avenues latérales, et toute cette population mythologique qui fatigue ses muscles de pierre à poser sous les bosquets déployait ses grâces en pure perte. Autour des groupes dont la jeunesse écouta tant de bruits et vit tant de sourires, il n'y avait que le bois vieillissant, défendu par ses treillages vermoulus, retraites humides et tristes où les Sylvains hardis ne poursuivent plus jamais les vraies Nymphes.

Non loin du bosquet de la colonnade, et autour de cet admirable jardin du roi qu'on avait dessiné l'année précédente pour rendre à Louis XVIII ses pelouses fleuries de Hartwell, le labyrinthe prolonge ses dernières charmilles. Deux jeunes gens étaient là sous le feuillage immobile et se promenaient lentement. La jeune femme, élégante et charmante, ne s'appuyait point au bras de son cavalier. Elle avait les deux mains jointes sur l'étoffe légère de sa robe, et son front voilé s'inclinait avec tristesse. Ils ne parlaient point. Un pas tout entier les séparait. Ils avaient parlé cependant, car le jeune homme guettait au travers du voile, avec une tendresse mélancolique, deux belles larmes qui roulaient sur les joues de sa compagne.

C'était Robert Surrizy avec lady Frances Elphinstone. Ils avaient parlé en effet, et leur entretien durait depuis longtemps déjà.

Lady Elphinstone s'arrêta la première, devant un banc de marbre où l'ombrage des charmes gardait des gouttes de rosée.

– Je suis lasse, murmura-t-elle d'une voix altérée : lasse et faible.

– Asseyons-nous, ma sœur, répliqua Robert.

Elle tressaillit à ce mot et tourna la tête comme si elle eût voulu cacher une émotion soudaine.

Robert s'assit auprès d'elle sur le banc.

– Moi, Frances, dit-il après un silence, le moment où j'ai appris que j'étais votre frère a été l'un des plus beaux moments de ma vie. Je vous aimais déjà ; maintenant que je vois en vous la fille de mon brave et infortuné père, ma tendresse augmente, et je vous mets dans mon cœur auprès de ma mère.

Sarah lui tendit sa main qui était froide. Il n'y avait plus de larmes au bord de ses paupières fatiguées.

– N'êtes-vous pas heureuse, vous Frances ? murmura Surrizy.

– Si, Robert, bien heureuse, prononça-t-elle tout bas.

Puis, se reprenant, et d'une voix où revenaient ses pleurs :

– Oh ! certes, certes, je suis heureuse ! il est des pressentiments la première fois que j'ai entendu votre nom, mon cœur a battu comme si l'on eût éveillé en moi un cher souvenir. La première fois que je vous ai vu, tout mon être s'est élancé vers vous… Parmi tous ces jeunes gens, sur le paquebot, mes yeux vous suivaient comme si vous eussiez été… mon frère, en effet, Robert… ; et quand vous dites en levant votre verre : Mon nom veut dire sourire, je m'appelle Robert Surrizy, je ne sais quel enthousiasme d'enfant exalta mon âme…

– D'enfant, ma Frances chérie, c'est vrai, dit Robert avec quelque confusion. Ce refrain pédant me vient du collège…

– Puisse ce pauvre hasard être un présage, Robert, soupira Sarah ! puisse votre vie être toute pleine de bonheur !

Surrizy soupira à son tour, et sa joue mâle eût une nuance de pâleur.

– J'ai confiance ! pensa-t-il tout haut. Je suis un soldat, mon bonheur est à la pointe de mon épée.

Mais, depuis ce premier jour où nous le rencontrâmes à la Croix-Moraine, sa physionomie avait changé. On eût cherché en vain sur ses traits vaillants cette joyeuse insouciance de la jeunesse.

Un cercle sombre, était autour de ses yeux.

– Vous aussi, vous souffrez ! murmura sa compagne ; vous aussi vous avez dans le rieur un amour brisé ?

Robert tourna vers elle son regard inquiet.

– Moi aussi !... répéta-t-il.

Frances rougit depuis la bordure de sa robe, que son sein agité souleva brusquement, jusqu'à la racine de ses admirables cheveux noirs.

– Je suis heureuse, dit-elle d'une voix tremblante, bien heureuse de vous appeler mon frère.

Le regard du jeune soldat se baissa. Lady Frances poursuivit en affermissant son accent :

Je parle vrai, Robert ; nous autres Irlandaises, nous avons, dit-on, des cœurs d'enfants... Pourquoi ne vous le dirais-je pas ? Je ne m'attendais point à trouver en vous un frère, et cependant je vous aimais. J'étais attirée vers vous par une tendresse qu'il m'était impossible de définir. J'espérais en vous, je comptais sur vous, je vous cherchais comme on court après la guérison d'une souffrance. Maintenant que je sais notre commune et mélancolique histoire, maintenant que je puis porter la lumière au fond de mon âme, tout ce qui était obscur en moi s'éclaire... J'allais vers vous comme on implore un refuge...

– Un refuge, Frances, et contre qui ?

– Contre moi-même, répéta tout bas la jeune fille.

Vous aimez donc, ma sœur ? demanda Robert, tandis que le nuage de son front s'éclaircissait.

– Saurais-je répondre ?... murmura la jeune fille avec hésitation ; mon cœur m'a déjà deux fois trompée...

– Vous aimez, Frances s'écria joyeusement Surrizy ; je m'y connais, vous aimez !

Sarah pâlit et baissa les yeux :

J'ai peur d'aimer, prononça-t-elle à voix basse. Chaque fois qu'une barrière se dresse entre moi et les rêves que je me forge à plaisir, chaque fois que les routes où s'enfuyait ma pensée se trouvent closes tout à coup, je vois bien que ma destinée est là… et j'ai peur d'aimer.

– Lui ? demanda Robert d'un accent étrange où nul n'aurait su dire s'il y avait de la tendresse ou de la haine.

– Non, répliqua Sarah ; lui aussi a été pour moi un décevant espoir. Je vous dis que je cherchais un refuge… il fut un jour où j'espérai l'aimer.

– Vous aima-t-il jamais ?

– Je ne sais… ma tendresse à moi n'était même pas celle qu'on a pour un frère… je l'admirais et je le respectais…

– Si jeune… si beau !… murmura Surrizy dont l'accent contenait un doute.

– Mais si grand ! prononça Sarah avec emphase.

Il y eut un silence qui ne fut pas même troublé par les bruits extérieurs. Nul pas ne retentissait dans les allées, nul souffle de brise ne balançait les feuillées, pas une goutte d'eau ne tombait de tant de lèvres de Marbre dans ces bassins morts, miroirs immobiles reflétant l'immobilité.

– Frances, reprit Surrizy dont la voix hésitait, cet autre amour que vous vouliez fuir était donc bien redoutable ?

– Était-ce de l'amour ? dit Sarah qui rêvait.

– Vous étiez une enfant quand vous quittâtes Prague.

– Oui, j'étais une enfant, j'avais quinze ans.

– Il semble que vous répugnez à me montrer votre cœur, dit Robert avec reproche.

– Mon frère, interrompit la jeune fille, retrouvant la fermeté de sa voix, il n'y a rien dans ma conscience, et je ne puis me confesser, puisque je ne sais pas… si c'est de l'amour… si c'est une destinée…

Je crois que j'en mourrai, mon frère ; car entre lui et moi la fatalité a mis du sang !

– Au nom du ciel, parlez ! s'écria Surrizy.

– Je parlerai, répondit Sarah, qui rejeta son voile en arrière et montra son beau visage, pâle mais calme. Il faut en effet que vous écoutiez mon histoire, afin de savoir toute ma vie comme je sais maintenant la vôtre, si généreuse, si dévouée, si belle !... J'en étais à l'année qui précède la mort de ma mère. Nous quittâmes la campagne de Trieste pour venir à Prague où le général O'Brien, notre père, eut un commandement militaire. Ma mère était malade et triste ; notre père avait le cœur bon, mais c'était un Irlandais au caractère léger, et fuyant tout ce qui n'est pas la gaité... Peut-être suis-je faite ainsi, car ma mère me reprochait souvent avec une étrange amertume de n'avoir rien d'allemand en moi ; elle m'appelait l'Irlandaise... Je n'avais, au contraire, du général que des caresses et des baisers... Ai-je besoin de vous dire que j'aimais néanmoins ma pauvre mère de tout mon cœur ? Bien des fois, malgré mon âge, je tâchais d'inspirer à mon père le besoin d'une vie plus sage. Il m'écoutait, il souriait, il m'embrassait, et il courait chercher au dehors la joie qui n'était pas à la maison, dont l'atmosphère triste l'étouffait.

Ma mère l'aimait d'amour. Elle ne savait rien faire de ce qu'il faut pour retenir l'époux chancelant au seuil de la demeure conjugale. Elle pleurait, elle se plaignait. Peut-être avait-elle le cœur plus haut et plus profond que notre père. Elle a su mourir.

Notre père l'aimait et la craignait. Il fuyait au dessert, comme un enfant qui se précipite dans la cour des récréations.

Pour ce qui me regarde, ma mère disait vrai rigoureusement. Bien que née en Autriche, et malgré le sang autrichien qui coulait dans mes veines, j'étais une petite irlandaise, gaie, folle, communicative, et ne sachant pas comprendre le deuil de celle qui restait au logis. À sa place, moi, j'aurais bien su comment secouer la tristesse. Je me disais cela déjà. Et comme je le lui dis une fois à elle-même, elle me chassa indignée.

Toutes les choses d'Irlande me plaisaient et je dédaignais l'Allemagne. Notre père, esclave de ma fantaisie, m'avait fait venir un costume de paysanne du Connaught. J'allais par les champs avec ma jupe rayée et ma mante rouge. Ma mère en prenait du chagrin, comme si c'eût été là une faute sérieuse. Elle essayait parfois de me dire les dolentes et mystérieuses légendes de la poésie allemande. Je frissonnais ou je me moquais. J'avais une haine innée pour ces fastidieux radotages, tout pleins d'ossements qui craquent, de tombes qui s'ouvrent et de morts qui voyagent. La ballade allemande ne saurait sortir que du cimetière ; ce sont des cancans de fossoyeurs. Mais parlez-moi des belles histoires que me racontait la vieille Ellen, la nourrice irlandaise de notre père ! Les batailles de géants dans le brouillard, les amours des filles de la mer, les fééries des grottes de Fingal qui vont cent lieues sous l'Océan, l'île des perles et la légende de Fin-Bar, le saint à la blanche chevelure, j'aurais passé ma vie à écouter ces naïves et chères imaginations du peuple-enfant. J'étais une Irlandaise et je n'étais pas une Allemande, puisque, pour comble, j'aimais la France et les Français.

Quand mourut ma pauvre mère, à la suite d'une maladie de langueur, je n'avais pas encore quatorze ans. Notre père était alors un des généraux les plus en faveur à la cour. L'empereur lui envoya un brevet qui me plaçait au nombre des pupilles du château impérial et royal de Reichstadt, honneur réservé seulement aux orphelines des plus grandes maisons de Bohème. Je quittai le général avec répugnance, et j'emportai la persuasion que déjà il songeait à se remarier. Cependant je ne savais rien de ses secrets : quand je l'interrogeais, il commençait à faire avec moi comme avec ma pauvre mère : il riait, il plaisantait, il chantait. La catastrophe qui mit fin à ses jours le surprit avant qu'il m'eût fait aucune confidence. Par ma mère seulement, qui était jalouse de ce souvenir, je connaissais l'existence d'une autre femme et d'un fils né en Angleterre. C'est vous qui m'avez appris tout à l'heure que, au moment de sa mort, mon père était sur le point de rendre justice à Madeleine Surrizy, votre mère.

Il avait de l'honneur, et le souvenir d'une ancienne affection, était-il pour quelque chose dans sa froideur vis-à-vis de ma mère ?

Il avait de l'honneur, bien que l'histoire de son mariage me paraisse être une tache grave dans la vie d'un homme. L'Irlande est une pauvre nation tombée. Nos grands aïeux n'auraient pas voulu de cet honneur…

Vous savez aussi bien que moi désormais le nom que portait en Allemagne le fils de M. le marquis de Belcamp. J'étais déjà depuis quelques mois à la maison de Tutelle, quand je rencontrai pour la première fois Georges Palmer, lors d'une visite que je fis à mon père. Les jeunes filles ont une grande reconnaissance pour la première personne qui cesse de les traiter en enfants. J'eus cette reconnaissance envers Georges Palmer, qui était le commensal et l'ami de mon père… Vous redoublez d'attention Robert. Je ne sais pas si mon récit contentera l'envie que vous avez de savoir : je puis vous certifier, du moins sur ma parole, que, après m'avoir entendue, tout ce que je sais vous le saurez.

Il y avait à l'université de Prague trois jeunes gens, trois cousins de ma mère, les comtes Boehm. Leur père, le major général Boehm, venait parfois chez nous, en Istrie, quand j'étais toute petite. Les fils, dissipateurs et débauchés, avaient reçu déjà plusieurs avis de la clémence de l'empereur, leur protecteur, qui même était le parrain de l'un d'eux. Ces comtes Boehm affectaient de mépriser notre père et disaient publiquement que, en épousant une vieille femme comme leur parente, il leur avait volé un héritage.

L'aîné, Albert, était la première épée de l'université ; Reynier, le second, était le roi du *Bier scandal* et la terreur des Philistins. À la maison nous savions tout cela, parce que mon père se divertissait beaucoup à ouïr le récit des excentricités universitaires. Je m'accuse humblement d'avoir partagé cette faiblesse. J'aimais presqu'autant les épopées des *renards d'or* et des *maisons moussues* que mes vieilles légendes irlandaises elles-mêmes.

Le troisième des comtes Boehm avait nom Frédéric. C'était presque un enfant comme moi. On disait qu'il serait un mauvais sujet comme ses frères. Il revenait de France, où il faisait partie de la suite de Marie-Louise.

Les trois comtes Boehm étaient trois remarquables types de cette superbe race de montagnards tzèques qui furent les maîtres de la Bohème. Frédéric surtout était le jeune homme, le plus beau que j'ai rencontré de ma vie. Il habitait la petite ville de Reichstadt pendant la saison du repos.

Un soir, à Prague, le comte Albert, ivre, m'insulta au sortir du théâtre. Le comte Henri le châtia sur place et le blessa d'un coup d'épée le lendemain. Je dois ajouter cependant que le comte Henri, qui portait alors le nom de Palmer, et qu'on appelait l'Anglais parmi les étudiants de l'université, était de toutes les parties des comtes Boehm et leur camarade, sinon leur ami.

Ces comtes Boehm m'inspiraient une véritable terreur, et parfois je m'étais dit, en regardant Frédéric, cette tête d'archange : Si une pauvre fille venait à l'aimer… !

Ici lady Frances Elphilstone ne put retenir un sourire, parce que Robert l'interrogeait d'un regard souriant.

– Eh bien ! oui s'écria-t-elle en frappant de son pied charmant le sable de l'allée, la frayeur de toute ma vie a été de l'aimer !

– Alors, prenez garde à vous, petite sœur, dit Robert.

Sarah devint sérieuse.

– Il y a entre nous le souvenir de mon père, prononça-t-elle tout bas.

Il vous est donc prouvé que les comtes Boehm ont assassiné Maurice O'Brien ?

Sarah ne répondit pas tout de suite. Elle passa ses doigts sur son front.

– Prouvé ?… répéta-t-elle ; que dire d'un fait environné d'une nuit profonde ?… Frédéric avait seize ans, et, la veille du jour fatal, je l'avais rencontré à Reichstadt, à douze milles de Prague… mais le fait est qu'ils ont profité du meurtre… et que lui, l'unique héritier maintenant, détient mon héritage avec la fortune qui devait être à vous.

– S'il n'avait que seize ans, peut-être ignore-t-il ?…

– On le dit bien malade, interrompit Sarah d'une voix sourde ; s'il meurt, je prierai pour lui.

Robert interrogea sa physionomie d'un regard furtif. Elle avait les sourcils froncés, mais la paupière humide.

– Ce fut le comte Henri, reprit-elle brusquement, qui me sauva de leurs mains après le meurtre. Il savait leurs desseins : j'étais réservée au même sort que notre père. Vous connaissez suffisamment le comte Henri maintenant pour que je n'aie pas besoin de vous dire qu'il n'est point d'obstacle humain capable d'arrêter ses pas. Il s'introduisit au château de la Tutelle et m'enleva. Il ne m'a jamais trompée que cette fois. Il me dit que mon père, accusé de haute trahison et préparant sa fuite, m'attendait.

Mais nous n'étions pas plutôt dans la chaise de poste que toute la vérité me fut connue. Je pleurai, du moins en sûreté, la mort de mon père, car le comte Henri avait eu la délicate bonté de prendre avec lui l'ancienne femme de chambre de ma mère. Tant que dura le voyage, elle fut en tiers entre nous.

À Londres, car ce fut à Londres que nous nous rendîmes en traversant la France tout entière, je fus placée dans une famille respectable…

Si vous me demandez quel était alors mon sentiment à l'égard d'Henri, je vous répondrai : Imaginez le culte dont on peut entourer un Dieu sauveur. Il avait vingt ans ; il avait la beauté d'un chevalier, si Frédéric avait celle d'un ange. De ses projets, il m'avait laissé voir ce qu'il faut pour éblouir un cœur d'enfant. Je crus non pas l'aimer, mais l'adorer. Je lui dis alors, je lui ai dit cent fois depuis : Tout ce qu'anime mon souffle est à vous.

Mon frère, il ne faut pas craindre. Cet homme est un grand cœur. Ce qu'il y a derrière les mille plis du voile qui couvre sa vie, Dieu le sait, que Dieu le juge ! moi je le sers !

Le comte Henri ne prit de moi que ma virginale tendresse.

Parfois il berça mes transports en me faisant espérer que je serais sa femme. Il était sincère. Il me voyait si belle de bonheur sous ses caresses fraternelles, qu'il croyait m'aimer. Les baisers du comte Henri de Belcamp étaient purs et bons comme ceux de mon père.

Il me reste trois choses à vous dire : le voyage d'Henri en Australie, sa conduite vis-à-vis des comtes Boehm et les événements qui ont suivi son retour en Europe, c'est là toute ma propre histoire.

Et d'abord il y aura un mystère qui restera inexpliqué pour vous. La mère d'Henri était à Londres, et ce n'était pas à sa garde qu'il m'avait confiée.

– Madame la marquise de Belcamp ? interrogea ici Robert.

– Je vous défends les questions, mon frère, parce qu'il ne m'est point permis d'y répondre. Tout ce qu'il m'est possible de dire sera dit, et je vous affirme que le reste ne saurait modifier votre opinion sur ce qui me regarde.

Le comte Henri partit pour la Nouvelle-Galles du sud, deux mois après mon arrivée à Londres. Je devais faire le voyage à mon tour après certaines conditions accomplies. En effet, un homme d'affaires, du nom de Wood, me remit une somme d'argent considérable en banknotes, et une lettre contenant les instructions d'Henri. L'argent venait d'Allemagne, l'argent venait d'Albert, l'allié des comtes Boehm ; j'emportais le nerf d'une grande guerre, Rome fut ainsi l'œuvre de quelques bandits menés par un demi-dieu.

– Avait-il rêvé la conquête de l'Australie ?… demanda Robert en souriant.

– Il n'avait que vingt ans, répondit Sarah sérieuse et pensive. Il y a en lui je ne sais quelle haine innée, forte comme un amour. Jusqu'à son dernier souffle, il cherchera le cœur de l'Angleterre pour l'arracher. C'est dans l'Inde qu'il voulait fonder Rome, qui toujours finit par détruire Carthage. Il était le demi-dieu il venait en Australie faire sa moisson de bandits.

Il n'avait que vingt ans. Vous serez trompé si vous vous attendez à une bataille. Il sait comme on attaque les géants. C'est dans les entrailles du sol qu'on enferme la poudre qui doit faire sauter les citadelles. Il faisait là ce qu'il fait ici. La mine est longue à creuser, et il faut des soldats derrière la brèche pratiquée.

Il creusait sa mine, il enrôlait ses soldats. Au fond de cet enfer de Sydney, il a trouvé l'homme qui, multipliant par elle-même l'idée de Fulton, va déplacer les bases de la guerre navale et donner à qui voudra la prendre cette supériorité qu'eut au moyen-âge le lâche canon sur la lance vaillante.

Il était convict là-bas, comme il est conjuré chez vous ; sera brahme à Delhi et mandarin en Chine c'est sa mission. Il est l'instrument qu'il faut pour cueillir et rassembler en une seule gerbe, innombrable et irrésistible armée, toutes les haines que l'Angleterre a semées sur la surface du globe.

Il n'avait que vingt ans, mais d'un mot je vais vous le faire admirer et craindre. Dans sa pensée, il avait ressuscité la race des Stuarts. Les ennemis vivants ne lui suffisaient pas. C'était un Stuart sorti du Vatican qui allait brandir le drapeau de la liberté. Il soulevait d'un coup trois mondes : la haine, l'amour, la foi... Mais, chemin faisant, les événements devaient lui tailler un autre étendard plus large et signifiant guerre universelle comme Stuart voulait dire guerre civile. Il ne s'agissait plus de remuer la poussière d'une tombe. Napoléon venait d'aborder au rocher de Sainte-Hélène.

Quand il apprit cela, nous étions au plus profond de ce terrible désert qu'on appelle le *bush* en Australie, sans pain, sans eau, fiévreux, brisés, mourants. Un convict évadé, fuyant comme nous l'implacable poursuite de la police noire, nous parla des fêtes qu'on avait célébrées à Sydney à l'occasion de la chute de l'empereur. Le dernier vaisseau de l'État apportant sa cargaison de condamnés avait touché à Sainte-Hélène et vu le géant prisonnier. Ce jour-là, Henri, entre sa mère à l'agonie et moi qui gisais expirante, créa d'un seul jet le plan qui vous met tous à ses pieds.

Six mois après, il était à Sainte-Hélène, accomplissant cette œuvre impossible de pénétrer jusqu'à l'empereur. Vous savez cette portion de son histoire, Robert, et vous le servez, vous dont il a brisé le cœur !

– Jeanne m'a dit une fois, murmura Robert qui étouffa un soupir : Soyez son ami, je serai votre sœur.

– Jeanne !... répéta Sarah.

Puis elle ajouta doucement :

– C'est une chère enfant ! que Dieu la fasse bien heureuse !

– Aussitôt que nous fûmes de retour à Londres, la vie d'Henri devint un réseau de mystères. Moi-même, je perdis le fil dans ce labyrinthe et je dus renoncer à le suivre. Quatre hommes s'étaient échappés avec nous : Perkins le mécanicien, Noll Green, Dick de Lochaber et un jeune garçon du nom de Tom Brown.

– Gregory Temple, l'interrompit Robert, donne souvent au comte Henri de Belcamp ce nom de Tom Brown. Ce nom et celui de Georges Palmer se trouvaient dans les notes qu'il m'avait remises au sujet de l'assassinat du général O'Brien, par Hans Tenfel ou Jean Diable.

– Gregory Temple était un détectif habile, répondit Sarah. Son malheur a été de se trouver aux prises avec une énigme qui n'avait point de mot dans le vocabulaire de la police. Gregory Temple cherche dans le comte Henri de Belcamp, quel que soit le nom qu'il lui donne, un assassin. À cette tâche impossible, il est devenu fou.

Henri, qui avait toujours les mains pleines d'argent, me sépara de lui et me monta une maison à Londres. J'y portais le nom de Françoise O'Meara, ceci d'après un plan concerté avec le chirurgien de l'empereur lui-même, afin de faciliter les correspondances entre Londres et Longwood. Ces correspondances devinrent de plus en plus difficiles et incomplètes. L'Angleterre voulait étouffer jusqu'au moindre soupir venant de Sainte-Hélène. Elle a peur que l'Europe n'entende.

Perkins, cependant, avait commencé la construction de sa machine, qui doit entraîner un vaisseau de guerre avec la rapidité d'un cheval. Henri recrutait son armée et s'était mis en correspondance avec l'Allemagne et l'Italie. Il y eut une loge des compagnons de la Délivrance, à Londres, dans la maison de la Bartolozzi. Des soupçons s'élevèrent contre cette femme, dont je ne m'attendais pas à connaître plus tard et à aimer les deux enfants. Il s'agissait de la vie de tous les conjurés ; je fus placée près de la chanteuse pour la surveiller. Elle se cacha de moi et je ne vis rien, mais elle trahissait ; un plus habile intercepta sa correspondance : elle fut condamnée.

Chez elle, je revis le comte Frédéric Boehm, toujours beau et seul héritier maintenant de cette fortune immense, achetée au prix d'un crime. La main de Dieu semblait peser sur lui. J'eus peur comme autrefois et davantage, car je n'aurais point su dire si le sentiment qui remuait mon cœur à sa vue était de la haine ou de l'amour... Oh! j'aurais voulu aimer autrement! Vivre pour moi veut dire sourire comme votre nom, Robert... et ni vous ni moi, peut-être, nous ne sourirons plus jamais !...

– Pour la première fois, continua-t-elle, depuis que je suivais Henri, un doute me vint à l'occasion de cette affaire Bartolozzi. Je l'avais toujours vu marcher d'un pas hardi dans ces sentiers impraticables, et chaque fois qu'il m'avait dit ; « Fais ceci, » je n'avais eu à dépenser que de l'audace. Mais ici c'était une petite et basse intrigue. Il fut cause, soit que ce fût une vengeance contre Gregory Temple, soit tout autre motif, il fut cause du malheur de Thompson et de Suzanne.

Chose singulière, cette petite intrigue sembla prendre tout à coup une place énorme dans sa vie. Cet homme qui rêvait l'immensité s'attarda durant des semaines à ce duel contre un employé de la police qui n'avait même plus son emploi. Il sembla un instant que le but de toute sa vie fût d'envoyer un innocent à l'échafaud.

À ce moment, j'ai douté de lui, pourquoi le cacherais-je ? J'ai douté d'autant plus que, durant son séjour au château de Belcamp, tout s'est amoindri pour prendre tournure de comédie bourgeoise, comédie où il semblait tromper tout le monde. Il suffisait d'une nuit pour tenir le conseil suprême.

Pourquoi le grand maître des chevaliers de la Délivrance a-t-il perdu deux semaines à jouer ce vaudeville frivole ?

J'ai été réveillée par son arrestation. Ici doit être le nœud. Il y a sous ce bizarre événement un grand mystère sans doute, et j'attends que le voile soit soulevé par lui-même on par la justice, qu'il semble braver du haut d'une situation inexpugnable...

Elle se tut et ses deux mains se croisèrent sur ses genoux, tandis que ses grands yeux noirs erraient dans le vide.

– Frances, lui dit Surrizy, je vous ai attentivement écoutée, et je ne connais pas encore votre opinion sur l'homme qui depuis quatre ans est toute votre famille. De vos paroles rien ne se dégage pour moi, sinon une étrange froideur et beaucoup de découragement. Je comprends votre rôle d'esclave tant qu'exista le prestige ; mais le prestige avait déjà disparu quand vous avez pris ce personnage nouveau de lady Frances Elphinstone…

Sarah resta immobile et dit :

– Ce qu'on a fait engage ce qu'on fera.

– J'ai besoin cependant de réponses plus précises, ma sœur, insista Robert, non pas pour vous juger, mais pour quitter la voie où je marche, si ce n'est pas la droite voie.

– Henri n'a jamais été vaincu, murmura la jeune fille. Ce n'est pas une idée politique qu'il sert, c'est son idée ; ce n'est pas pour Napoléon qu'il travaille, c'est pour lui-même… Il est fort, il percera l'obstacle : profitez et passez !

– Dois-je abandonner complétement Gregory Temple ?

– C'est un malheureux, perdu les yeux bandés dans une lande où mille routes se croisent. Vous ne pouvez pas le sauver ; vous vous perdriez avec lui.

– Êtes-vous sûre que le comte Henri n'ait point trempé dans le meurtre de notre père ?

– J'en suis sûre, répondit Sarah, cette fois sans hésiter.

– Êtes-vous certaine qu'il n'est point l'auteur ou le complice de la mort de la mère de Jeanne ?

– J'en suis certaine.

– Vous ne craignez rien pour Jeanne ?

– Rien… il l'aime.

– Alors vous le croyez pur ?

– Je ne sais… S'il ne remplit pas la promesse qu'il a faite à Suzanne Temple, s'il laisse mourir Thompson condamné par la cour des Sessions, il aura commis au moins un meurtre en sa vie…

Des pas se firent entendre, et des voix joyeuses crièrent à l'autre bout de l'allée : Les voici ! les voici ! Germaine et Jeanne approchèrent souriantes et se tenant par la main ; Suzanne venait derrière elles, portant dans ses bras le petit enfant, toujours le petit enfant.

Six témoins sont sortis de l'enfer, là-bas, à Londres, continua Sarah d'une voix basse et rapide ; six imposteurs !… Et Dieu veuille qu'Henri ne soit pour rien là-dedans Richard Thompson est condamné à mort… Suzanne ignore tout… silence !

– Eh bien ! milady, s'écria Germaine, allez-vous manquer l'heure de notre audience ? M. le marquis vous attend, nous n'avons pas plus de dix minutes pour nous rendre à la prison.

Lady Frances se leva et donna, toute pâle qu'elle était, un baiser au petit Richard.

Dans les beaux yeux de Jeanne, il y avait un bonheur calme et profond. C'était toujours la jeune fille, mais avec quelque chose de la femme. Vous eussiez dit une de ces mariées-enfants à qui les noces ont tenu plus que les promesses du rêve virginal.

Elle tendit sa main à Robert.

– Nous avons bien parlé de vous, dit-elle. Nous comptons sur vous et nous vous aimons tous les deux.

Robert sentit des larmes au bord de sa paupière.

Nous ! disait-elle déjà…

Elle reprit :

– Je lui ai dit comme vous êtes noble et bon. Il sait que notre secret est en sûreté dans vos mains.

Ils avaient un secret, *eux,* le comte Henri et Jeanne ! Et Robert Surrizy était leur confident !

Vous souvenez-vous comme il avait remercié Henri au pont du moulin, Henri qui venait de sauver Jeanne, sa fiancée ? Où était l'horoscope de ce pauvre gentilhomme tombé dans la cabane du paysan ? Cruel mensonge de ce nom qui voulait dire sourire !...

Les deux mains de Robert s'appuyèrent contre son cœur blessé.

Les jeunes filles s'éloignèrent, et Jeanne seule se retourna pour lui envoyer de loin un gracieux adieu. Robert resta seul. Il s'assit de nouveau sur le banc, et sa tête pendit sur sa poitrine. Il fut longtemps ainsi. Quand il s'éveilla, tressaillant à un nouveau bruit de pas qui s'approchaient, une ligne sombre cernait ses yeux qui étaient rouges de larmes.

– Je ne l'ai jamais tant aimée ! pensa-t-il. Quand j'aurai vu clair en tout ceci, quand je pourrai me dire celui-là est digne d'elle et la fera heureuse, je m'en irai avec mon épée, quelque part où la mort du soldat peut se gagner.

C'était un bon et généreux cœur, car il ajouta en lui-même.

– Je combattrai sous lui, s'il le faut… et puissé-je en tombant protéger celui que Jeanne aime !

Le bruit de pas éclatant et régulier, comme celui que produit un peloton en marche. On battait en même temps, mais non pas sur un tambour ; les *ra* et les *fla* d'un pas accéléré.

– Par file à gauche, commanda la voix de Férandeau : arche !

L'artiste montra son profil espiègle et sa toilette de rapin au détour de l'allée ; il était suivi par Laurent Herbet, qui avait sur le visage cette mauvaise humeur doublée d'un sourire qui fait la physionomie de l'enfant maussade arrivant à résipiscence sous promesse d'un jouet ou d'un gâteau.

– Droite ! gauche ! droite ! gauche ! disait l'élève de David en continuant de battre son pas accéléré sur son carton à dessin, à l'aide de deux petits brins de bois sec.

– Que le diable t'emporte ! s'écria Laurent. Laisse-nous faire sérieusement une chose sérieuse.

– Les arts ne vont pas, répliqua Férandeau ; les poseuses ont des prétentions usuraires, les loyers augmentent, l'école de David tombe dans le rococo… C'est le moment de mourir pour la patrie… Ohé ! Robert !… Parlons avec prudence et craignons les oreilles indiscrètes… Je viens offrir mon intelligence, mon courage et mon bras à la cause du malheur !

Il s'arrêta devant Robert en ajoutant :

– Halte !… fixe !… droite alignement !

– Tu ne me gronderas plus, vieux, dit Laurent qui s'assit auprès de son ami. Je suis décidé. Germaine m'a promis…

– Moi, au moins, s'écria Férandeau, je reste au-dessus de ces motifs frivoles… Je n'ai pas pu vendre ma dernière académie… Un brocanteur insolent m'a dit : Effacez cela et j'achèterai la toile… Aux armes !

– Que t'a promis Germaine, demanda Robert à Laurent.

– Qu'elle m'aimerait, murmura celui-ci en baissant les yeux, si je suivais le comte Henri franchement et bravement.

– Elles sont toutes de la conspiration ! ajouta l'élève de David. C'est une affaire d'opéra-comique. Nous trouverons la police à moitié chemin du champ de bataille. Allons-y !

Robert gardait le silence et restait pensif.

– Eh bien ! dit Laurent, tu ne me félicites pas ?

– Les cadres sont-ils au complet ? demanda Férandeau. Je m'offre comme surnuméraire, comme fournisseur, comme historiographe de l'expédition. Je boiterai, si l'on veut, comme Tyrtée, et je marcherai devant la musique en récitant les victoires et conquêtes mises en vers. Je sais le flageolet, je puis apprendre aisément le trombone. Si vous êtes assez de combattants, nommez-moi quelque chose dans les fortifications, ou bien j'achèterai des chevaux aux foires de Normandie. Que diable ! on ne laisse pas un camarade sur le pavé… Une idée ! j'aurai mon album et je me collerai dans un coin. Après la campagne, je publierai vingt-quatre estampes, représentant vos principales batailles. Est-ce dit ? Qu'on me nomme peintre ordinaire de la chose et je m'entendrai avec la postérité !

Robert leva la tête lentement.

– Vous serez tous les deux dans ma compagnie, dit-il d'un ton froid.

– Ah çà ! s'écria Laurent, parlons-nous grec ? Tu as l'air chaud comme un glaçon, vieux !

– Il y a peut-être une bande sur l'affiche, insinua Férandeau.

– Dans trois jours, nous pouvons être embarqués tous trois, répondit l'ancien sous-lieutenant.

– Et vogue la galère ! dit l'élève de David en dessinant un entrechat où l'on aurait trouvé déjà le germe de cette danse de caractère inventée quelques années plus tard et qui place si haut notre jeunesse dans l'estime des voyageurs étrangers.

Robert mit la main sur l'épaule de Laurent.

– Tu es bien déterminé ? lui dit-il.

– Oui… au diable l'école !… Vois-tu, tout ce qui se passe ici m'a tourné la tête et le cœur. Je te donne ma parole d'honneur que je n'envie pas les millions de Jeanne… mais ce double héritage… ce mariage avec l'Anglais… sans Germaine et toi, j'aurais déjà fait quelque sottise ?

Ils se levèrent tous deux et marchèrent bras dessus bras dessous.

Je sais l'histoire de l'héritage, dit Robert ; on vient de me la raconter. Moi aussi cela me tourmentait ; mais au fond c'est tout simple. Il y a un bandit anglais, Tom Brown ou Jean Diable, comme ils l'appellent, qui se trouvait être l'héritier légal de M. Turner et de M. Robinson. Tous les deux, parvenus pourtant à un âge assez, avancé, ont eu fantaisie de se marier. Cette fantaisie leur est venue en même temps, parce qu'ils avaient, sans le savoir, la même maîtresse qui est morte à Londres. Tom Brown, se voyant déshérité par ces deux mariages, et ignorant l'existence des testaments déposés chez M. Daws, a fait son métier d'assassin.

– C'est tout simple, en effet, de la part du bandit Tom Brown, répliqua Laurent à voix basse, mais pourquoi les deux testaments sont-ils en faveur de la fille de ma mère ?...

Il avait du rouge au front et aux joues.

– Des circonstances, murmura l'ancien sous-lieutenant, que l'avenir expliquera sans doute...

– Je te remercie, vieux, dit Laurent, qui lui serra la main ; mais, en attendant l'explication de ces circonstances, tâche que j'aille à un endroit où l'on se battra dur et ferme. J'ai besoin de cela.

– Pstt ! fit l'élève de David, qui marchait derrière eux en se donnant déjà une tournure militaire.

Ils se retournèrent, et Férandeau leur montra du doigt, au travers des feuilles, la grille du bosquet de la Colonnade qu'un homme était en train d'escalader avec beaucoup d'agilité et d'adresse.

– Bricole ! murmura Surrizy étonné.

Ils s'approchèrent à pas de loup. Briquet s'était glissé jusqu'au socle soutenant, au centre du péristyle, l'*Enlèvement de Proserpine*. Ce n'était pas la première fois qu'il venait là, car trois lettres gigantesques, B R I, rayaient déjà le marbre du piédestal. Au moment où il affutait son couteau pour achever son œuvre, Férandeau cria d'un accent terrible :

– Trompe-d'Eustache ! coquin !

Briquet remit son couteau dans sa poche et repassa la grille.

– Je travaillais, dit-il en vous cherchant... on demande M. Robert à la prison.

– Qui me demande ?

– Le comte, parbleu ! puisque vous êtes comme qui dirait son briquet... Voilà l'heure qui avance et nous n'avons que le temps.

Les trois jeunes gens prirent aussitôt le chemin de la maison d'arrêt.

Il y avait salon complet chez le comte Henri. Madame Célestin tricotait entre les deux Bondon, tout échauffés encore de leur gageure perdue contre le gazon du tapis vert. M. madame et mademoiselle Chaumeron racontaient à Bien-des-Pardons, l'adjointe, l'horrifique histoire de cinquante poulets, achetés d'un seul coup sur le territoire de Miremont par un accapareur de Paris. Les jeunes filles entouraient le comte assis sur le canapé auprès de son père. La chambre était vaste, bien aérée et donnait sur des jardins. L'ameublement très-simple avait néanmoins bon aspect. Sur la table s'étalaient encore les restes d'un dîner confortable. Bien des gens à Versailles, à Paris et ailleurs, auraient envié le martyre du comte Henri de Belcamp.

– Je dis, criait papa Chaumeron en vertu de son franc-parler, que si le gouvernement permet à la capitale d'affamer les localités environnantes, il y aura des catastrophes. Qu'on me mène au roi si on veut, je ne lui mâcherai point les vérités… Cinquante poulets !… atout !

– Comme notre petite Jeanne vous a l'air grave, murmura le marquis dont la main serrait celle d'Henri.

Jeanne rougit et Germaine aussi par contrecoup. Henri leva les yeux sur Jeanne. Il avait aux lèvres son doux sourire.

– J'ai des nouvelles de Londres… dit-il.

En ce moment, la porte s'ouvrit, donnant passage à Robert Surrizy, que suivaient Laurent et Férandeau.

Henri s'interrompit et quitta sa place pour aller serrer la main de Robert.

– Si vous n'étiez pas venu, dit-il tout bas, c'eût été un grand malheur. C'est pour ce soir.

– Vous avez donc toujours des secrets vous deux, demanda de loin le marquis.

– Des secrets qui ne vous regardent guère, répondit Henri d'un ton léger.

Il ajouta en s'adressant à Surrizy :

– Mon cheval ira comme le vent d'ici à Beaumont… mais il faut encore six relais jusqu'à Saint-Valery-sur-Somme, les chevaux tout prêts et m'attendant sur la route. Puis-je compter sur vous ?

– Vous pouvez, compter sur moi, répondit Robert.

– Alors vous partirez en sortant d'ici.

– Et les cinq autres coureurs partiront en même temps que moi.

– À minuit je monterai à cheval.

– Nous aurons de huit à dix heures d'avance : les relais vous attendront sur la route.

– Je vous remercie, commandant Surrizy.

Ils se serrèrent la main de nouveau, et le jeune comte regagna sa place auprès de son père avec un calme parfait.

– Je disais donc, reprit-il, tandis que Jeanne, émue, pour garder contenance, caressait le petit enfant entre les bras de Suzanne, que nous avons reçu des nouvelles de Londres.

– J'appelle un chat, un chat, moi ! s'écria Chaumeron. À quand la noce ?

Le comte Henri sortit de son portefeuille une lettre timbrée de Londres. Regardant le trouble de Jeanne avec une espiègle malice, il tint entre ses doigts la lettre fermée assez longtemps pour que chacun pût bien voir le timbre de la poste anglaise. Gregory Temple seul, s'il eût été présent, aurait pu remarquer que l'empreinte en était fruste et un peu effacée, comme le timbre de toutes les lettres écrites jadis par Jaunes Davy.

Le comte Henri fit sauter enfin l'enveloppe. La lettre était de Percy Balcomb, vrai négociant occupé plus qu'un ministre, soldat de l'industrie qui a pour devise : *Le temps est de l'argent.* Toujours pressé, toujours galopant en attendant les chemins de fer, ce Percy Balcomb comptait par minutes. Il annonçait son arrivée à Versailles pour ce soir même à six heures. Le contrat devait être signé dans la soirée, afin que Percy Balcomb, ce mouvement perpétuel, pût repartir comme une flèche et faire un tour à Royal-Exchange, où il avait un rendez-vous le surlendemain.

– En vérité, dit Mademoiselle, je ne voudrais pas d'un mari comme cela.

Elle avait l'eau à la bouche.

– Il en faudrait une douzaine ! ajouta madame Célestin, dont les deux supports ne s'absentaient jamais.

– Va-t-on faire la chose un peu en cérémonie ? Demanda Chaumeron avec appétit.

Tout Miremont flaira vaguement un festin.

– Mes enfants, dit le marquis, il faut que quelqu'un se dévoue et aille à l'hôtel commander le dîner.

– Quel dommage ! murmura l'adjointe. Je me suis imprudemment chargé l'estomac… Je m'adresserai aux choses légères.

Ce fut comme ces vaillants régiments où tout le corps répond présent ! quand on demande un enfant perdu. Miremont se leva d'un seul élan pour aller commander le dîner.

– Je penserai à vous, à ma table solitaire, dit le comte Henri avec mélancolie.

Lady Frances Elphinstone baissa les yeux parce que le regard de Robert venait de rencontrer le sien. Robert avait le rouge au front.

Le vieux marquis serra Henri dans ses bras.

L'œil d'Henri, ferme et triste, était fixé sur Robert. Ce regard semblait dire : Vous témoignerez un jour que j'ai abaissé ma fierté jusqu'au mensonge !

– Père, reprit-il en rendant à M. de Belcamp ses caresses, remplacez-moi auprès de Percy. Nous sommes maintenant sa famille. Il ne pourra guère venir à la prison ce soir, car il se doit tout entier à notre belle Jeanne ; mais obtenez de lui qu'il retarde son départ d'un jour, et que demain, je vous voie tous réunis autour de moi.

– Croirais-tu cela ? s'écria le marquis ; c'est un enfantillage…, je donnerais dix louis pour vous voir une bonne fois l'un auprès de l'autre tous les deux.

– Voulez-vous savoir, dit Chaumeron, je ne suis pas d'hier et je connais ça… L'un auprès de l'autre, ils ne se ressembleraient plus du tout ! Attrape !

Au moment du départ, on se dit comme d'ordinaire : À demain !

Mais pendant que Jeanne donnait son front pâle au baiser d'Henri, la jolie Germaine, toujours aux aguets et attendant son tour, crut l'entendre qui murmurait :

– À ce soir !…

IX

Contrat de mariage

Le comte Henri de Belcamp resta un instant immobile et pensif au milieu de sa chambre solitaire. Puis il regagna le canapé où il s'assit. Son front recueilli s'appuya contre sa main. Vous eussiez dit une statue de marbre, tant sa méditation laissait impassibles les belles lignes de son visage. Au bout de quelques minutes, il se redressa, et un sourire fier vint à ses lèvres.

– C'est l'heure, dit-il, et le sort en est jeté ! J'ai joué l'une après l'autre et à leur temps toutes les cartes de cette grande partie. Les chances sont pour moi. Mon étoile est au plus haut du ciel. De tous mes ennemis je me suis fait des serviteurs, et quand la charge sonnera pour la dernière, pour la vraie bataille, ce sera l'épée d'un chevalier sans peur comme sans reproche que je brandirai dans ma main !

Il sonna. Un employé subalterne de la prison, qui avait plutôt l'air d'un domestique, et qui en effet le servait, parut aussitôt sur le seuil.

– Je désire voir M. Roblot sur-le-champ, Monet, dit le comte Henri.

– C'est l'heure où M. le sous-directeur se met à table, objecta l'employé.

– Allez le prévenir que je le demande pour affaire pressante.

Monet sortit. Quelques minutes après, M. Roblot entra d'un air maussade. Il tenait à la main un paquet de lettres encore cachetées, dont plusieurs avaient tournure administrative.

C'était un homme d'une cinquantaine d'années, un vieux soldat, à en croire sa redoutable paire de moustaches, un brave à l'humeur brusque et bourrue, si on s'en rapportait à sa physionomie canine et à l'expression de ses yeux.

– Du diable si vous me laisserez dîner une fois tranquille dans la semaine, monsieur le comte ! s'écria-t-il en ouvrant la porte à grand bruit. J'ai besoin de ma place, corbleu ! mais si j'avais seulement deux pensionnaires comme vous, je donnerais ma démission ! Qu'y a-t-il pour votre service ?

– Pouvez-vous me prêter, mon bon monsieur Roblot, repartit le jeune comte en souriant, une de ces petites valises à la main qui servent de sac de nuit ?

– C'est pour cela que vous m'avez dérangé ! gronda le bonhomme en lui jetant un regard furieux.

– Pour cela et pour autre chose, mon bon monsieur Roblot... Nous avons différents détails à régler ce soir...

– Avant mon dîner ?

– Si vous voulez bien le permettre.

– Cela devient une tyrannie, monsieur.

– Me croyez-vous sur un lit de roses ? disait Guatimozin à son ministre. Je vous certifie, mon bon monsieur Roblot, que je suis pour le moins aussi fatigué que vous... mais quand le vin est tiré, il faut le boire... Faites-moi acheter, je vous prie, une de ces petites valises, si vous n'en avez pas une à vous.

– Et puis-je vous demander pourquoi, monsieur ?

– Certainement. Il n'y a point là de mystère. C'est pour un voyage.

– Un voyage !... s'écria le bonhomme en haussant les épaules.

– Un petit voyage, acheva paisiblement le prisonnier, qui peut durer de cinq à six jours, tout au plus.

Les bras de ce bon M. Roblot tombèrent.

– Le diable m'emporte, monsieur le comte, dit-il avec conviction, vous devenez fou !

– Vous m'avez répondu cela, mon cher directeur, riposta le prisonnier sans s'émouvoir, je m'en souviens à merveille, cela textuellement, la première fois que je vous ai demandé la permission

179/392

de faire un petit tour de promenade en ville, avant de me mettre au lit, chaque soir.

Les gros sourcils du sous-directeur se baissèrent et cachèrent ses yeux baissés.

– Moi, poursuivit le jeune comte, mes souvenirs à cet égard sont très-précis : je posai ma main sur votre épaule et je vous dis tout bas à l'oreille : *À l'avantage !*

– Que le diable !… commença Roblot avec fureur.

– C'est une façon de se souhaiter le bonsoir entre voisins et amis, continua le prisonnier en souriant ; mais entre nous deux, anciens soldats de l'Empire…

– Assez, monsieur, je ne tiens ici qu'à un fil et j'ai une famille à nourrir.

Henri prit un ton sérieux.

– Il faut que vous soyez d'abord sans inquiétude sur votre famille, capitaine Roblot : c'est la moindre des choses. Si vous perdez votre place, je m'engage, au nom de l'empereur…

– Parlons raison, je vous prie, monsieur le comte, interrompit le bonhomme avec plus de calme. Je suis un vieux soldat, c'est vrai, mais pas beaucoup, et voilà déjà dix ans que j'ai pris mes invalides dans cette maison, où je suis bien. Ma vocation, c'était d'être un bourgeois. Si l'on me proposait les épaulettes de colonel, je dirais : Bien obligé… Un beau soir, là-bas, à Paris, où je vais une fois l'an, les amis sont venus, Roblot par-ici, Roblot par-là, le drapeau tricolore, les aigles, les bonnes histoires de la campagne d'Allemagne… et le punch à la Murat, mille bombes !… C'était trois fois plus qu'il n'en fallait pour virer la tête d'un père de famille qui n'a pas l'habitude de se déranger… Voilà, j'ai prêté le serment… Mais, voyez-vous, si je vous avais cru coupable, je me serais fait hacher en mille pièces plutôt que de vous laisser sortir.

– Je sais que vous êtes l'honneur même, capitaine… Mon heure est fixée : vous permettez que je commence ma toilette ?

– Commencez et finissez toutes les toilettes que vous voudrez, corbleu !..., mais vous me passerez sur le ventre si vous voulez faire votre voyage de six jours !... Vous êtes innocent, c'est trente-six mille fois clair, et l'inspecteur me disait encore hier que la justice se comportait comme une vieille folle... Que diable ! ne pouvez-vous attendre après votre acquittement pour faire vos gambades ?

Henri, profitant de la permission donnée, se rasait devant une glace suspendue à la fenêtre.

– Non, mon cher monsieur Roblot, non, répondit Henri du bout des lèvres, entre deux coups de rasoir ; je ne peux pas attendre après mon acquittement.

– Alors, votre serviteur, monsieur le comte ; ouvrez votre fenêtre quand tout le monde sera couché, et sautez dans la cour.

– Il serait trop tard, capitaine... je dois dîner aujourd'hui hors de la prison... Prenez, je vous prie, la peine de vous asseoir.

– Du tout ! corbleu ! voici assez de folies !... mon potage refroidit.

Le prisonnier se retourna et le regarda en face.

– Mon bon monsieur Roblot, prononça-t-il avec gravité, il ne me conviendrait nullement de jouer le rôle de mauvais plaisant vis-à-vis d'un homme de votre âge et de votre caractère. Veuillez ne point vous y tromper. Je vous ai dit les choses telles qu'elles sont : il faut que cela soit.

– Il faut ! il faut ! répéta le bonhomme à qui la colère mit de l'écarlate aux joues. Il faut alors aussi que, pendant six jours, vous-rendiez les employés de la prison aveugles !... Et votre chambre qui ne désemplit pas ! il faut que, pendant six jours, toutes vos visites aillent au diable !... Je vous dis, moi, que c'est impossible... et que je ne veux pas, sacrebleu !

La sortie de ce dernier mot procura à ce bon M. Roblot un soulagement qui nous excusera vis-à-vis des plus sévères délicatesses. Fallait-il en effet étouffer un honnête homme ? Il fourra ses deux mains jusqu'aux coudes dans les poches de son pantalon, et se prit à parcourir la chambre à grands pas.

Henri passait le rasoir sur sa seconde joue. Il resta un instant silencieux et tout entier à ce travail.

– Il faut ! prononça-t-il enfin pour la seconde fois en repassant la brosse à barbe sur son menton. Je suis satisfait de vos observations très-justes et très-raisonnables. Je les avais prévues, je suis allé au-devant. Personne ne viendra me voir pendant ces six jours. Pendant ces six jours, à mon endroit du moins, tous les employés de la maison de Versailles seront aveugles. Cela vous suffit-il ?

– Croyez-vous parler à un enfant, vous ? grommela le bonhomme qui s'arrêta devant lui et tira ses mains de ses poches pour croiser ses bras derrière son dos.

La menace de cette posture ne parut point produire d'effet sur Henri, qui dit en remettant avec soin ses rasoirs dans leur boîte :

– Ayez la bonté, je vous prie, de dépouiller votre correspondance.

Roblot crut avoir mal entendu. Henri répéta, et M. Roblot dit :

– Est-ce que mes lettres du ministère vont me parler de votre voyage de six jours ?

– Précisément, répliqua le jeune comte, qui prenait sous son bras un joli coffret en bois de rose, et passait dans le cabinet voisin. Lisez. Le sous-directeur s'assit devant la table où il déposa son paquet de lettres. Il tira de leur étui ses rondes lunettes d'argent, et les essuya après avoir soufflé dessus.

– Vous pouvez vous vanter d'être assommant, vous, marmottait-il entre ses dents. Tout comte que vous êtes, et charmant garçon… et bien élevé… et bon diable au fond… si la levée de votre écrou était là-dedans, nom d'un tonnerre, je me payerais un verre de madère après la soupe.

Il posa ses lunettes à cheval sur son nez coloré et charnu.

– Ministère de la justice, lut-il en prenant une première lettre au hasard. « Monsieur le directeur… » Très-bien ! « j'ai l'honneur… » Ah ! ah ! c'est la fixation des affaires pour la session prochaine. Vous venez sixième... Le jury leur rivera leur clou, voilà tout... Pour innocent, vous êtes innocent, quoi ! C'est bête à force d'être clair !

Henri mit sa tête à la porte du cabinet. Il avait un collier de barbe naissante et des moustaches. M. Roblot, qui le regardait, ne parut nullement s'étonner de cela.

– À quelle date à peu près ? demanda Henri.

– Du 25 au 30 juillet... Bon débarras pour nous, sans compliments, monsieur le comte ?

– Lisez les autres, dit Henri qui disparut dans le cabinet.

– À la seconde !... Ministère de l'intérieur... ça change !

– Tiens ! tiens ! s'interrompit-il avec stupéfaction ; au secret ! vous ! pourquoi diable cela, par exemple ?

La tête d'Henri se montra de nouveau. La ligne de ses sourcils tranchait maintenant énergiquement sur son front, et sa physionomie était profondément modifiée déjà.

À ceci M. Roblot ne fit aucune espèce d'attention. Il allait répétant avec une stupéfaction croissante :

– Au secret, vous ! pourquoi diable au secret ?

– Vous ne devinez pas ? demanda Henri souriant.

– Je veux passer pour un nigaud si je comprends ?

– Mon cher directeur, interrompit le jeune comte légèrement, c'est pour que personne ne vienne me voir pendant ces six jours.

Roblot le regarda ébahi.

– Avez-vous le bras si long ? murmura-t-il.

– Juste de cette longueur-là, mon vieil ami !

– Alors pourquoi ne pas prendre la clef des champs ?

– Parce que je suis ici pour quelque chose.

– Il n'y a rien de politique dans votre affaire, que diable !

– Exactement rien.

– S'il n'y a rien de politique, à quoi peut servir votre présence dans la maison d'arrêt de Versailles ? Que diable ! nous ne sommes pas si fin que Talleyrand, mais pourtant nous savons distinguer les vessies des lanternes.

– Mon cher directeur, dit Henri qui rentra dans son cabinet, je vous déclare que Talleyrand, si fin que vous le fassiez, n'y verrait pas plus clair que vous… Achevez votre correspondance.

Roblot décacheta une troisième lettre.

– Détails d'intérieur, dit-il en la parcourant.

– Lisez, lisez ! cria Henri du fond de son cabinet : ce sont des détails qui ont leur importance.

– Je n'y vois rien d'important pour ma part… Le numéro de votre nouvelle chambre… Le nom du gardien qui doit vous être spécialement attaché.

Le comte Henri revenait en bras de chemise ; avec une chevelure châtain dont les boucles brillantes envoyaient des lueurs nouvelles à ses yeux.

– Tout de même, murmura le bonhomme, non sans une arrière-pensée de défiance, il n'y en a pas un autre pour se déguiser comme vous ! Avant d'avoir vu le dessous des cartes, moi qui vous parle, je vous aurais croisé dans la rue, en plein midi, sans vous reconnaître… Il y a la voix, pourtant, reprit-il. Vous avez une diable de voix qui vaut une demi-douzaine de signalements… On ne peut pas changer la voix.

– C'est vrai, dit Henri dont le sourire prit une singulière expression ; on ne peut pas changer la voix… Nous disons donc que mon gardien sera Mestivier ?…

– Vous ai-je parlé de cela ? s'écria Roblot.

– Je ne crois pas, mon vieil ami... Nous disons aussi que j'aurai le cachot n° 2 ?

– C'est la vérité... Comment le savez-vous ?

– Comment ai-je su que je vous ferais sauter au plafond rien qu'en vous chatouillant le creux de la main et en vous disant : Bon cousin, à l'avantage !

– Oui, oui, grommela Roblot ; il reste encore du vieux levain en France, c'est sûr... ; mais je veux que le diable m'emporte si j'ai envie de voir une révolution, moi, monsieur le comte !

– Il y a les chevaux qui tirent et ceux qui se laissent traîner, mon cher directeur... Savez-vous pourquoi on ne met jamais personne dans le cachot n° 2 ?

– Ma foi ! je ne me suis jamais fait cette question-là.

– Savez-vous du moins pourquoi on ne met point l'eau dans une cruche percée ?

– Bah ! fit Roblot, qui resta la bouche ouverte.

– Mon brave ami, reprit doucement le comte Henri, enfermez-moi à double tour dans le cachot n° 2 ; une demi-heure après je puis être sur la place d'Armes. Ceux qui vous écrivent ne savent pas que vous m'éviterez la peine de déplacer des moellons ou de retirer des barreaux. L'un et l'autre de ces exercices gâtent une toilette, et je dois être en grande tenue ce soir. Vous comprendrez que je dois garder les petits secrets de chacun. Nos collègues et supérieurs ne savent rien de vous ; vous ne saurez rien de vos supérieurs et collègues, car les signataires de ces lettres agissent administrativement et ne sont que des machines à transmettre des ordres... L'absence de votre directeur est un fait qui ne s'est pas produit tout seul ; le cachot a été choisi à dessein, à dessein le gardien Mestivier a été désigné... Croyez-moi, ne regrettez pas d'être de ce côté-ci de la haie, nous sommes forts !

Pendant qu'il parlait ainsi d'un ton familier et frappant par sa simplicité même, le vieux Roblot avait la tête baissée, il ne songeait plus beaucoup à son potage qui refroidissait.

Henri continuait sa toilette, et la brune allait tombant.

On ne saurait exprimer précisément les différences subtiles qui existent entre, la grande tenue du *true gentleman* et notre costume civil de cérémonie. C'est le même vêtement, et cependant il est toujours facile aux observateurs qui ne sont même pas de première force de distinguer l'habit noir anglais de l'habit noir français. Le style est différent, pour parler la langue savante des tailleurs ; le cachet de l'un ne ressemble pas du tout au cachet de l'autre : la preuve, c'est qu'un Français habillé par un tailleur de Londres prend immédiatement l'air d'un Anglais. Mais pourquoi un Anglais habillé par un tailleur de Paris ne devient-il jamais un Français ?

Henri, sa toilette faite, était un Anglais, un admirable et parfait Anglais.

– Sommes-nous décidés ? demanda-t-il au vieux Roblot, dont les gros sourcils moutonnaient comme deux nuages avant la tempête.

Le silence que le bonhomme garda ne troubla point la sérénité d'Henri.

– Mon déménagement, reprit-il, aura dû avoir lieu cette nuit. C'est simple comme bonjour. Vous n'avez de comptes à rendre à personne, et Mestivier sait son affaire. Mestivier seul aura le droit d'entrer dans ma cellule vide, où il portera mon manger aux heures réglementaires. Aux employés de la prison comme aux visiteurs du dehors, vous avez à opposer vos instructions, qui sont réelles, officielles, inattaquables !…

– Et si le directeur revient ? prononça Roblot à voix basse.

– Je vous donne ma parole d'honneur qu'il ne reviendra pas.

Le vieux soldat garda encore le silence.

– Bien ! dit Henri dont l'accent se fit impérieux.

– Eh bien ! s'écria Roblot qui releva sa grosse face empourprée, tout cela ne me va pas, monsieur le comte ! voilà ! Que le tonnerre m'écrase si vous sortez d'ici ! Je suis geôlier, de par tous les diables ! et il n'y a pas de bons cousins qui tiennent ! je ne crois pas aux fantasmagories. Je veux écrire au ministère et savoir qui est le sorcier là-dedans… Corbleu ! on verra comme le diable est noir !… Et, après tout, un coquin peut avoir surpris les signes et les paroles. Je suis compagnon comme vous ; je refuse de marcher sans l'ordre d'un maître !… et ne bronchez pas, puisque mon bonnet est par-dessus les moulins, ou je vous flanque aux fers, dans une bouteille qui ne sera pas percée, nom de nom de nom de nom !

Il grinçait, ma foi ! des dents, et ses yeux, marbrés de sang, regardaient son prisonnier en face.

Henri était en train de se ganter ; il retira son gant. Il prit sur la table une petite boîte carrée de maroquin noir et l'ouvrit. Le contenu de cette boîte était rouge.

– Vous avez une femme et des enfants… prononça-t-il avec lenteur.

Il avait fait un pas vers Roblot. Celui-ci essaya, de Soutenir son regard, mais un éblouissement passa devant ses yeux. C'était la foudre qui couvait au fond de cette prunelle.

– Savez-vous, continua le comte Henri, le châtiment réservé au compagnon parjure qui barre au maître le chemin de la fontaine ?

– Au maître ! répéta Roblot.

La main d'Henri toucha la sienne et il recula d'un pas.

– A-t-il été dit dans votre cercle, poursuivit le jeune comte, selon le devoir, qu'un homme était en France, non pas un maître, mais LE MAÎTRE, nommé par la volonté même de celui qui est en exil ?

– L'empereur ! balbutia le vieux soldat dont la voix tremblait.

– A-t-il été dit, demanda encore Henri, prenant l'objet rouge contenu dans la boîte et le tenant à la main, que la même volonté avait fait de cet homme, et d'un seul coup, un chevalier, un officier, un commandeur, un grand officier, un grand aigle de la Légion d'honneur ?

L'objet rouge, un large ruban de soie, se déroula, et le comte Henri le mit à son cou.

– Bon cousin, acheva-t-il, de par la foi, l'espérance et la charité, je vous ordonne de m'ouvrir le chemin de la fontaine !

Roblot courba la tête et répondit :

– Maître, je suis prêt à vous obéir.

Le soleil était couché, mais il restait quelques lueurs de jour. Trois hommes, dont l'un portait un manteau léger sur son élégant costume noir, étaient arrêtés devant la porte du cachot n° 2. Les deux autres étaient le sous-directeur Roblot et le gardien Mestivier, qui tenait à la main son trousseau d'énormes clefs.

– Le prisonnier sera bien tranquille là-dedans, dit-il d'un ton goguenard et en donnant un dernier tour à la serrure massive.

– Tu réponds de lui, prononça M. Roblot à haute voix.

– Oui, oui, grommela Mestivier. Pardié, oui… à vous revoir !

Il s'éloigna. L'homme au manteau passa son bras sous celui de M. Roblot, et ils s'engagèrent dans les longs corridors de la maison d'arrêt. Ni l'un ni l'autre ne prononça une parole. Quand ils arrivèrent dans la cour, le factionnaire leur présenta les armes, et ils passèrent.

À la porte extérieure, M. Roblot appela le guichetier.

– Le comte de Belcamp est au secret, dit-il.

– Alors, enfoncés les permis ! répliqua joyeusement le guichetier… Ils n'en finissaient plus avec leurs visites !

Nos deux compagnons passèrent encore. Ils étaient dehors, Roblot ne s'arrêta qu'au bout de l'avenue de Paris.

– Monsieur le comte, dit-il avec tristesse, on ne peut pas servir deux maîtres. J'ai fait mon devoir d'un côté, je l'ai trahi de l'autre…

J'ai besoin de ma place pour ceux qu'elle fait vivre, sans cela je m'en irais comme vous.

Le prisonnier qui semblait n'éprouver aucune des émotions ordinairement inséparables de la liberté conquise, répondit d'un ton sérieux et ferme :

– Dans six jours, à sept heures du soir, je serai à la porte du cachot n° 2, je vous le jure sur mon honneur !

Il tira en même temps un papier de sa poche et le mit dans la main du vieux soldat.

– On peut répondre de tout, poursuivit-il, sauf la volonté de Dieu. Je vais courir un grand danger. Si je ne suis pas au rendez-vous à l'heure dite, c'est que je serai mort. Alors, mon vieil ami, n'hésitez pas une heure, n'attendez pas une minute ; partez avec votre femme et vos enfants, sans oublier Mestivier le gardien : allez à Londres ; portez ce papier à son adresse ; vous serez un homme riche et tranquille pour le restant de vos jours… Merci et au revoir !

Il lui serra la main et s'éloigna d'un pas rapide.

Dans le salon du vieux marquis de Belcamp, à l'hôtel de France, tout avait l'apparence d'une simple et joyeuse fête de famille. Le dîner était achevé depuis une heure environ, mais les estomacs miremontais ruminaient encore et s'entretenaient à l'aide de menus comestibles, pillés au dessert.

Le point de mire de tous les regards était naturellement M. Percy Balcomb, assis sur le canapé auprès de M. le marquis, exactement dans la position que le comte Henri occupait quelques heures auparavant entre son père et les jeunes filles, lors de la visite à la prison.

– Il faut avoir bonne envie de trouver des ressemblances, disait madame Célestin qui avait repris son tricot, pour voir le portrait du comte Henri dans cet Anglais-là !

Le Bondon de droite et le Bondon de gauche approuvèrent aussitôt du même geste.

– Certes, riposta Mademoiselle à qui cette atmosphère de fiançailles faisait mal aux nerfs, il ne s'agit pas ici de deux phénomènes vivants à montrer en foire…

– Tapé ! cria Chaumeron. Elle aura son franc parler !

– Pour de l'esprit, ajouta la mère, elles en ont toutes ! toutes les Chaumeron, bien entendu.

Madame Célestin dit en comptant les *apetissées* de son bas :

– Quatorze, seize, dix-huit… Ce sont les maris qui manquent.

– Madame, riposta la grande fille, il ne m'en faudra pas une paire.

– Tapé ! dit Chaumeron, atout !

– Et même gentiment pour une demoiselle, fit observer Bien-des-Pardons, adjointe et perfide.

– Madame Bondon sait bien qu'on peut rire en société, glissa madame Chaumeron d'un ton conciliant, mais, pour en revenir, moi, je trouve que sauf la barbe…

– Et la couleur des cheveux, ajouta l'adjointe.

– Et la nuance des yeux, appuya madame Célestin en ricanant.

– Et la voix… commença Chaumeron.

– Oh ! quant à la voix, s'écria tout le monde en chœur, c'est le blanc et le noir !

– Voilà tout, conclut madame Célestin, qui piqua une de ses aiguilles à tricoter dans ses cheveux. Moi, je ne sais pas me disputer comme au marché. Je garde le rang où la Providence m'a placée. Ceux qui veulent jouer aux gros mots n'ont qu'à s'adresser ailleurs. Je ne dis pas cela pour mademoiselle Chaumeron, qui est une personne bien élevée et qui a l'âge de savoir ce qu'elle fait, depuis le temps qu'elle marche sans lisières… Je ne tire point d'orgueil de la ressemblance étonnante dont ma famille offre un exemple, et les messieurs Bondon possèdent ce qu'il faut en biens fonds pour n'avoir pas besoin de se montrer en foire ; outre ma dot, car moi j'avais une dot ! ça n'offense personne. J'en arrive à ceci : sauf les cheveux, la barbe, les traits du visage et le reste, M. le comte et M. Balcomb se ressemblent comme deux gouttes d'eau. C'est mon avis, et ce n'était pas la peine d'insulter deux hommes paisibles pour si peu de chose.

Elle reprit son tricot. L'adjointe lui envia ce discours. Madame Chaumeron dit tout bas à mademoiselle :

– Vous ne serez jamais qu'une sotte !

Et Chaumeron ajouta, parlant franchement et avec l'autorité d'un père :

– As-tu ton compte, toi ! Tu as failli me faire une mauvaise affaire d'honneur… Si tu bouges on te donnera ton reste à la maison !… Attrape !

Si maintenant il fallait fournir notre avis personnel sur la question de ressemblance, nous dirions qu'elle existait, mais seulement dans la mesure annoncée par le comte Henri lui-même lors de son récit australien. Il y avait des rapports très-frappants dans la taille, dans le port, dans la coupe du visage et dans le sculpté des traits, mais la tournure n'était pas du tout la même, mais la tenue différait essentiellement, et à part même ces disparités capitales résultant de la barbe, des sourcils, des cheveux, de la fente des yeux et du timbre de la voix, il y avait des raisons immatérielles en quelque sorte qui rendaient toute confusion impossible.

L'un était un Anglais, un pur Anglais, gardant, non pas ridiculement, mais sensiblement au moins, l'accent anglais. Sa voix de poitrine, grave, profonde et appartenant à cette catégorie qualifiée baryton, avait en outre, pour se distinguer du ténor vibrant d'Henri, les gutturales intonations de la mélopée britannique.

Notez que je vous défie de reconnaître la voix de votre propre frère s'il prononce pour la première fois et comme il faut une phrase anglaise devant vous. La langue anglaise attaquée d'une bronchite chronique, arrive à chaque instant à la ventriloquie. Et cet effet est bien plus appréciable encore quand l'Anglais prononce le français.

L'opinion de Chaumeron disant que, placés auprès l'un de l'autre, Percy et Henri ne se ressembleraient plus du tout, était en vérité plausible.

Séparés, ils avaient un air de famille qui, dès la première vue, sautait aux yeux. C'était tout, parce que les détails démentaient cette première impression, et leur ressemblance n'arrivait point à causer ce sentiment de surprise que chacun de nous a pu éprouver quelquefois en sa vie.

La société miremontaise aimait trop sincèrement ce jeu des morsures, où chacun reçoit tour à tour un ou plusieurs coups de dents, pour que les cicatrices fussent longtemps à se former. Mademoiselle bouda pendant trois minutes et ce fut fini. Plût au ciel que le mal du célibat pût ainsi se guérir !

On attendait le notaire et madame veuve Touchard qui grandissait à la taille d'un personnage très-important. Madame Besnard disait qu'elle devait compter la dot ce soir même. Or, vous ne sauriez croire combien on avait envie de voir les deux millions ! La source de ces millions était mystérieuse ; on peut même ajouter qu'elle était sinistre. La seule personne qui le sentit très-énergiquement était peut-être notre belle Jeanne elle-même. Les autres ne voyaient rien derrière les millions. Les millions, c'est le soleil ! Miremont n'éprouvait pour ces millions qu'une tendre et respectueuse sympathie. Au fond, qu'y avait-il ? Deux parents morts (quel que fût le degré), deux parents qu'elle ne connaissait pas. Qui donc, à Miremont et ailleurs, refuserait ce féerique billet de loterie ?

L'affaire du comte Henri, loin de faire du tort aux millions, familiarisait chacun avec la pensée des deux meurtres. On vivait avec cette idée qui n'attaquait pas plus les millions que le comte Henri. Les millions étaient innocents comme le comte Henri lui-même, dont le seul accusateur, M. Temple, un fou, était devenu invisible, comme si la terre se fût ouverte pour l'engloutir avec son accusation.

On parlait beaucoup de la dot ; on parlait aussi de la corbeille ; les Anglais n'étaient pas alors aussi parfaitement connus qu'aujourd'hui sur le continent, et ils avaient une réputation universelle de magnificence. La corbeille donnée par cet Anglais millionnaire qui épousait des millions devait être quelque chose de splendide !

Quelques voix avaient constaté l'absence des trois fainéants, comme on appelait Robert, Laurent et Férandeau, mais personne ne s'en étonnait ; Férandeau ne comptait pas, Miremont méprisa toujours les arts ; Laurent devait être jaloux puisqu'il n'héritait pas ; Robert était un amant éconduit. Ils faisaient bien de se cacher.

Cependant, pourquoi Laurent n'héritait-il pas ? Pourquoi tout à la sœur et rien au frère ? Certes, c'était là une question miremontaise au premier chef. Mais c'est bien le moins qu'on applique aux millions le droit de caprice dont jouissent les jolies femmes. Laurent n'avait rien, c'était bien fait, puisque c'était la fantaisie des millions. Et d'ailleurs, un heureux de moins, c'est autant de gagné chez Chaumeron.

Germaine, Suzanne, Frances et Jeanne causaient ensemble, tandis que le vieux marquis s'entretenait affectueusement avec Percy Balcomb. Il y avait réellement quelque chose de touchant dans l'émotion que la vue de Jeanne causait à ce jeune homme si grave, si froid en apparence, et que le fardeau des grandes affaires avait si étrangement transformé depuis le temps où il courait les aventures avec le comte Henri dans les forêts australiennes. Dans sa vie, dévolue d'abord au malheur et à la lutte, puis donnée tout entière à cette autre bataille, victorieuse, celle-là, qu'il livrait à la fortune, il n'avait pas eu le temps d'aimer. Il arrivait, supérieur en toutes choses à ceux de son âge, mais neuf en amour, tantôt menant son rêve avec la rigueur d'une opération méthodique, tantôt s'attardant à des idylles naïves et à des timidités d'enfant.

Il aimait sincèrement et profondément, cela se voyait. Jeanne partageait cet amour, mais on n'avait point vu entre eux cette chère fièvre des premières tendresses. Ils avaient entamé leur roman à la page du milieu. C'était comme s'ils se fussent retrouvés après une absence.

Miremont expliquait cela en disant ; M. Balcomb est si occupé !

Mais en général, il faut bien l'avouer, le métier de l'amour est précisément d'oublier les affaires.

Miremont disait encore : ces Anglais sont si originaux !

Voilà le vrai : Vous ne trouverez pas dans les vaudevilles un seul Anglais qui ne soit un original.

– Vous me la rendrez bien heureuse, n'est-ce pas, Percy ? disait le marquis en caressant du regard le doux profil de Jeanne.

– Je ferai de mon mieux, cher monsieur, répondit Balcomb. Je sens que je l'aime tous les jours davantage.

On devinait à chaque instant dans sa conversation qu'il s'exprimait en français sans difficulté, mais avec cette sobriété forcée particulière à l'étranger qui ne connaît que les mots usuels d'une langue.

– Je ne sais pas, reprit M. le marquis de Belcamp, pourquoi la pensée de mon Henri est incessamment entre nous deux. Souvent on dit plus à un ami qu'à un père, surtout quand l'amitié s'est nouée au milieu d'un péril mortel. Je gagerais que vous savez son grand secret, Percy ?

C'était dans le sourire surtout que Balcomb ressemblait au jeune comte de Belcamp. Il souriait très-rarement, bien que son caractère fût loin d'être sombre.

Il sourit cette fois et ne répondit point.

– Notez que je ne vous interroge pas, Percy, reprit vivement le vieillard. Il me peinerait de savoir le secret de mon fils par un autre que par lui-même.

– Mais, poursuivit-il bientôt après, emporté par l'idée qui le tenait sans cesse, rien ne m'empêchera de penser que cette bizarre affaire lui a été suscitée par les ennemis qu'il a dans ce même champ de bataille politique… car son secret est politique… il me l'a presque avoué…, et la lutte est mortelle entre les deux principes ; maintenant… il y a des instants où j'ai peur.

Le regard de Percy se croisa avec celui de Jeanne.

– Vous ne m'écoutez pas, reprit M. de Belcamp. Que vais-je parler d'autre chose que d'amour !… Mais c'est que j'ai mon amour,

Percy, moi aussi… Mon Henri est tout ce qui me reste au monde… J'ai aimé !… Dieu veuille que vous ne sachiez jamais où peut aller cette terrible et sublime folie !… Eh bien ! quand j'interroge ces souvenirs de mon cœur et cela le fait saigner encore, car il y a des blessures qui ne se guérissent jamais… quand j'essaye de comparer ma tendresse d'amant à ma passion de père, il me semble que j'ai donné à Henri une part plus grande encore de mon âme.

Les deux mains gantées de Percy prirent celles du vieillard et les pressèrent avec émotion.

– Vous êtes bon, Balcomb, murmura ce dernier, qui avait une larme dans les yeux. Oui, oui, vous êtes bon et ma Jeanne sera heureuse.

– M. Berthelot ! annonça Pierre, qui avait sa livrée de cérémonie.

Et, sur l'injonction formelle de l'officier ministériel, il ajouta d'une voix éclatante :

– Notaire royal !

Me Berthelot, notaire entre deux âges, chauve et ramenant les cheveux de sa nuque sur le sommet de son crâne où ils restaient fixés au moyen d'un enduit qui est la propriété spéciale d'une douzaine de notaires et de quelques rares pharmaciens, fit son entrée en danseur d'un pas à la fois gracieux et solennel. Il portait très-bien son carton rouge, et ses lunettes d'or lui allaient à merveille. Nous n'admettons pas cette prétention affichée par les notaires de Paris d'être les seuls jolis notaires. Il y en a plusieurs à Versailles.

Me Berthelot était chaussé d'escarpins, et ses orteils n'étaient encore qu'à moitié goutteux. Il eut emporté aisément madame Célestin dans les plis de son vaste habit noir. Il soufflait en parlant, et, chaque fois qu'il soufflait, il souriait à la ronde avec bienveillance, surtout aux dames.

Madame veuve Touchard venait derrière lui en pleine toilette. Tout Miremont lui lança un regard aigu pour voir si elle avait la dot, mais ses mains étaient vides et les poches de sa robe de soie ne paraissaient point gonflées.

– Monsieur le marquis, dit maître Berthelot en soufflant et en souriant aux dames, monsieur Balcomb… mesdames… mesdemoiselles… messieurs… J'ai l'honneur d'être votre serviteur !

Il s'essuya le front avec un mouchoir de batiste, en ayant soin de ne point offenser l'enduit qui collait ses cheveux, et reprit :

– Mortifié d'avoir peut-être fait attendre… Longues distances à Versailles… Plusieurs unions… Le contrat de mademoiselle Bruno et de M. le duc de Cernay, au-delà des grilles… Le duc un peu ruiné, MAIS… duc !

Nous renonçons à rendre l'éloquence de ce *mais* de notaire.

Il s'assit, sourit aux dames, souffla, essuya son front et ouvrit son carton, à l'aide d'une petite clef d'argent qui coquettement pendait à la chaîne de sa montre.

Miremont fit cercle plus dévotement qu'au sermon, Me Berthelot ayant assuré ses lunettes d'or d'un tout petit coup de doigt, et tâté son siège pour voir si aucun des quatre pieds ne menaçait accident, toussa d'une façon agréable et commença la lecture du contrat :

« Par devant Me Fortuné Berthelot et son collègue, etc., ont comparu.

» Percy Balcomb, esq., chef de la maison Balcomb et Cie, domicilié à Londres (Angleterre), Sloane-street, Brompton, stipulant en son nom personnel.

Et demoiselle Jeanne Constance Herbet… »

– Bien des pardons… interrompit ici l'adjointe, dans une bonne intention peut-être ; le mien faisait mention des pères et mères… J'entends mon contrat…

– Tapé ! pensa Chaumeron, qui ajouta pourtant tout haut : Ça n'a pas de sens !

Madame Touchant dit avec un froid dédain :

– Monsieur le notaire n'a pas besoin que des personnes qui ont été en boutique lui apprennent son état !

– Atout ! ponctua Chaumeron.

Mᵉ Berthelot sourit à tout le monde, et poursuivit de ce ton clair qui fait le charme d'une lecture authentique :

– « … Demoiselle Jeanne-Constance Herbet, mineure émancipée, domiciliée au lieu dit le Prieuré, commune de Miremont, canton de l'Isle Adam, département de Seine-et-Oise… »

Les deux Bondon eurent la même idée, qui était d'applaudir, tant ce passage leur sembla clair et heureusement tourné. Madame Célestin leur donna à chacun moitié d'un morceau de sucre qu'elle avait gardé de son café, afin qu'ils fussent sages.

Nous ne mettrons point sous les yeux du lecteur l'œuvre complète du notaire royal ; il suffira de dire que la chose était d'un fort bon style, et comportait même quelques-unes de ces fleurs qui croissent dans les études, sans s'écarter jamais de la droite voie du formulaire. En écoutant cela, Mademoiselle sentit battre plus d'une fois son cœur, et notre jolie Germaine était toute pâle.

C'était un riche contrat, l'adjointe elle-même ne pouvait pas dire le contraire. Les avantages réciproques des époux s'équilibraient avec une largeur qui attendrissait la voix du notaire. Je ne sais pourquoi la mort, prévue à chaque ligne dans ces poëmes grossoyés, n'inquiète personne. Elle est là, partie stipulante ; elle promet par-devant notaire de venir à son heure ; on la salue quand elle parle ; c'est tout uniment une rose noire parmi tant de fraiches fleurs.

Je l'ai entendue exiger quelques billets de mille francs pour le deuil de la veuve. Le notariat est la philosophie !

L'époux est là. Voulez-vous qu'il marchande le prix de ces larmes à livrer qu'on versera sur son tombeau ? Il est épris, car on aime, chose bizarre ! au travers de ces prodigieuses sauvageries ! Il pense peut-être avec mélancolie : pauvre mignonne, j'ai bien peur de l'enterrer !…

Et le roman des noces marche parmi ces parfums de pompes funèbres. Que ne met-on franchement le deuil de veuve au fond de la corbeille ?

Quand Mᵉ Fortuné Berthelot arriva au paragraphe de la dot, l'attention redoubla. La dot apportée consistait en tous les biens meubles et immeubles, venus et à venir de la demoiselle Jeanne-Constance Herbet. Un petit alinéa stipulait que deux millions de francs étaient payables à la signature du contrat.

Il y eut un long murmure dans le salon de l'hôtel de France.

Figurez-vous que, jusqu'à ce moment, on parlait des millions sans y croire tout à fait.

En 1862, un million est encore une très-jolie chose comme argent de poche, mais vous saluez chaque jour dans la rue vingt personnes qui possèdent un ou plusieurs millions. Le taux, le titre du million, sa valeur morale, ont singulièrement baissé. La voix du notaire, cette sensitive de la poésie monnayée, ne frémit plus en prononçant le mot million. Le contrat de mariage est blasé sur la musique autrefois si rare de ces deux syllabes. On entend parfois dire d'un homme : Il n'a qu'un million !

En 1817, un million était haut et resplendissant comme une pyramide d'Égypte, dont les quatre faces eussent été revêtues d'or. Le rêve s'arrêtait là. C'était la fortune et c'était l'absolu.

Le murmure miremontais fut composé d'abord de ces deux mots : Deux millions, deux millions, deux millions ! et madame Célestin arrêta son tricot.

– Atout ! gronda Chaumeron. Ah ! bigre !

L'adjointe soupira du fin fond de son envieux chagrin :

– Bien des pardons !… je ne suis qu'une femme… mais ça me semble un peu roide la remise d'une pareille somme à la signature du contrat.

– Pour roide, c'est roide, dit madame Chaumeron.

Mademoiselle, qui avalait ses lèvres de dépit, glissa à l'oreille du savant Potel :

– Ça s'appelle acheter son mari comptant !

Les deux Bondon demandèrent à leur dame si elle avait encore du sucre.

La veuve Touchard était, au fond, de l'avis des chuchoteurs. Elle dit, pour mettre sa responsabilité à couvert :

– Ma nièce est émancipée ; c'est elle-même qui a exigé cela.

– Et la clause est dans l'intérêt de Jeanne, ajouta le marquis. M. Balcomb a l'emploi immédiat de la somme dans sa propre maison.

– Peste ! peste ! fit Chaumeron. Ce n'est pas une baraque alors !... mâtin l'emploi... immédiat... ah ! bigre !

Percy restait immobile, les yeux demi-fermés, perdu peut-être dans quelque haut calcul. On eût dit que ces discussions d'intérêt ne le regardaient point.

Jeanne fit de la main un petit signe impérieux, et Me Berthelot continua sa lecture, après avoir souri aux dames.

Quand vint l'article où les deux époux échangeaient donation mutuelle de tous leurs biens en cas de mort, Percy Balcomb sortit enfin de son mutisme.

– Je prie le notaire, dit-il avec son accent anglais qui donnait plus de précision et plus de mordant à ses paroles, de modifier cette disposition. Si je meurs sans enfants, ma famille est riche ; il me plaît que ma femme ait l'héritage d'une fortune qui vient de moi. Si Dieu, me réserve à ce terrible malheur de perdre ma femme, Laurent Herbet, mon ami et mon frère, ainsi que madame Touchard, qui a servi de mère aux deux orphelins, sont les héritiers naturels.

Jeanne lui tendit la main et ne protesta point. Elle dit seulement :

– Que tout soit fait comme vous le désirez, Percy ; je n'ai pas d'autre volonté que la vôtre. Mais si jamais Dieu me fait veuve, je n'aurai pas besoin de tant de richesses pour pleurer et pour mourir.

Germaine se jeta à son cou, les larmes aux yeux.

– Très-mignon, dit l'adjointe.

– Simagrées ! grinça Mademoiselle.

– Moi, je ne suis pas gêné ! s'écria Chaumeron ; je ne dois rien à personne. Je dis que ça fait plaisir de voir des choses pareilles ! Tant pis pour ceux qui ne seront pas contents. Attrape !

Madame Touchard étancha ses yeux mouillés de larmes, et les Bondon firent tous deux la grimace des enfants qui vont pleurer.

Il y eut un moment plus solennel encore. Ce fut celui où madame Touchard, après la signature, tira la dot d'un vieux portefeuille qu'elle avait. Miremont n'eut pas assez d'yeux pour regarder les deux millions. Nul ne sait au juste quelle forme l'imagination de Miremont peut prêter à une dot de deux millions. La plus simple, c'est un tas d'or, haut comme une meule de foin ; mais cela ne tiendrait pas dans un portefeuille.

Quand les deux millions apparurent sous l'espèce d'une traite unique, tirée par Rothschild de Paris sur Rothschild de Londres, il y eut un mouvement de désappointement. Mais, en somme, ce n'en était que plus merveilleux. Chacun voulut voir le précieux papier et le toucher comme une relique. Il passa de main en main ; les Bondon le flairèrent.

– Ah ! dit Bien-des-Pardons avec mélancolie, en le passant à Mademoiselle, avec la cinquantième partie de cela, vous auriez votre affaire, ma pauvre poule !

– La fortune ne fait pas le bonheur, répondit Mademoiselle.

– Elle aide à se marier, glissa Madame Célestin.

– Mon Dieu ! madame, riposta la mère Chaumeron exaspérée, dînez deux fois, si vous avez de quoi !

Et papa Chaumeron, caressant le papier avec un geste et un regard également intraduisibles :

– Je ne dis que ça ! voilà de l'atout !

La lettre de change passa dans le portefeuille de Percy Balcomb. Le notaire Berthelot ferma son carton, but un doigt d'eau sucrée, sourit aux dames et s'en alla.

Le Bondon de droite et le Bondon de gauche se penchèrent impétueusement vers madame Célestin, de telle sorte qu'on aurait pu mettre les trois têtes de la garniture sous le même bonnet. Ils demandèrent d'une seule voix :

– Va-t-on manger quelque chose à présent ?

Certes, on allait manger quelque chose. Pierre et madame Etienne entrèrent avec des plateaux dont l'aspect réchauffa le cœur des Chaumeron. Madame Étienne s'en alla droit à Percy Balcomb et lui fit un discours où le souvenir de son ancienne dame se mêlait éloquemment à toutes sortes de félicitations sincères. Puis commença le pillage des plateaux. Combien l'homme est un animal borné ! Les singes, au moins, ont quatre mains pour prendre. Avec deux mains pourtant, deux simples mains, les Chaumeron firent merveille. Il ne fallut pas moins de trois tranches de pâté pour étouffer le chagrin de Mademoiselle. Les Bondon, toujours seuls au milieu de la foule, firent la dînette sur un coin de la table ; madame Célestin veillant à ce que la nourriture fut équitablement partagée entre ses deux conjoints.

Les compliments furent faits, les mains et les bouches pleines. Le marquis, tout rêveur car il pensait à son Henri, avait donné le premier baiser à la fiancée, Chaumeron cria :

– À la bonne franquette ! Aimez-vous bien, mes enfants ! voilà !

– Du bonheur ! tout le bonheur que tu mérites, Jeanne ! souhaita Germaine d'une voix tremblante, mais du fin fond de son pauvre petit cœur.

– Et que M. le comte soit au dîner de noces ! ajouta lady Frances avec un singulier sourire.

Le marquis lui baisa la main.

– Quant à ça, reprit l'adjointe en faisant la révérence à Jeanne, vous avez connu la misère, ma petite chérie…

– Comment ! la misère ! se récria la tante Touchard.

– Bien des pardons… j'entends qu'on ne lui donnait pas les blancs du poulet à table, chez vous, ma voisine.

– Vos femmes de chambre seront mieux habillées que vous ne l'étiez, ajouta madame Célestin.

– Ah ! certes, nous n'aurions jamais cru que vous feriez ce rêve-là, laissa échapper Mademoiselle. Vous avez de la chance !

Suzanne vint embrasser Jeanne sans rien dire. Les deux MM. Bondon lui tendirent leurs joues.

Le vieux marquis entraîna son Miremont autour de la table, et les deux fiancés restèrent seuls sur le canapé, guettés cependant par les regards pointus de Mademoiselle, de madame Célestin et de l'adjointe. On les vit, la main dans la main, portant tous deux sur leur visage l'expression d'un bonheur calme et profond, échangeant parfois un sourire avec quelques rares paroles.

– M. Morin du Reposoir, fit observer l'adjointe, s'y prenait autrement que cela dans le temps.

– Ça ne chauffe pas, répliqua Chaumeron ; les Anglais, ça ne court jamais, de peur de se casser. Si la chose n'offensait pas M. le marquis, j'offrirais à la compagnie une goutte de champagne, pour ravigoter la circonstance… Tout rond, papa Chaumeron !

Le marquis fit aussitôt monter du champagne, et Miremont ravigoté ne songea plus qu'à festoyer.

À minuit, Balcomb se leva et baisa la main de Jeanne, qui lui dit :

– Aimez-moi comme je vous aime, et nous aurons le ciel ici-bas !

– Partez-vous déjà ! s'écria-t-on de tous côtés.

– Il faut que la dot de ma femme soit demain à Londres, répondit Percy.

– Et mon pauvre Henri ne vous aura pas vu, cette fois ! murmura M. de Belcamp.

Percy ne prolongeait jamais les adieux. On le vit échanger avec lady Frances quelques paroles à voix basse, et se diriger vers la porte après avoir pressé cordialement la main du vieux marquis.

– Miss Temple, dit-il très-simplement en passant près de Suzanne, je me chargerai volontiers de vos commissions pour Londres.

Suzanne le regarda étonnée. Il s'approcha d'elle et murmura en piquant chacune de ses paroles rapides :

– Quoi que vous puissiez apprendre, ne craignez rien, j'ai fait serment de le sauver.

La réponse ne vint pas tout de suite aux lèvres tremblantes de Suzanne. Elle voulut parler, mais déjà il s'inclinait avec une politesse froide pour se retourner ensuite et franchir le seuil du salon.

X

La délivrance

Les nuits de Versailles sont silencieuses et désertes, mais la solitude de ses rues est surabondamment gardée par une armée de sentinelles, abritées derrière tout angle appartenant à une caserne, à un hôpital ou à un palais. Par suite de ces sages précautions, les statues de la cour royale n'ont pas encore été soustraites par les gens malintentionnés. Les maisons de Versailles qui ne sont ni palais, ni hôpitaux ni casernes appartiennent à des bourgeois qui hésitent à laisser sortir le soir leurs femmes dans la rue, par crainte des sentinelles. Beaucoup vont jusqu'à mourir dans le célibat, et la plupart n'ont point de cuisinières ; le tout par crainte et en haine des sentinelles.

Dans les larges voies, bordées d'arbres tristes, on rencontre des patrouilles et point de passants. Ces patrouilles ont arrêté le dernier chien errant, il y a plus de cinquante ans. Depuis vingt ans, elles ne trouvent plus de rats.

Elles s'ennuient à regarder des deux côtés de leur chemin les grandes et belles maisons dont les fenêtres n'ont point de lumières et dont les jardinets essayent tous, depuis le premier jusqu'au dernier, de ressembler un petit peu au parc du grand roi.

Les sentinelles et les patrouilles n'aiment pas plus Versailles que Versailles n'aime les sentinelles et les patrouilles.

Un homme allait, d'un pas tranquille, dans la rue des Réservoirs. La nuit était calme ; la lune se cachait sous des nuages de couleur blanchâtre. De temps en temps, une sentinelle criait : Qui vive ? et l'homme répondait patiemment : Ami. Il tourna par la rue de Maurepas pour arriver au boulevard et sortit par la porte Saint-Antoine où, pour la dernière fois, il répondit : Ami, à quelqu'un qui lui disait : Qui vive ?

La route de Marly était devant lui ; il s'y engagea, pressant sa marche graduellement, jusqu'à prendre bientôt le pas de course. À un demi-quart de lieue de la porte Saint-Antoine, un paysan était debout au beau milieu de la route et tenait par la bride un magnifique cheval tout sellé que le cocher-jardinier du château de Belcamp aurait bien reconnu, malgré l'obscurité, pour la jument anglaise du comte Henri.

Notre homme ralentit le pas en approchant du paysan, et dit à demi-voix :

– À l'avantage !

– Que cherchez-vous, beau cousin ? dit le paysan qui lui remit la bride en main.

– Je cherche la fontaine.

D'un bond notre homme fut en selle. Il demanda :

– Y a-t-il des loups dans la forêt ?

– Deux gendarmes à cheval qui sont passés, voilà dix minutes, allant vers Marly, répliqua le paysan.

Notre homme lui mit un louis dans la main et piqua des deux, tandis que l'autre criait :

– Bon voyage !

Notre homme était déjà loin. Une minute après, on n'en tendait plus que le sabot du cheval.

En 1817, on exigeait très-rigoureusement les passe-ports sur les routes. Notre homme semblait ne point s'inquiéter de cela, car il galopait franchement dans la direction suivie par les deux gendarmes. En dix minutes il eut atteint le Chenay, où tout le monde dormait, et commença à longer le grand mur de Marly. Deux hautes ombres se montrèrent bientôt sur la route : c'étaient les deux gendarmes à cheval.

Loin de s'arrêter, il poussa sa monture. Les deux gendarmes firent halte enfournèrent leurs chevaux.

– Holà ! mes braves ! cria-t-il, en éreintant une bonne bête, combien mettrai-je encore à gagner Marly-la-Ville ?

– Dix minutes, du train dont vous y allez... Êtes-vous du pays ?

– Du Chenay, pardieu !... et ma femme est en couches...

– Ah ! ah ! le médecin ! fit le bon brigadier qui ajouta : Laisse passer, Thomassin !

– Grand merci ! dit le cavalier qui glissa comme une flèche, entre eux deux ; pourvu que je le trouve :

– Une mignonne jument, brigadier ! risqua Thomassin.

Le brigadier répondit avec autorité :

– Comment voulez-vous monter en grade et faire votre chemin dans l'avancement si vous ne savez pas encore, à l'âge que vous êtes, distinguer le signalement d'un mâle d'avec l'autre sexe, chez les chevaux !

– Ce n'est pas une jument, brigadier ?

– Marchez et ouvrez l'œil !... Les ennemis et les malfaiteurs auraient beau jeu s'il n'y avait pas un brigadier avec le simple gendarme !

Notre homme passait déjà comme un tourbillon le long de l'aqueduc, dont les voûtes massives découpaient leurs arches dans le ciel gris. Il monta la rampe de Marly au galop, et redescendit du même train vers la Seine. La jument allait d'elle-même, sans qu'il fût besoin de l'éperon ni de la voix. La montée de Saint-Germain fut gravie et la ville traversée sans une minute d'arrêt. Le gendarme et son brigadier discutaient encore sur le sexe de la bête que déjà son sabot rapide battait le pont de Poissy.

À Triel, cheval et cavalier quittèrent la grande route pour prendre un chemin vicinal qui remontait vers le nord, sans autre arrêt que le temps voulu pour allumer un pain de bougie et consulter une carte routière du département de Seine-et-Oise. Il était deux heures du matin quand ils atteignirent Pontoise ; quatre heures sonnant, notre homme découvrait aux lueurs naissantes du jour le profil de l'église de Beaumont, après une traite de quinze à seize lieues, eu égard au tour qu'il avait pris pour ne point traverser Paris.

À quelques cents pas de la ville, un homme était debout au milieu du chemin, tenant un cheval tout sellé par la bride, comme le paysan de la route de Marly. Il sifflait un petit air en battant la semelle, car le vent du matin était frais.

– Holà ! cria-t-il du plus loin que pût porter sa voix, est-ce vous, monsieur le comte ?

C'est ce fou de Férandeau ? murmura notre voyageur.

De la main il essaya de lui imposer silence, mais l'élève de David avait une gourde passée en bandoulière autour du cou. Cette gourde qu'il avait apportée pleine était vide.

– Ta, ta, ta ! reprit-il, croyez-vous, que je vas chanter : Silence ! prudence ! comme les Napolitains, de la *Muette de Portici* ! Dites-moi. À l'avantage ! je vous répondrai : Que cherchez-vous, beau cousin ? C'est stupide ! Tous les loups sont couchés et, je vais, aller en faire autant… Bonjour, monsieur de Belcamp, comment vous en va ? et chez vous ? Voilà deux grandes heures que je gobe le marmot ici, sans reproche… Quand vous serez tous aux Tuileries, vous me donnerez une fière commande, hein ?… j'ai des cartons pour la décoration du Panthéon… ou autre chose, ça m'est égal… une place, si vous voulez… ou des rentes.

Notre voyageur avait mis pied à terre. C'était bien le comte Henri de Belcamp.

– Je vous recommande mon cheval, monsieur, dit-il.

– A-t-elle chaud, la pauvre Cocotte !… Je vais la monter tout doucement jusqu'à l'auberge pour qu'elle n'attrape pas le rhume. Quand assiégeons-nous Paris, monsieur le comte ?

– J'ai vu des gens que l'on trouvait derrière un buisson avec une balle dans l'oreille, monsieur Férandeau, prononça froidement Henri, et qui s'étaient conduits plus prudemment que vous.

– Muet comme un ibis avec les profanes ! dit Férandeau, qui fit un grand geste d'académie. La Foi, l'Espérance et la Charité, quoi ! je sais à qui je parle. Si j'avais su être remercié comme cela, du diable si je n'aurais pas été faire la poule rue Dauphine !… La reconnaissance exilée de la terre remonte aux cieux : sujet allégorique !

Henri lui mit la main sur l'épaule et le regarda en face.

– Vous êtes un honnête garçon, murmura-t-il lentement, ce serait dommage…

– Dommage, quoi ?… demanda l'artiste effrayé.

Henri retira sa main.

– Pas de mauvaise plaisanterie ! s'écria Férandeau.

– Allez-vous mettre au lit, reprit Henri, qui bouclait sa petite valise sur le dos de son nouveau cheval. Silence absolu, et sachez exécuter à la lettre les instructions de M. Surrizy… sans cela, mon camarade, vous mourrez tout jeune, c'est moi qui vous le dis, et vos cartons ne deviendront jamais des tableaux !

Il donna de l'éperon à son cheval.

Férandeau resta immobile ; quand le comte Henri eut disparu derrière le premier coude de la route, il souffla dans ses joues énergiquement.

– Alors, on est des parias ! s'écria-t-il. Je refuse la décoration du Panthéon ; je me fais graveur en taille-douce ; je tricote des bas comme madame Célestin… Hue ! Cocotte ! c'est ça, la liberté !…

Il ôta, son vieux par-dessus et le mit sur le cou de la jument qui frissonnait.

– Hue donc, Anglaise ! Par-dessus le marché, l'austère Surrizy va me faire de la morale ; pas de chance ! Je vais voir à donner ma démission. Viens coucher, Cocotte !

Le comte Henri, brûlait le pavé sur la route de Beauvais. Plus le jour, avançait, moins grands étaient les dangers du voyage.

Pour quiconque l'interrogerait, Henri était désormais un citadin paisible de la ville qu'il venait de traverser, et il faisait ainsi une promenade de quelques lieues pour essayer la vitesse de son cheval.

Au-delà de Beauvais, au village de Fouquenies, il trouva Laurent, qui l'attendait avec une monture fraîche ; un beau cheval picard plein de feu.

– M. Herbet, lui dit Henri, je sais que vous avez eu de fâcheuses préventions contre moi, et votre conduite actuelle n'en est que plus d'un, homme d'honneur. Vous aimez une chère enfant dont le cœur ne se connaît pas encore lui-même, mais qui est digne de vous et qui n'aimera que vous.

– Le savez-vous donc, monsieur le comte ? Demandait Laurent qui gardait un air farouche.

Henri lui tendit la main.

– Je suis tout jeune encore, monsieur Herbet, murmura-t-il en fixant, sur lui son regard franc et ferme ; mais, croyez-moi, je puis parler en père : j'ai sur la tête des intérêts qui valent des cheveux blancs… Je le sais parce qu'elle me l'a dit.

Laurent rougit et sourit : Un peu plus, il avait les larmes aux yeux.

Il rendit l'étreinte à Henri et dit énergiquement :

– Monsieur le comte, je me ferai tuer pour vous, maintenant, s'il le faut.

– Ce ne serait pas le compte de notre Germaine, répliqua Henri avec gaieté… Il ne s'agit pas de mourir, ami Laurent ; dans quatre jours vous reprendrez ici votre poste et vous m'attendrez de nouveau.

– Comment, s'écria l'étudiant en médecine stupéfait, maintenant que vous avez la clef des champs, vous ne resterez pas là-bas ?

– Il faut que je sois jugé, Laurent, et j'ai donné ma parole… À bientôt !

Et il partit encore. Ils ont de bons chevaux normands dans l'Oise et aussi dans la Somme, mais pour or ni argent on ne peut trouver chez les loueurs que des bêtes de louage : triste troupeau. À

Beaumont, c'était Surrizy qui avait choisi le cheval ; à Fouquenies, c'était Laurent ; tout allait bien. Au relais suivant, le comte Henri trouva un inconnu et un bucéphale de moyenne vertu qui lui broncha pendant six lieues entre les jambes ; à l'autre relais, un inconnu encore et quelque chose comme une grande chèvre. Il était midi passé quand il arriva en face d'Hallencourt, sa dernière station avant Abbeville. Avec sa bonne jument, il eût été déjà rendu depuis du temps au terme du voyage :

Cette fois, c'était un vigoureux animal, tenu en bride par un beau Picard en blouse bleue brodée de rouge au collet. Le Picard ne répondait pas au nom de bon cousin et semblait ignorer le chemin de la fontaine, mais son cheval avait encore le nez dans l'avoine quand le comte Henri quitta sa rosse rendue pour enfourcher ce nouveau coursier.

À la bonne heure ! celui-ci rassembla ses quatre pieds, qui donnèrent des étincelles, et partit comme un trait.

– Le bourgeois vous attend de l'autre côté d'Épagne, cria le Picard en agitant son chapeau. Vous mettrez Morin à l'auberge chez Moreau, à qui je suis son gendre, et que nous nous portons tous bien à la maison.

– Morbleu ! Morin allait mieux qu'un lièvre. Pourvu que Moreau, son beau-père, eut le pareil, rien n'était perdu. Il ne fallut pas une heure au comte Henri pour apercevoir le petit clocher d'Épagne et Abbeville. Henri, qui cherchait déjà des yeux le *bourgeois,* aperçut, non pas comme il en avait désormais l'habitude, non pas un homme debout auprès d'un cheval, mais un cavalier en selle qui suivait au pas la même route que lui en tenant une autre monture par la bride.

Deux belles bêtes !

Au bruit du galop le cavalier se retourna et montra le franc visage de Robert Surrizy, qui s'arrêta aussitôt, souleva son chapeau, et mit pied à terre en même temps que le comte lui-même.

Un petit paysan qui marchait sur le bord de la route s'approcha.

– Fiot, lui dit Robert, tu recommanderas au père Moreau de nous garder Morin. On payera les quatre jours d'écurie comme s'il courait la poste.

Henri et lui se touchèrent la main. Robert demanda :

– Monsieur le comte veut-il bien me permettre de lui faire un bout de conduite ?

– De tout cœur, mais au galop, monsieur Surrizy. J'ai perdu deux heures sur mon calcul, et désormais il fera jour demain matin quand j'arriverai à Londres.

– Demain matin, répéta Robert incrédule. Vous ne sentez donc pas l'air sur votre joue gauche ? Regardez où court la poussière ; il vente ouest-nord-ouest en plein et à décorner un bouc. Il vous faudrait monter jusqu'en Hollande pour prendre le vent. D'ici, en louvoyant, vous ne toucherez pas Douvres en vingt-quatre heures, c'est moi qui vous le dis !

– Vous paraissez vous entendre à cela, dit le jeune comte en souriant.

– Je suis un peu rouillé, mais je borderais bien encore une voile au besoin, foc, misaine ou brigantine, répliqua l'ancien sous-lieutenant. J'ai été pilotin… *seaboy* comme ils disent, là-bas, en Angleterre, avant d'être soldat en France.

– Et vous croyez qu'un navire, j'entends un fin voilier, doit mettre aujourd'hui vingt-quatre heures pour traverser la Manche ?

– Je parierais plutôt pour trente-six.

– Un temps de galop, Surrizy ! Je ne vais pas à Douvres… Je pique au vent mieux encore que cela ! Je double l'île Thanet en grand, j'entre en Tamise, et, douze heures après avoir quitté la rivière de Somme, je débarque sous London-Bridge !

– Il faudrait le diable pour remarquer, dit Robert. Mais cela vous regarde, monsieur le comte.

Ils galopèrent en silence pendant deux minutes.

– Jusqu'où me conduisez-vous comme cela, Surrizy ? demanda brusquement le jeune comte.

Robert hésita un instant, puis il répondit avec émotion :

– Monsieur de Belcamp, je ne sais pas jouer au fin… Ce n'est pas la première fois que nous chevauchons l'un près de l'autre… Ce jour-là, vous lui sauvâtes la vie… c'est bien certain : ni Laurent ni moi ne serions arrivés à temps pour l'empêcher d'être écrasée ou brûlée… Eh bien ! elle était tout l'espoir, tout le bonheur de ma pauvre vie. Je crois qu'elle m'aimait : moi, c'était de l'adoration que j'avais pour elle… Vous me l'avez prise… vous êtes mon malheur… Il y a un serment qui me lie à vous, c'est bien vrai, mais tout homme a sa passion qui, lorsque sonne une certaine heure, peut-être plus forte que sa foi… cela est certain. Je l'ai senti, moi qui parle… Sans le souvenir de ce qui s'est passé au pont du moulin, qui sait si je n'essayerais pas en ce moment de vous casser la tête sur cette route, où la poussière est comme un brouillard, et où personne, à perte de vue ne se montre en ce moment.

– Pour peu que vous ayez un pistolet, M. Surrizy, et qu'il y ait l'étoffe d'un assassin dans un officier de l'armée française, c'est la chose la plus aisée du monde, car moi je suis sans armes.

– Les actes changent de nom suivant les circonstances, monsieur le comte, dit Robert, dont la voix se fit plus sourde. Un officier français qui vengerait le meurtre de son père pourrait n'être pas confondu avec le gros des assassins.

Henri se tourna vers lui, pâle, mais calme.

– Je vous répète, monsieur, que je suis sans armes, prononça-t-il lentement. J'ai signé hier mon contrat de mariage avec celle que vous aimez, et je porte sur moi deux millions qui sont à elle.

– Les millions !… murmura Robert avec amertume ; elle n'avait pas de millions quand je l'aimais !

– Et moi qui l'aime, monsieur Surrizy, je ne l'eusse pas épousée sans les millions qu'elle possède.

– Osez-vous l'avouer, monsieur le comte !…

Henri mit la main sur son cœur et repartit :

– Ceux qui vivront quand je serai mort, diront : Celui-là donna tout à son œuvre, même son amour !

Robert se tut. Les chevaux galopaient dans un nuage de poussière, car le vent augmentait à mesure qu'on s'approchait de la mer.

– M. le comte, reprit Surrizy, ce sont de vaines paroles qui viennent d'être prononcées. Je ne vous crois pas criminel. Si je vous croyais criminel, rien au monde ne m'empêcherait d'être entre Jeanne et vous, l'épée à la main. Je connais une part de votre vie par lady Frances Elphinstone. Vous êtes entouré de mystères ; la tâche que vous avez entreprise explique ce voile dont vous vous enveloppez... J'ai fait mon sacrifice. Si j'ai de la haine, elle est refoulée tout au fond de mon cœur. Au lieu de vous combattre, je vous sers... Me permettez-vous de vous faire quelques questions sur des sujets qui me regardent très-personnellement et très-étroitement ?

– Aux nobles et fidèles compagnons tels que vous, Robert, répliqua Henri dont l'accent était affectueux et doux, je permets toutes les questions, et j'y réponds avec mon cœur quand le devoir me le permet.

– Oui... murmura l'ancien sous-lieutenant ; il vous reste toujours un abri où réfugier votre silence... Je veux vous demander d'abord si vous me connaissiez quand nous nous sommes rencontrés à la Croix-Moraine, lors de votre arrivée au château ?

– Oui, repartit Henri. Je vous avais vu au bureau de police de Scotland-Yard, avec M. Temple.

– Est-il vrai que vous y fussiez attaché comme agent de police ?

– Cela est vrai... Pour la cause que nous servons tous deux, monsieur, j'ai fait des choses plus pénibles, plus glorieuses encore que celle-là !

– Vous saviez alors que j'avais accepté de Gregory Temple une mission ?

– Oui… mais j'ignorais l'objet de cette mission.

– Vous ne connaissiez donc pas alors le nom de mon père ?

– Non, je ne l'ai su qu'hier, par la bouche de votre sœur.

– Avez-vous pensé, au malheur qui pouvait résulter pour elle ?…

– J'en ai frémi, Robert ! interrompit le jeune comte d'un accent si vif et si plein de franchise que Surrizy leva les yeux sur lui. C'est une étrange histoire que la mienne ; en ce qui concerne surtout ma conduite avec votre sœur : chère et généreuse créature qui aura sa récompense dès ce monde, si Dieu ne brise pas mes projets dans ma main. Sarah n'a pas pu vous raconter toute cette histoire, car le fil s'en est rompu pour elle bien des fois. Cela touche au grand secret qui doit mourir avec moi ou éclater au jour de notre victoire… mais ce qu'elle a pu vous dire a suffi, je n'en doute pas, pour donner à un esprit honnête et droit comme est le vôtre une présomption si forte en ma faveur qu'elle équivaut presqu'à une certitude. J'ajouterai peu de chose : L'édifice le plus grandiose ne se compose pas seulement des massives pierres de taille de la façade ; il y entre, mille matériaux légers ou vils même que le pauvre manœuvre a façonnés dans son humble misère. Pour l'édifice que je construis, moi, je suis à la fois l'architecte, le maçon, le charpentier et l'aide qui émiette la paille hachée dans le mortier. Je fais tout : c'est mon orgueil ! Aux spéculations dont la grandeur vous écraserait peut-être, je mêle, – et il le faut, – des intrigues microscopiques. Ici, le petit a la même importance que le grand, et vous savez bien que dans notre merveilleuse machine humaine, tel filet nerveux, ténu comme un cheveu, offensé tout à coup, peut coller à votre flanc votre bras inerte et frappé de paralysie… J'ai été agent de police à Londres ; au château de Belcamp, j'ai soufflé un rôle de coquette à votre sœur… j'ai fait pis ou du moins plus petit encore… et l'ensemble de mes actes dressera la tour de Babel !

Ses éperons touchèrent les flancs de son cheval, qui bondit dans la poudre. Robert le suivait avec peine. Il ne pouvait s'empêcher d'admirer par derrière cette noble taille et cette tête si fière, autour de laquelle les boucles blondes fouettaient au vent.

Abbeville était dépassé depuis longtemps, et déjà, plusieurs fois, nos voyageurs avaient aperçu entre deux collines, la Somme élargie, dont les eaux semblaient ternes sous la rafale.

– Jusqu'où comptez-vous m'accompagner, monsieur Surrizy ? demanda pour la seconde fois Henri, au moment où cette grande ligne d'un bleu obscur, la mer, borda tout à coup l'horizon.

– Si j'étais votre ami, monsieur le comte, répondit Robert, qui avait le cœur gros et tout plein d'un trouble croissant, savez-vous que ce serait pour tout de bon ?

Henri ralentit le pas pour lui tendre la main.

– Vous êtes déjà mon ami à votre insu et malgré vous, lui dit-il ; seulement, vous cherchez des mots pour exprimer un désir qui vous semble à vous-même puéril et peu digne.

– Non, sur mon honneur ! s'écria Robert rougissant devant le sourire de son compagnon ; ce n'est chez moi ni vaine curiosité ni enfantillage. Tant qu'il s'agit de l'armée où vous êtes chef et moi soldat, je veux bien garder un bandeau sur mes yeux, c'est la loi de mon serment… mais pour ce qui touche moi et les miens…

– Et que pouvez-vous voir ici, Robert, sinon l'arche même à laquelle votre serment vous lie ? *Je suis sur la route de la fontaine,* pour employer notre langage symbolique…

– Si j'en étais sûr !… commença Surrizy qui avait les yeux baissés.

– Avez-vous le droit d'exiger cette certitude du maître ?

– Si j'en étais sûr !… répéta Robert comme s'il n'eût pas entendu.

– Écoutez, Belcamp, reprit-il d'un ton où il y avait de la supplication et de la menace, la nuit où je marche me pèse. La pensée de Jeanne jetée en proie à l'inconnu me torture. J'ai une sœur maintenant, je l'aime, et sa vue a ravivé le souvenir de mon père. Est-ce assez de motifs ? Y en a-t-il un seul parmi eux qui soit puéril et peu digne ? Faut-il parler de toutes les accusations qui pèsent sur vous ? Faut-il ajouter que si vous étiez un criminel, comme le crient tant de voix entre lesquelles est la voix de ma mère, je serais, moi, votre complice ; moi le fils de votre victime ?... Si j'en étais sûr, disais-je, si je voyais, ne fût-ce que de loin, ce mystérieux monument dont vous êtes l'unique architecte... non pas achevé, mais élevant seulement ses fondations au-dessus du sol !... Saint Thomas voulut toucher les plaies du Sauveur, et je ne suis pas un saint !... Songez que, de moi à vous, il n'y a que des motifs de haïr... Soyez juste et ne niez pas votre dette, vous qui avez ruiné mon bonheur ; soyez sincère vis-à-vis de celui qui est franc... Faites fléchir le droit, si le droit est inique... Prouvez, puisqu'il y a près de vous un cœur de bonne foi qui demande une preuve... Nous sommes du même âge, Belcamp, je suis brave, je vous le jure, et vous voyez que je suis fort... La haine, quand elle cède, devient parfois inépuisable tendresse... Si j'étais sûr de votre œuvre, je serais sûr de vous et je vous dirais : Allez devant vous sans prendre souci de tourner la tête. Par derrière, vous êtes gardé, votre ombre a une épée ; je suis là, moi, votre frère !

Ils venaient de monter au trot une abrupte colline, au sommet de laquelle leur apparut Saint-Valéry-sur-Somme déjà dépassé. Par delà Saint-Valery, sur la droite, la Somme, large comme une mer, se couvrait d'embarcations battues par la rafale. Au-devant d'eux étaient le cap et le petit port du Hourdel, niché dans son anse. À gauche, s'étendait l'Océan.

Le comte Henri avait écouté les paroles de Robert avec un bienveillant sourire.

– Il y eut des heures dans ma vie, murmura-t-il, plus d'une, où la tendresse d'un frère m'eût gêné étrangement... Il est des instants où j'aurais marché sur mon ombre !

– Est-ce un refus ? demanda Surrisy dont les sourcils se froncèrent.

Le soleil inclinait vers l'horizon. Henri consulta sa montre.

– Quatre heures et demie, dit-il ; cinq heures quand nous serons là-bas. La diligence met trente heures et la poste vingt-quatre : nous avons peu gagné, mais, en mer, nous rattraperons le temps perdu.

– Hop ! saint Thomas ! s'écria-t-il gaiement. La foi vous manque en toutes choses ; en toutes choses nous allons vous la donner.

Les deux chevaux, lancés à fond de train, franchirent la vallée ventre à terre. Leurs cavaliers gardaient désormais le silence. Henri rêvait ; on pouvait lire sur le visage de Robert un sentiment d'attente solennelle.

En vingt minutes ils eurent atteint le sommet du cap, d'où l'on découvre tout un horizon de mer. Un petit pâtre gardait là des moutons qui paissaient l'herbe maigre et salée. Le comte Henri sortit une longue-vue de sa valise et la promena sur le large. Il n'y avait pas précisément de tempête, mais le vent d'aval fraîchissait, et les bateaux pêcheurs rentraient à force de voiles. Par contre, quelques caboteurs essayaient de sortir avec le reflux, et, malgré le courant qui les poussait, avaient grande peine à gagner du vent. En dehors des passes, il y avait deux bricks qui couraient la même bordée, essayant de serrer le vent pour s'éloigner de la côte. C'étaient deux fins voiliers, piquant au plus près tous les deux et résistant vaillamment à la dérive. Néanmoins, quand ils virèrent pour prendre leur second bord, ils avaient tous deux considérablement perdu.

– M. le comte, dit Robert, il n'est pas besoin d'être marin pour voir que la porte est close pour aujourd'hui. Je ne sais pas si un aviso de l'État gagnerait l'île de Wight avec ce vent debout !

– Petiot ! appela le comte Henri.

Le gardeur de moutons s'approcha.

– Es-tu du Hourdel ?

– D'à côté, not'maître.

– Voilà un écu. Tu mèneras les deux chevaux chez ton maître, qui les conduira au Soleil d'Or, à Saint-Valery. Il y aura deux écus pour lui.

Le petiot lança son bonnet en l'air et siffla comme un merle. L'instant d'après, son troupeau, son chien et lui, qui tenait les deux chevaux par la bride, descendaient la pente escarpée.

– Est-ce que vous voyez votre affaire ? demanda Surrisy.

– Ils viennent, répondit Henri.

Robert regardait le large de tous ses yeux.

– Je ne vois que les deux bricks, dit-il : bonnes barques mais qui vont finir par rentrer se coucher, vous verrez !… Les navires sont comme de belles filles : ils ne peuvent donner que ce qu'ils ont !

– Homme de peu de foi ! murmura le jeune comte, dont les lèvres gardaient leur obstiné sourire.

Il étendit en même temps la main vers le sud-ouest, dans la direction du petit port de Carjeux, caché par les escarpements de la côte.

– Oui, oui, fit Robert, si nous avions à descendre au Havre, ça irait tout seul, c'est clair !

Comme il achevait, il aperçut une fumée floconneuse qui faisait une étroite bordure aux festons de la côte en se déroulant au vent. Les sommets pointus de deux petits mâts se montrèrent bientôt dans une échancrure de la falaise, puis l'orifice noir et ambulant d'une cheminée qui vomissait des flots de vapeur.

– Un *steam-boat* ! s'écria Robert.

Il ajouta d'un ton méprisant :

– Un joujou curieux !

À cette époque tous ceux qui, de près ou de loin, tenaient à la marine, affectaient le plus profond mépris pour la vapeur appliquée à la navigation.

La cheminée et les deux mâts gagnaient cependant contre vent et contre marée.

– Vous connaissez cela, Surrisy ? demanda le jeune comte.

– J'ai vu, l'année dernière, les expériences de M. le marquis de Jouffroy, en Seine ; c'est ingénieux, mais ça ne peut pas tenir la mer.

– C'est avec cela pourtant que nous allons tenir la mer aujourd'hui.

– Du diable ! s'écria l'ancien sous-lieutenant ; traverser la manche debout au vent par le temps qu'il fait, avec une grande barque qui a pour mâts deux manches à balai et dont la grand'voile serait trop étroite pour servir de mouchoir, autant vaudrait se mettre à cheval sur un cotret !

– Vous êtes libre de rester ou de venir, Surrisy.

Le vent portait du large ; on entendait maintenant distinctement les roues du petit bateau à vapeur ; et, à mesure qu'il avançait dans sa marche, contraire au vent et au reflux, on pouvait apercevoir à la crête des falaises une bordure de curieux. Il démasqua bientôt la dernière pointe qui le cachait aux regards de nos deux compagnons, et parut, une roue hors de l'eau et tournant comme une toupie, l'autre profondément enfoncée sous la vague. Il y avait une vingtaine d'hommes sur le pont, qui tous se découvrirent et agitèrent leurs chapeaux en poussant un hourra. Le comte Henri se découvrit également et salua par trois fois.

– Ils vont mouiller et envoyer leur canot, dit Surrisy. En avant, morbleu ! Personne au monde ne pourra se vanter de m'avoir laissé en arrière !

Il s'élança le premier dans le sentier tournant qui conduisait au petit havre situé en dedans de la pointe. Évidemment il aurait eu le cœur plus content s'il s'était agi de monter au lieu de descendre, de monter à l'assaut de cette même roche, défendue par un régiment prussien. Le courage est une vertu relative, et chacun choisit son danger. Robert allait ici en homme résigné à un péril suprême.

Le bateau à vapeur venait de mouiller en effet. Ses deux roues étaient immobiles. Il tourne au vent et montra son arrière, sur lequel était inscrit ce nom en lettres d'or : la *Délivrance*.

C'était un navire de 200 tonneaux, environ, fin de carène et admirablement façonné. Il était gréé en goëlette ; un œil exercé aurait pu apercevoir au-dessus de sa ligne de flottaison six sabords fermés.

Robert s'arrêta à moitié chemin de la grève pour voir tout cela. En lisant le nom de la goëlette, il se découvrit à son tour et salua silencieusement. Son regard, qui se releva sur Henri, exprima une sorte de repentir.

Le canot avait quitté la *Délivrance*, et forçait de rames vers le rivage.

Il y avait dedans dix rameurs et un officier.

– Je vais perdre aujourd'hui plus d'un préjugé, monsieur le comte, dit Robert en arrivant au bas de le descente. Mais on ne se refait pas en une minute, vous savez. Je vous jure que j'aurais plus de confiance en cette brave chaloupe qu'en votre diable de souffleur avec ses deux roues de moulin !

Surrisy n'avait jamais été que pilotin. Depuis l'aspirant jusqu'à l'amiral, les officiers de marine avaient un vocabulaire d'injures bien autrement opulent quand il s'agissait de bateaux à vapeur. Quant aux matelots, ils avaient employé du premier coup la suprême invective en déclarant que ces sabots n'étaient bons que pour des *soldats marins*.

Vous pouvez bien appeler un homme forçat évadé, là-bas, dans nos ports de l'Ouest ; les *forçats* sont *du monde*, et, pour s'évader, il faut des mains au bout des bras. Mais si le mot soldat-marin est prononcé par hasard, il y a un ventre de décousu.

L'officier qui commandait le canot donna deux ordres en anglais. Au premier, les avirons restèrent immobiles, au second, ils se dressèrent en double haie, comme on fait pour saluer un officier supérieur.

– Tout va bien, Perkins ? dit le comte Henri en touchant son chapeau.

– *All right !* répondit Perkins, un solide gaillard, au pied marin, qui se laissait balancer par le ressac, comme un ours marchant sur ses pattes de derrière.

– Très-bien ? très-bien ! milord, ajouta-t-il en français, sauf que j'ai mis la clef sous la porte, là-bas, et que la machine est en vente à *Auctions-Mart*.

– Nous allons remédier à cela, Perkins. Dépêchons, je vous prie.

Le canot accosta dans une eau relativement tranquille, à cause de l'abri de pointe, une roche plate qui avançait comme un môle. Deux-avirons furent lancés pour servir de points d'appui.

– Nous vous attendons seul, milord, dit Perkins d'un ton significatif.

– Vous nous recevez deux, mon camarade.

– M'est-il permis de demander qui est ce gentleman ?

– Le lieutenant Robert Surrizy.

– De la marine ?

– De la garde impériale.

Les matelots firent un mouvement et regardèrent Surrizy avec de sympathiques sourires. Jamais il n'avait vu des matelots avec des figures si blanches et des mines si policées. Mais on devait s'attendre à tout sur un bateau à vapeur.

Henri mit le pied sur le plat-bord et sauta de banc en banc. Robert en fit autant, mais les campagnes de Russie et de France l'avaient habitué à un terrain plus solide. Il chancela et tomba dans les bras d'un des matelots, qui lui mit deux gros baisers sur les joues.

– Le capitaine Gauthier ! s'écria-t-il en rendant l'accolade à la volée.

– Et moi ? dit le voisin.

– Le lieutenant Renault !…

Il avait les yeux éblouis et mouillés, mais son regard, en cherchait déjà d'autres.

– C'est tout pour le moment, garçon, dit le capitaine Gauthier, un bon réjoui à la moustache déjà grisonnante, mais tout le régiment y viendra peut-être au premier son du violon.

– J'en connais plus de vingt pour ma part, ajouta Renault, il ne s'agit que de commencer la danse !

– Les autres appartiennent à l'école polytechnique, à la marine, etc...., reprit Gauthier qui montra Surrizy à ses compagnons d'un geste qui équivalait à une présentation sommaire ; nous faisons un équipage comme on en voit peu... mais tout à l'heure, à bord, autour d'un bol de punch, je vous présenterai dans les règles.

– Décolle ! cria la voix impérieuse de Perkins ; borde les avirons ! nage partout !

Le capitaine, le lieutenant et les autres arrivèrent aussitôt à la manœuvre. Le canot glissa le long de la pierre plate, les dix avirons frappèrent l'eau en mesure, et l'embarcation, aidée par le reflux, cette fois, fila comme une flèche vers la *Délivrance !* Cette équipe d'officiers nageait à miracle.

À bord, tout le monde était sur le pont. La *Délivrance* avait une trentaine d'hommes d'équipage, dont dix vrais matelots, chauffeurs, etc., le reste se composait d'officiers français, dont quelques-uns avaient occupé des grades supérieurs dans l'armée impériale. Il y avait un colonel d'artillerie.

Ce furent ces derniers surtout qui reçurent le comte Henri avec une déférence voisine du respect.

Le capitaine commandant la *Délivrance* était un Anglais, M. Edmund Abercrombie, qui avait occupé le poste de second sur le premier bateau à vapeur américain.

Robert avait dans le cœur un enthousiasme grave et, en quelque sorte, un repentir concentré. Il aurait cru à Henri quand même un seul officier français eût été mêlé à un équipage de forbans et d'échappés de Newgate, – car en fait de conspirations, les conjonctures ne laissent pas souvent la liberté du choix. La vue des gens qui l'entouraient grandissait Henri ; Henri ne lui apparaissait plus que sur un piédestal.

Il se demandait avec contrition comment il avait pu douter d'Henri.

Un commandement anglais gronda sur le banc de quart et tomba, répété par la voix claire d'un mousse, jusqu'au fond de la chambre des mécaniciens. Le piston joua aussitôt que la soupape eut sifflé, le balancier oscilla et la toux du géant, d'abord lente, alla précipitant ses quintes. Le nuage de fumée jaillit hors du tuyau, les roues hésitèrent, puis tournèrent, et la goëlette, le nez à la lame et au vent, se prit à enjamber sans façon les montagnes liquides, au moment où les deux bricks découragés rentraient piteusement en rivière avec des ris dans leurs huniers.

XI

Pierre Louchet

Il fallut cependant des années encore pour que ce savant et illustre corps, la marine de l'État, voulût bien prendre en considération cette force qui fait reculer le vent et se rit de la violence même des courants. Il est vrai que l'Académie professait, vers le même temps, cette opinion : qu'une vitesse de dix lieues à l'heure, sur un chemin de fer, supprimerait la respiration chez l'homme et tuerait tous les malheureux assez fous pour se livrer à ces folles expériences. Il serait puéril d'accuser notre marine ou nos académies. Le monde est ainsi fait. Tout progrès gêne quelque intérêt ou froisse quelque orgueil.

Dans le doute, abstiens-toi, disait la sagesse antique ; la sagesse moderne répond : *Si tu ne sais pas, empêche !* Fera-t-on jamais le compte des hommes et des idées mis à mort au nom de ce fantôme idiot que les sages nomment l'INVRAISEMBLANCE ?

Il devait avoir un cœur trois fois doublé d'airain, s'écria Horace, celui qui, le premier, sur une planche frêle, tenta la colère des flots. C'est admirablement vrai. Ajoutons que les sages de son temps durent le combler de cruelles injures.

Mais, en tout siècle, les sages eurent beau se coucher en travers de la grande route où marche l'humanité, l'humanité passa. L'invraisemblance, grotesque épouvantail, recule ses brouillards devant la lumière. Des miracles, déclarés impossibles, se promènent paisiblement dans nos rues. Et tout va vite : voyez ! il y a de cela quarante ans à peine ; en cherchant bien, vous trouveriez certes encore, vivant et grignotant sa bribe du budget, quelqu'un de ces Spartiates dont la main tremblotante essaya d'arrêter la vapeur !

Comprenez-vous : Ils ne sont pas tous morts ! Ils vont en wagon comme les fils de Jouffroy, à qui ils ont volé la gloire de Fulton ! Et qu'une autre merveille surgisse, ils lui cracheront leur dernier rire au visage en blasphémant : Cela ne se peut pas !

Il n'y a que quarante ans de cela, et cela a transfiguré l'univers ! La paix et la guerre sont changées ; les extrémités de la terre se touchent ; les capitales se donnent la main ; la Fayette ne mettrait que dix jours pour aller embrasser Washington ! C'est pour prononcer le mot impossible qu'il faut maintenant avoir le cœur doublé, non pas d'un triple airain, mais d'une décuple peau d'âne.

Il allait, ce léger navire, premier-né de l'invention française, fils de ce magnifique génie auquel toutes les nations empruntent leur splendeur, fruit de cet arbre que la France elle-même, insouciante et ingrate, se garde toujours d'arroser, mais dont les moindres boutures deviennent des géants à l'étranger ; il allait, donnant son avant à la lame et bondissant comme un liége qui se joue des tempêtes pour rire d'un bassin.

Par le travers de Folkestone ; et comme les derniers rayons du jour montraient les falaises de Boulogne vers l'est, une corvette de l'État croisait. La corvette voulut voir de plus près cette poupée à ressorts : bons marins, bon navire et le vent, c'était chose bien facile ! Perkins se mit au timon, et la fumée sortit un peu plus épaisse du tuyau. La poupée à ressorts acceptait la partie de barres. Vous savez bien d'avance que le corvette n'y vit que du feu.

Le bol de punch promis était servi sur le pont, tandis que, dans la cabine, l'état-major, présidé par le comte Henri, tenait conseil. Le comte Henri était ici pour le monde le commodore Davy, – ou MILORD.

Robert, entouré de vieux camarades et d'amis nouveaux, presque tous membres de l'ancienne armée comme lui et ayant servi l'empereur sur terre et sur mer, jeunes comme lui pour la plupart, et quelques-uns déjà connus par des actions d'éclat, subissait une sorte d'ivresse morale. L'atmosphère régnante était du reste l'enthousiasme. On parlait de la révolution comme d'une chose faite, et du commodore Davy comme d'un demi-dieu possédant un pouvoir surnaturel ; l'heure du combat était ardemment appelée.

C'était ici l'avant-garde du mouvement, le bataillon sacré, dont chaque soldat avait mérité de marcher au premier rang ; mais l'armée existait, toute prête, quoique disséminée. En quelques jours, les cadres vides pouvaient être remplis.

La *Délivrance* avait fait déjà plusieurs fois le voyage de France, et sa machine, toute neuve, n'avait point chômé depuis qu'elle était sortie la première, parée de feuillages et de fleurs, des ateliers de Balcomb et Cⁱᵉ. Perkins en avait construit cinq autres, y compris la grande machine de huit cents chevaux, encore une chose impossible, qui, à Londres même, la ville où l'on permet le mieux au génie de chercher, avait excité une défiance universelle.

Le capitaine Abercrombie avait ses papiers en règle, et le navire était sa propriété ; aussi avait-il pu continuer librement ses voyages depuis que la maison Balcomb avait suspendu ses payements. La *Délivrance* était bien connue à Royal-Exchange et à la Bourse, où les capitalistes songeaient déjà à utiliser sa vélocité pour les opérations entre Paris et Londres. C'était purement un navire de commerce, et ses services devaient appartenir au plus offrant.

En attendant qu'il fît faire la navette aux *cours du jour*, ce navire de commerce avait déjà mis sous le pont de Londres quelques douzaines de jeunes et vieilles moustaches à qui l'air de la France ne valait rien.

La nuit était tout à fait tombée, et la corvette hors de vue, quand l'état-major sortit de la chambre du conseil. Tous les visages étaient radieux. Le vieux colonel ordonna que l'on emplît les verres, et porta la santé de l'empereur, à laquelle tous firent raison debout et découverts.

– Nous reverrons le drapeau, dit le colonel, et c'est au commodore Davy après Dieu que nous devrons la victoire ?

Tous les verres tendus se touchèrent de nouveau, et le nom du commodore retentit au milieu des acclamations.

Perkins avait quitté la barre. Il descendit à la chambre du conseil, où il s'enferma avec Henri.

– Eh bien ! lui dit le jeune comte.

– Eh bien, milord, si vous avez les poches pleines, peut-être arriverons-nous à temps.

– Peut-être ! répéta Henri, qui fronça le sourcil. La lettre de M. Wood m'annonce, la vente pour demain.

– Oui oui, je crois que c'est demain… mais il ne s'agissait que de quelques centaines de mille francs pour payer nos créances, et c'est par millions qu'il faudra compter en vente publique. Combien apportez-vous ?

– Deux millions sur Rothschild.

– Ce sera peut-être assez.

– Petit-être !… dit encore une fois Henri.

– Il y a pour dix mille livres sterling de fer, de cuivre, etc., milord, et moitié autant de main-d'œuvre. Ce n'est rien… Mais c'est une machine Perkins… du même Perkins, qui a fait marcher la *Délivrance* devant quatre cent mille cockneys, échelonnés sur les rives, sur les navires et sur les ponts, depuis Rotherhitbe jusqu'à Waux-Hall-Bridge… de Perkins, dont tous les constructeurs de Londres sont jaloux… Milk et Blunt en donneront 30,000 livres… Powels poussera à quarante… Samuel Brand ira à cinquante…

– Et qu'en fera-t-il ?

– Il la détruira.

Le jeune comte resta pensif. Perkins reprit :

– Soyez tranquille, je vous en ferai une autre plus forte, plus belle, plus légère… Je grandis : ils ne pourront jamais lutter contre moi.

– Il nous faut celle-là, dit Henri, nous n'aurions plus le temps.

Perkins haussa les épaules.

– Que gagnerez-vous à retirer cet homme de son rocher ? murmura-t-il. Avec mes machines je vous emplirai d'or la maison Balcomb des caves à la toiture… Dans dix ans toutes les mers fumeront… il n'y a plus que du vieux bois dans le chantier de Milk et Blunt… Powels fera faillite et Samuel Brand se pendra de rage, le vieux coquin !

Henri n'écoutait pas cette bienheureuse prophétie.

– Alors vous n'avez rien reçu de Prague ni de Vienne ? demanda-t-il brusquement.

– Si fait, répliqua Perkins ; j'ai reçu une lettre adressée à ce vieux coquin de Wood et qui arrêtait les frais… Le jeune homme disait dans cette lettre qu'il en avait assez, et qu'il voulait faire des restitutions si, par cas, ses frères avaient causé du dommage à quelqu'un… Je n'ai jamais mis l'œil au fin fond de cette affaire-là ; vous savez… je ne suis que pour les machines, Dieu-merci !… Nous avons manqué le payement du 30, après avoir demandé terme pour celui du 15… Milk et Blunt, Powels et Samuel Brand nous guettaient… Ils ont acheté les créances et remboursé les effets ; puis ils sont tombés sur nous comme trois plombs… et la chaudière a crevé : voilà !

– Je croyais que Frederick Boehm avait dû venir à Londres ? dit Henri.

– J'oubliais ! s'écria Perkins en riant. Il est venu pour consulter le vieux Temple, qui sait tout… excepté ce qu'il ignore… L'ami Wood a eu peur et s'est déjà vu la corde au cou. Il a imaginé une diable de mécanique avec ce chat écorché de Ned Knob… Le jeune comte Boehm et l'ancien intendant supérieur ont été arrêtés au moment où ils se mettaient en route pour Paris.

– Sous quel prétexte ?

– Comme complices dans l'assassinat de la Bartolozzi… À propos, Thompson a été pendu, vous savez, le pauvre garçon ?

Le comte Henri devint si pâle que Perkins lui prit les deux mains pour le soutenir.

– Vous avez bon cœur tout de même ! murmura-t-il ; quand je dis qu'il a été pendu, cela signifie seulement que c'était pour aujourd'hui, car, bien entendu, je n'assistais pas à la cérémonie… C'était un jeune homme bien doux et qui inspirait de l'intérêt à tout le monde, quoiqu'il fût le gendre du vieux Temple ; comme on l'a appris dans l'instruction… cela lui a fait du tort… et il est sorti de terre une demi-douzaine de témoins à charge qui l'ont jeté à l'eau avec une pierre au cou.

Henri versa de l'eau dans un verre et le porta à sa bouche.

– Êtes-vous bien sûr de ce que vous venez de dire ? demanda-t-il d'une voix altérée.

– Pour les témoins ?

– Non, pour la date de l'exécution.

Perkins compta sur ses doigts.

– Ma foi ! milord, s'écria-t-il après avoir réfléchi, depuis que nous vivons sur l'eau, je ne sais plus bien les quantièmes… C'était peut-être pour aujourd'hui, c'est peut-être pour demain. La chose sûre, c'est qu'on disait que le comte Boehm et Gregory Temple étaient renvoyés à l'autre session comme complices du meurtre, ainsi que Fanny Thompson, qui n'a pas comparu… et pour ce qui regarde le vieux Temple, cela a fait rire bien du monde.

Quatre heures du matin sonnaient à l'horloge de Greenwich quand la *Délivrance* passa à toute vapeur devant l'hôpital magnifique où l'Angleterre abrite la vieillesse de ses marins. Vers cinq heures, le canot débarqua le comte Henri et Robert Surrisy devant la douane de Londres.

Londres a un genre d'hospitalité qui lui est propre. Au moment où votre pied touche le sol de la grande Babylone, personne ne prend la peine de s'enquérir si vous êtes un malfaiteur ou un honnête homme. On laisse de côté votre moralité, mais on s'occupe terriblement de vos bagages : la douane de Londres est célèbre dans l'univers entier.

Henri et, Robert furent conduits au Custom-House, où deux gentlemen voulurent bien les interroger, les flairer, les peser et les tâter après quoi on les mit dehors.

Henri tendit la main à Robert.

– Nous nous séparons ici, Surrisy, dit-il. Vous avez vu ce que vous vouliez voir. La maison de réunion est à Spencer hôtel, Oxford street. Je ne serai pas plus de trente heures à Londres, et peut-être y resterai-je moins longtemps. À l'hôtel, on vous tiendra au courant, et vous pourrez m'y rencontrer… Au revoir !

Il sauta dans une voiture devant le monument du grand incendie de Londres, et ordonna au cocher de le conduire dans Old-Bailey.

Le long de la route, il tremblait la fièvre. Certes, son cocher pouvait l'instruire de ce qu'il voulait savoir, car à Londres rien n'est populaire comme les choses de la justice criminelle. Ce Londres, affairé, triste, est aussi avide de mélodrames judiciaires que notre gai Paris. Le caractère, à ce qu'il paraît, n'y fait rien ; la corde vaut le couperet ; ce sont toujours des représentations très-suivies.

Mais le comte Henri n'osa pas interroger son cocher. Je vous dis qu'il tremblait la fièvre.

Il fit arrêter précisément à l'endroit où M. Temple s'était affaissé contre la muraille, en sortant de Session-house. Il paya, et la voiture redescendit le pavé.

Le comte Henri était seul au milieu de la rue déserte, aux deux bouts de laquelle le brouillard gris s'épaississait. Un rayon de soleil rougissait le sommet des maisons, dont la base semblait noire.

Henri avait les yeux fixés sur la place même où l'ancien intendant de police avait subi la curiosité insultante des cockneys. Lui aussi défaillait, et les cockneys auraient pu le prendre aussi pour un homme ivre. Il fut une grande minute avant de lever les yeux vers cet étage sinistre d'où l'échafaud s'élance comme un pont suspendu entre la captivité et la mort. Au moment où il interrogeait enfin du regard la noire façade, qui certes ne pouvait pas répondre, car là, nulle trace ne reste de la pièce représentée et le drame fini emporte le deuil de son décor, un son de cloche accompagné par des bruits de roues se fit entendre dans le brouillard, au bas d'Old-Bailey. Le comte Henri se retourna ; un tombereau haut et formé de planches légères sortait du brouillard. Les planches étaient tapissées de papier jaune, amolli par la double humidité de la presse et du brouillard. Sur le papier jaune, il y avait des lettres gigantesques qui tremblaient aux mouvements du tombereau.

« *Just issuing ! Dispatch !* »

Voilà ce qui vient de paraître !

C'était, s'il est permis de toucher légèrement à de pareils sujets, l'affiche du spectacle prochain, et le livret de la funèbre pantomime promise aux amateurs. Tout cela *just issuing*, tout frais, sortant des presses d'Ave-Maria-Lane.

Un long soupir dilata la poitrine du comte Henri. Il connaissait son Londres sur le bout du doigt. Pour deviner de quoi il s'agissait un regard lui avait suffi. On ne vend plus le programme après le baisser du rideau. Il arrivait à temps !

– Holà ! gentleman, lui cria le conducteur du chariot avec un gros rire, retenez-vous déjà votre place pour demain matin ?... Si vous voulez m'étrenner, vous aurez, au prix d'un penny, seize pages d'impression en caractères neufs et sur panier de qualité supérieure, sortant de la maison Martins, la première dans Pater-Noster street et en Europe !... La vie et la mort de Richard Thompson, surnommé Jean Diable, gendre de Gregory Temple et assassin de la Bartolozzi, ses aventures, ses transformations ; sa célèbre évasion de Sidney, ses amours et autres en grand nombre... encore tout mouillé !

– L'ami, lui dit Henri, qui mit une couronne dans sa main, vous m'avez rendu un grand service sans le savoir. Buvez à ma santé !

– Et vous ne voulez pas du livre, milord ? s'écria le courtier de la maison Martins ; vous avez tort. Il y a de quoi amuser les hommes, les dames et les enfants... Je remercie Votre Seigneurie... Je vais faire ce matin Pentonville, Islington, Kingsland, Hackney et Hoxton... Je reviendrai par Bethnal Green, n'est-ce pas ? et j'aurai vendu mon mille, s'il plaît à Dieu... cela ne fait aucun tort au Pauvre diable qui sera pendu...

Henri descendait déjà Old-Bailey. Le nuage sombre qui couvrait naguère ses traits avait disparu. C'était de nouveau ce fier et calme visage qui a traversé tout notre récit. Il prit Holborn, puis Chancery-Lane, et s'engagea dans ce dédale inextricable de petites allées qui séparait Lincoln-Inn-Fields des derrières de Covent-Garden. Le plus long, le moins large, le plus célèbre de tous ces coupe-gorge était Low-Lane, où florissait le Sharper's.

Il était environ dix heures du matin. Robert Surrizy avait pris le prétexte du déjeuner pour faire un tour à l'hôtel Spencer, dans Oxford street, et voir un peu ses amis les conspirateurs. Il avait trouvé du rosbif froid sous des cloches de métal dit anglais, du jambon en quantité, du thé, du café clair, et des gentlemen rouges qui mouillaient leur porter épais avec de l'ale aqueuse, mais de conjurés, point. Il n'y avait pas là un seul homme de l'équipage de la *Délivrance*.

Robert n'avait personne à voir dans tout Londres. Il s'en alla de guerre lasse, après avoir pris son repas, et gagna les parcs en se promenant. Il songeait, et n'accordait qu'un regard distrait aux moutons du roi tondant le velours des gazons, aux canards du roi barbotant au bord de la Serpentine, et aux dindons du roi gloussant dans les cabanes de Kensington. Malheureusement la statue d'Achille, comme on appelle à Londres, sans rire, le bronze du duc de Wellington, n'était pas encore érigée ; sans cela il aurait pu tuer cinq minutes à mesurer jusqu'où peut aller l'infatuation d'un peuple et le mauvais goût d'une époque.

Il songeait. Le problème que les événements avaient posé sur sa route était en partie résolu. Il avait voulu voir, il avait vu. Cette traversée devait rester dans ses souvenirs. Quel que fût désormais le mystère enveloppant la vie du comte Henri de Belcamp, il y avait une explication vaste et multiple comme le mystère lui-même. Ce que Robert avait vu donnait au comte Henri le droit de prendre tous les masques et de revêtir tous les déguisements.

Il eût voulu peut-être que cette démonstration fût moins éclatante, car son amour pour Jeanne vivait au fond de son cœur, et cet homme qui venait de forcer son admiration était son rival, son rival heureux.

Mais c'était une âme de soldat. L'enthousiasme du dévouement pouvait faire taire en lui la voix de la passion. Il le croyait, au moins, et cette parole était venue bien des fois déjà sur ses lèvres :

– Qu'elle soit heureuse ! je ferai comme elle a dit : je resterai son frère.

Il sentait de loin l'odeur de la poudre, et cela l'aidait.

– Vous êtes Français, monsieur, dit derrière lui une voix connue qui le fit tressaillir. Je suis un paysan de France, un ancien soldat de l'empereur, et je n'ai pas de pain.

– Pierre Louchet ! s'écria Robert avant même de se retourner.

Le bûcheron fit un bond de joie et remit, ma foi ! sur sa tête son chapeau, qu'il tenait humblement à la main.

– Le lieutenant ! dit-il les larmes aux yeux en se précipitant sur les mains de Robert ; nom d'un petit bonhomme ! il y a un bon Dieu !

– Es-tu donc encore ici, mon pauvre Pierre ! répliqua Surrizy étonné ; et comment a-t-on pu t'abandonner porteur d'un message comme celui dont tu étais chargé ?

– Êtes-vous là-dedans, lieutenant ? s'écria vivement le bûcheron. C'est une forêt de Bondy, croyez-moi. Le diable ne s'y reconnaît pas… Vous parlez de mon message ?… Je gênais l'Anglais là-bas… ou le Français… Est-ce qu'on sait le pays de ces gens-là ?… J'ai perdu la lettre en chemin, c'est vrai, la lettre qu'il m'avait donnée, mais je me souviens de l'adresse et du nom, qui n'était pas difficile… J'ai été chez ce M. Wood, dans le Strand… Je lui ai dit : *À l'avantage !* Il m'a répondu : Au plaisir ! et je cours encore… Lieutenant, connaissez-vous un vieux qui a nom M. Temple ?

– Certainement, répondit Robert.

– Celui-là est en train de devenir fou comme un lièvre en mars, mais ça m'a l'air d'un brave et honnête homme au fond, quoique… écoutez ! ils ont tous des manigances à n'en plus finir, et je perds la tête moi-même quand je regarde au fond de ce trou… Je m'étais donc fait commissionnaire dans Leicester square, qui est le quartier des Français… et, quand j'en voyais un qui avait un air comme ça, vous savez, je lui disais en douceur : À l'avantage !… Mais je t'en souhaite ? Des sauvages de banqueroutiers ou des commis voyageurs… pas seulement la queue d'un bon cousin ?

– Entrons ici, vieux Pierre, dit Surrizy en l'arrêtant à la porte d'une belle taverne, à la grille du parc dans Picadilly, tu vas me conter ton histoire en déjeunant.

– Ce n'est pas de refus, lieutenant.

Surrizy l'installa dans une confortable cage, et l'éternel rosbif arriva sous sa cloche de faux argent. Robert leva la cloche, et Louchet regarda d'un air attendri la superbe pièce de bœuf rôti qu'on livrait à sa discrétion.

– Pour avoir de belles viandes, murmura-t-il, ça y est ; mais on meurt de faim dans leurs rues comme des mouches... Excusez si je tape là-dedans, c'est pressé.

Il mit sur son assiette une bonne tranche, dont il commença l'attaque avec volupté.

– Mange, mange, mon ami Pierre, dit Surrizy, nous avons le temps.

Le bûcheron laissa tomber sa fourchette.

– Me laisserez-vous à Londres ? demanda-t-il.

– Je te promets de te renvoyer à Paris.

– Alors, soyez récompensé, mon manger ne me fera pas de mal... Où en étais-je ? au père du petit enfant qui va être pendu, pas vrai ?

– Tu ne m'as rien dit de cela.

– Bien, bien... nous en étions à M. Temple, qui m'envoya porter deux bouteilles de gin à une grande diablesse, là-bas, de l'autre côté de la Tour. Voilà que ça se trouve qu'il connaît mon Anglais et mon Anglaise. L'Anglais n'est pas le père, l'Anglaise n'est pas la mère, et je m'en doutais assez, parce qu'elle ne l'avait embrassé qu'une seule fois : j'entends le petiot... un amour d'enfant !... C'est un autre Anglais qui est le père... et lui, le vieux Temple, se trouve être le grand-père... Allez !

Il donna un vigoureux coup de fourchette et but une lampée d'ale.

– Pour être de bonne consommation, reprit-il, il n'y a pas à dire !... M. Temple devait donc m'emmener à Paris pour déterrer les deux corps morts dans la plaine à côté de Tivoli...

– Les deux corps morts !... interrompit Robert.

– Et ça aurait été facile de trouver l'endroit, poursuivit Pierre Louchet, à cause des chardons desséchés, et, un des morts ne devait avoir que quatre doigts à la main droite.

– De quoi me parles-tu là, vieux, dit Surrizy qui lui secoua le bras ; rêves-tu ?

– Vous ne savez donc pas que l'Anglais est en prison à Paris ? demanda le bûcheron étonné ; en prison pour avoir tué le même soir un homme à Lyon et un homme à Bruxelles ?

La bouche de Surrizy resta béante.

– Oui, oui, continua Pierre, ça paraît cocasse à première vue ; il n'y a pas mal loin de Bruxelles jusqu'à Lyon, et à moins de voyager sur un manche à balai comme les sorcières du temps jadis..., mais voilà : Les deux corps morts de Tivolì avaient fait le coup en leur vivant, et l'Anglais les avait par après couchés-là, sous l'herbe, à cette fin de les rendre muets... pas bête, hein, lieutenant !

Surrizy était pâle. Il avait les sourcils froncés convulsivement.

– Ah ! ah ! reprit Pierre, il y en a bien d'autres !... C'est Jean Diable, celui-là, entendez-vous, et, sous ce nom, ils vont étrangler demain un innocent, comme des brutes d'Angliches qu'ils sont dans ce pays-ci, depuis le premier jusqu'au dernier ! Écoutez voir !... Voilà que nous partons le soir, dans une chaise de poste un peu bien, moi sur le siége, avec un baragouin de cocher qui savait grogner : *right ! left !* et puis voilà tout... c'est pourtant bien facile de dire hue ! et dia ! à de pauvres bêtes !... Dans l'intérieur, ils étaient cinq : le poitrinaire, les trois Allemands avec leurs pipes, et M. Temple...

– Tu ne m'as encore parlé ni du poitrinaire ni des trois Allemands, interrompit Robert.

– Sans doute, lieutenant, répliqua Pierre, puisque c'est la première fois que je les voyais... Le poitrinaire était tout de même un bel homme plus grand que vous et l'air doux comme une pensionnaire... Les trois Allemands s'entr'appelaient docteur... Je n'ai guère vu que leurs pipes, de belles pipes !... Voilà que nous arrivons au premier relai, à cinq lieues de Londres ; sur la route de Douvres... C'était une petite auberge, sur la gauche du chemin... il y avait de la lumière, et je m'amusai à regarder. Je vis ce M. Wood qui m'avait mis à la porte ; il était avec une manière de singe habillé en gentleman. Le singe alla réveiller des gens de piètre mine qui dormaient sur la table ; ils vinrent autour de la voiture pendant qu'on changeait les chevaux, et l'un d'eux dit en levant une sale baguette ces mots qui me sont restés dans l'oreille : « Baï zy kigne ! » (*by the king*) au nom du roi, quoi ! et quelque chose après qui signifiait : Je vous empoigne ! Je criai par la portière : « Donnez-moi n'importe quoi pour taper, et je vas vous les arranger, moi tout seul, à la croque-au-sel ! » Le vieux Temple était de cet avis-là, le poitrinaire aussi, mais les trois docteurs se mirent avec les gendarmes... Vous savez, ça ne se nomme pas des gendarmes par ici, mais c'est toujours des argousins... Alors on appela le poitrinaire « mon prince » avec un nom russe : Alexis of... of... Le M. Wood et son singe n'étaient plus là. M. Temple me dit : « Retourne à Londres et attends-moi : ça ne peut pas durer... » Je t'en souhaite ! Voilà déjà du temps que ça dure, et voyez pour combien de jours j'ai mangé !

Il montrait du doigt le rosbif diminué de moitié.

– Et qu'est-il résulté de tout cela ? demanda Surrizy.

– Je ne sais pas lire en français, répondit Pierre Louchet, et il n'y a que des journaux anglais. C'est dommage, car on dit qu'ils mettent tout là-dedans... J'ai été à la cour de Sessions, parce que j'avais ouï conter dans Leicester square que M. Temple et M. Orloff... le prince Alexis Orloff, c'est ça !... doivent être interrogés. J'ai boxé pour entrer, et je n'ai rien vu ni entendu... Ils sont en liberté sous caution, mais je ne sais pas ce que c'est, et M. Temple n'a toujours pas reparu à son hôtel.

– Devant toi, interrogea encore Surrizy, n'a-t-on jamais donné à celui que tu appelles l'Anglais le nom de comte Henri de Belcamp ?

– Belcamp ! répéta le bûcheron stupéfait à son tour, – c'est le fils de M. le marquis qui s'appelle le comte de Belcamp !

– C'est le fils de M. le marquis, dit l'ancien sous-lieutenant, qui est en prison à Versailles, accusé d'avoir commis, dans la même soirée, un meurtre à Lyon, un meurtre à Bruxelles…

Pierre Louchet repoussa son assiette.

– Le fils de M. le marquis ne peut pourtant pas être Jean Diable ! balbutia-t-il abasourdi.

Robert lui mit la main sur l'épaule et prononça lentement :

– Marche droit, camarade. Souviens-toi que la police des rois ne recule devant aucun moyen pour nous écraser. Je crois que M. Temple est un honnête homme, mais il combat contre nous ; et qui sait si sa retraite, son arrestation et le reste ne sont pas les scènes d'une même comédie ? J'ai sacrifié plus que toi à la cause que nous servons tous deux, quoique je n'aie pas manqué de pain. Fais comme moi ; attends et sois prêt : l'homme qu'on désignait à tes coups est ton chef, le mien, et celui de tous ceux qui vont tirer l'épée pour la cause de l'empereur.

– Alors, dit Pierre Louchet, il faut prendre M. Temple, lui lier les mains, les jambes, et lui couper la langue ; car je ne sais pas tout moi, lieutenant, mais j'en sais assez pour affirmer que M. Temple le tuera !

XII

Auction-Mart

Entre la Bourse et la Banque de Londres, non loin du centre de ce royaume d'argot dont le Stock-Exchange est la capitale, s'élève à l'encoignure de Lothbury et de Throgmorton street un bâtiment vaste et de belle apparence, qui remplit là-bas, ou à peu de chose près, l'office de notre hôtel des commissaires-priseurs à Paris : c'est l'Auction-Mart, le marché à l'encan. Bien qu'en Angleterre ce mode de vente soit passé dans les mœurs, et qu'il se pratique très-souvent en l'absence de toutes les circonstances extrêmes qui l'accompagnent chez nous, Auction-Mart, bâti par la spéculation particulière, sert fréquemment aux encans forcés, lorsqu'il s'agit d'une volumineuse partie de marchandises, ou d'autres objets présentant une surface considérable.

Il y a là une langue particulière qui semble un patois de l'idiome pittoresque parlé au Stock-Exchange. L'argot est la joie des Anglais de tous les états. Par punition sans doute, la langue anglaise, en passant le détroit, devient chez nous un véritable et stupide argot dans la bouche des lions à la suite et des sportmen pour rire.

Il y avait aujourd'hui un nombreux et bruyant rassemblement devant la façade, ionique sur dorique, coiffée de son blanc fronton. Il n'était pas encore deux heures, et par conséquent la cloche du Stock-Exchange n'avait pas annoncé l'ouverture de la bourse des marchands. On flânait sur la place en s'entretenant de la nouvelle du jour.

La nouvelle du jour était la vente de la grande machine Perkins, mise à l'encan par suite de suspension de payements dans la maison Balcomb et Cie.

La machine était là, sous le portique, une admirable masse de fer poli et de cuivre étincelant. Les experts examinaient à la loupe les engrenages, les mouvements, les soupapes ; les savants discutaient sur le frottement et sur le mode de transmission ; les simples mesuraient l'énorme diamètre de la chaudière.

– C'est une *glutton* (gloutonne), dit le premier, Samuel Brand, gros juif au nez busqué, aux yeux ronds, à la peau vernie et tendue comme un tambour ; cela mangera plus de bonne houille que ne vaut ce Perkins. Ne dit-on pas qu'il fit, pour son plaisir ou autrement, une fois en sa vie, le voyage de Port-Jackson, gentlemen ?

– On dit tant de choses comme cela, répliqua un petit homme aigu comme un canif, M. Milk, de la maison Milk et Blunt. Ne dit-on pas que le jeune lord Peyton vous doit cinq cents livres sterling, monsieur Brand, parce que vous lui auriez remis cent guinées ?

– Monsieur Milk, riposta Brand, il y a une loi contre les calomniateurs !

– Cela fait deux lois avec celle sur l'usure, monsieur Brand.

– Du diable si cela marchera jamais ! s'écria M. Powels, autre gros bonnet du port. Il a voulu simplifier Watt et mêler ensemble Cowley et Vivian… Sur mon honneur, c'est un impertinent drôle, et sa mécanique est une patraque !

– Il faudrait être un *taureau* pour acheter cela ! dit Blunt avec mépris.

– Un canard estropié (*lame duck*), ou que Dieu me punisse ! ajouta Samuel Brand qui tourna le dos.

D'autres vinrent, examinèrent, mesurèrent et touchèrent. Les employés de la maison d'encan donnaient gravement leur avis. Quelques dames firent le tour de la machine : des marchandes qui parlaient de leur commerce, des ladies qui discutaient avec animation un cas de cant ou un point de toilette. Il y avait, bien entendu, plus qu'il ne fallait de cockneys. On entendait des propos de cette sorte :

– Je dis ceci, mistress Cake : avec ce bon cuivre et ce beau fer, sans parler de l'acier, car il y en a, je pense, un atelier de serrurerie aurait marché pendant cinq ans !

– Et croyez-vous, mistress Bloomfield, qu'il n'y a pas là de quoi faire bien des couteaux ?

– Et bien des casseroles, sur le nom du Sauveur !…

– Sir Arthur s'est comporté d'une manière *shoking*, voilà tout, ma chère !

– Les volans de lady Élisabeth n'avaient que sept pouces de hauteur, j'y engage ma conscience… et je puis affirmer sérieusement que la robe arrivait de Paris par le dernier paquebot… Ah ! voilà sir Lionel !

– Sur mon honneur ! je me mets à vos pieds, miladies… Vous savez qu'on fourre des chevaux maintenant dans ces cuves… huit cents chevaux, m'a-t-on dit… cela me paraît positivement une mystification !

– Vous avez, cher lord, un binocle adorable.

– Apporté de Paris par la dernière poste, je puis le certifier sur ma foi, mesdames.

Un employé du marché :

– Gentlemen, il est défendu de toucher avec des marteaux.

– Est-ce en verre, mon ami ? J'avais toujours supposé cela très-fragile.

Deux figures décentes, appartenant, l'une à Royal-Mathematic institution, l'autre à Royal-Philothecnic society.

– J'appelle une jolie loi, monsieur, celle qui se résume symétriquement par des carrés ou des racines, soit directement, soit en raison inverse, comme la loi de la chute des corps dans le vide… Toute progression géométrique a un charme particulier.

– Certes, certes !… je vais jusqu'à dire indubitablement !… mais cette unité qu'ils appellent une atmosphère me paraît variable comme un baromètre, monsieur… Je n'aime pas la poésie, voyez-vous… Leur cavalerie de vapeur fera éclater ce fer comme une coquille d'œuf !

Un cockney :

– Et cependant il y a en Tamise une goëlette qui marche avec ces manigances : je l'ai vue !

Nous n'avons pas été présentés l'un à l'autre, monsieur, et je n'ai pas à vous répondre… Un fait isolé prouve peu. Y a-t-il de la vapeur d'eau dans votre montre ?… Elle marche cependant, je suppose… Il faudrait un jury… et je m'inscris d'avance contre sa décision si elle est favorable. Mes opinions ont la fermeté d'un roc !

La bourse des acheteurs sérieux se formait dans un coin.

– Mettez-vous là-dessus, Bradley ? dit Samuel Brand.

– Pourquoi, s'il vous plaît ? Il y a du métal et des hommes à la maison… Quand je voudrai, je ferai mieux.

– Et sait-on, reprit Powels, à quel diable d'usage Balcomb destinait ce Léviathan ?

– À faire faillite, repartit Samuel Brand.

– Je me suis laissé dire, insinua un *taureau* que Black et Storm, de Greenwich, entendaient l'acheter pour établir un remorqueur en Tamise…

– Vous n'y êtes pas ! interrompit un *canard estropié,* la maison Walter fait construire un paquebot monstrueux destiné au service entre Londres et New-York… cela contiendra douze cents passagers.

On éclata de rire.

– Et Perkins lui-même, ajouta un troisième, n'est pas si bas qu'on le dit. Il y a une maîtresse pièce en construction chez Munro, et l'on parle déjà de réduire des deux tiers la traversée du Bengale.

On riait encore, mais certains regards sournois interrogeaient le cours des physionomies. Après cinq minutes de bourse, Powels, Milk et Blunt ainsi que Samuel Brand savaient à n'en pas douter qu'il se livrerait un acharné combat autour de cette machine, déclarée inutile et d'usage impossible par tous les hommes sérieux du marché.

La cloche sonna et la grande porte s'ouvrit, laissant voir les trois belles galeries intérieures. Une estrade avait été établie non loin de la porte, spécialement pour la vente de la machine Perkins, et l'auctionneur était déjà à son poste, avec son petit marteau d'ivoire et sa collection de bouts de bougies.

Sauf certains détails de forme assez insignifiants, le régime des ventes aux criées étant le même en France qu'en Amérique, qu'en Allemagne et en Angleterre, nous ne nous attarderons point à une description minutieuse. La cérémonie commença au milieu d'un nombre très-suffisant d'amateurs sérieux, enflé au décuple par les oisifs de toute sorte. Le commissaire ou auctionneur, ayant donné lecture du cahier des charges, mit la machine Perkins au prix de 10,000 livres sterling (250,000 francs).

Parmi nos lecteurs, ceux qui ont une connaissance spéciale de la matière doivent se garder ici de leurs appréciations ou se résoudre à entrer dans le calcul des circonstances. La machine Perkins ne pouvait avoir qu'une valeur de fantaisie. C'était un monstre dont aucun étalon existant ne pouvait baser le prix. Les chiffres des cours actuels n'ont aucune signification quelconque en face du fait historique que nous racontons. On peut dire que, selon le vent, l'humeur, le caprice de l'encan, la machine Perkins, aujourd'hui, représentait néant ou représentait des millions.

C'était pour le temps une admirable chose, et, au fond de l'âme, nul, parmi ceux qui savaient, n'hésitait à la regarder comme un chef-d'œuvre. Mais, outre que tout point de comparaison manquait et que nulle expérience n'avait été faite, l'intérêt opposait silence à l'éloge. Le prix jeté par l'auctionneur souleva un long murmure.

– Est-ce monté sur rubis comme un chronomètre ? s'écria Samuel Brand d'un ton bourru.

– Et pense-t-on se jouer des commerçants sérieux ? ajouta Milk avec dédain.

– Je l'aurais fait entrer dans la compensation de ma créance à tant *per centum*, dit M. Powels, s'il s'était agi d'un millier de guinées.

– Serviteur, messieurs, conclut l'aigu petit Milk, qui enfonça son chapeau sur sa tête et se dirigea vers la porte.

Derrière l'auctionneur, on pouvait voir maintenant l'énergique visage de Perkins, qui restait là immobile, pâle et les sourcils froncés.

À Londres, trois commissaires-priseurs réunis en consulte peuvent, du consentement des parties intéressées, baisser la mise à prix séance tenante. L'auctionneur voyant que tout le monde tournait le dos résolûment, prit l'avis des créanciers et de Perkins lui-même en l'absence de M. Balcomb, chef de la maison tombée, et envoya quérir deux de ses collègues.

On entendit de tous côtés ces mots :

– Perte de temps, perte de temps !

Mais un événement servit à tuer les quelques minutes qui suivirent.

Un coupé très-simple, attelé d'un beau cheval, s'arrêta devant le portique, en face de la machine. Un jeune homme, vêtu de noir avec une rigoureuse élégance, mit pied à terre et monta le perron.

Le nom de Percy Balcomb courut aussitôt de groupe en groupe, et il y eut un mouvement de curiosité générale, à laquelle ne se mêlait assurément aucune espèce de bienveillance.

– Voyons ! voyons ! voyons ! disait-on de tous côtés, c'est un oiseau rare, celui-là !

– J'ai prié vingt fois qu'on me le montrât en bourse ; mais il était trop grand seigneur pour faire lui-même ses affaires.

– Milord voyageait…

– Milord se reposera sous peu à la prison du Fleet.

L'espoir de voir milord à la prison pour dettes fit naître quelques sourires. Deux haies se massèrent près de la porte. Peu de gens, en vérité, connaissaient Percy-Balcomb dans cette respectable réunion. Sa bonne mine et l'exquise distinction de sa tournure firent un défavorable effet sur tout ce qui était marchand. Les simples curieux virent en lui un beau dandy qui avait fait danser trop lestement les guinées de sa caisse, et ce fut tout. Il prenait place derrière l'auctionneur, au moment où celui-ci, frappant la table de son marteau d'ivoire, annonçait à l'assistance que la consultation avait plus fin.

– À cinq mille livres la machine Perkins ! cria-t-il ; cinq mille livres !

Le chœur des marchands répondit :

– C'est trop !… c'est encore trop de moitié… Mettez cela à deux mille livres, et nous verrons !

Quelques figures nouvelles se montraient dans la foule : des figures tout à fait inconnues aux habitués d'Auction-Mart. Plus heureux ici qu'à l'hôtel Spencer, Surrizy n'eût pas été sans trouver désormais autour de la table plusieurs visages de connaissance. Une notable portion de l'équipage de la *Délivrance* était là, son capitaine en tête.

Le commissaire hésitait déjà devant cette défaveur générale, lorsque le regard de Percy-Balcomb croisa celui du capitaine Abercrombie.

Le capitaine rougit, ce qu'il n'eût pas fait devant une rangée de canons, et prononça d'une voix timide :

– Cinq mille cent livres, monsieur !

Perkins releva la tête, et son rude visage s'éclaira. Une fois la première mise posée, les intéressés ont le droit de surenchérir.

Perkins prononça un regard provoquant sur ceux qui venaient de l'humilier cruellement et de le siffler en quelque sorte, lui, l'auteur d'une grande œuvre ! Il dit tout haut :

– Je parie cent louis sur table que ni Samuel Brand, ni Milk et Blunt, ni Powels ne laissent aller désormais au-dessous de vingt mille guinées !

– Non-sens ! stupidité ! orgueil ! gronda-t-on dans les groupes.

– Je parie deux cents louis pour quarante mille ! s'écria Perkins.

– Un million ! allons donc !... À moins que ce ne soit pour la montrer au prix d'un schelling, comme toutes les mécaniques qui ne marchent pas !

– Est-ce bon pour diriger les ballons ? demanda M. Milk en haussant les épaules.

– Cinq mille cent guinées, répéta l'auctionneur.

– Cinq mille deux cents, dit un *taureau* qui voulait dépecer et vendre au poids.

– Trois cents, répondit le capitaine.

– C'est un jeu joué… commença Samuel Brand.

Mais il fut interrompu par la voix vibrante et calme de Percy Balcomb, qui prononça distinctement :

– Dix mille guinées !

Il y eut un mouvement très-vif dans la foule. Les gros bonnets se regardèrent.

– Ce n'était pas la peine de faire descendre la mise à prix, murmurèrent les naïfs.

– Onze mille ! jeta Powels.

Et il ajouta entre haut et bas :

– Pour faire pièce à Black et Storm qui sont quelque part là-dessous.

– Ah ! ah ! tu la veux, toi ! grommela Blunt.

Il toucha le bras de Milk, qui fit un signe d'assentiment et posa :

– Douze mille !

– Quinze mille ! couvrit orgueilleusement Samüel Brand.

– Vingt mille ! dit Balcomb…

– Mes cent louis seraient gagnés ! s'écria Perkins radieux : deux cents à quarante mille, deux cents contre cent !

Il y eut un silence autour de la table. Les yeux s'allumaient et les fronts prenaient des rides. Le commissaire impassible chanta :

– À vingt mille livres la machine Perkins !

Il avançait la main vers la bougie, quand le capitaine reprit :

– Vingt mille cent livres !

– Vingt mille deux cents, pardieu ! dit une voix cassée derrière lui.

Ceux qui étaient très-grands purent voir une pâle et grimaçante figure à la hauteur de l'épaule du capitaine. Le gentleman Ned était là.

– Dieu me damne ! gronda Powell, ce singe habillé doit être un agent de Walter… Vingt et un mille !

– Vingt-deux ! chargea aussitôt Milk.

– Vingt-cinq ! fit Brand.

– Trente mille ! laissa tomber Balcomb, qui ôta ses gant et se mit à son aise.

– Allons ! gentlemen ! cria Perkins en riant, deux cents contre dix pour quarante.

– Trente mille guinées la machine Perkins ! psalmodia l'auctionneur.

– Si Block et Storm établissent un remorqueur, dit Blunt, ils auront toute la place de Londres !

– Trente mille cinq cents ! grinça Milk.

– Quarante mille ! riposta Powels.

– Cinquante mille ! hurla Samuel Brand, dont le poing fermé frappa la table avec fureur.

– Soixante mille ! monta d'un seul coup Percy Balcomb, froid comme une statue. Il y eut un long murmure. Milk et Blunt baissèrent les yeux ; Samuel Brand essuya son front qui dégouttait de sueur.

Powels mit ses mains dans ses poches.

– Je suis trop riche pour faire de pareilles folies, dit-il : acheter un million cinq cents mille francs un bragas qu'il faudra démolir ou revendre mille livres, c'est idiot… Je donne ma démission !

Perkins avait croisé ses bras sur sa poitrine et posait en triomphateur.

On parlait de tous côtés tumultueusement.

– À soixante mille livres la machine Perkins ! proclama l'auctionneur.

Et comme personne ne répandait, il ajouta :

– Les bougies !

Une petite flamme brûla sur le bureau.

Un observateur doué d'un regard perçant eût remarqué un frémissement léger aux tempes de Percy Balcomb ; mais, à dix pas, son visage était de marbre et l'expression de ses traits annonçait une imperturbable certitude.

Bien des yeux étaient fixés sur lui en ce moment.

– Une fois ! dit le commissaire pendant qui la seconde bougie prenait feu.

– Il faut qu'ils y tiennent bien pour mettre soixante, mille livres, dit Blunt.

– C'est peut-être leur dernier effort, fit observer Milk… Tâtons !… Soixante mille cent livres !

– Soixante mille deux cents livres ! gronda Brand. Je vous suivrai au diable s'il le faut, vous !

– Quatre-vingt mille livres ! prononça Percy Balcomb de la voix qu'il eût prise pour dire bonjour à un ami dans la rue.

– Bravo ! cria le gentleman Ned. Voilà un lord !

– Deux millions ! murmurait la foule.

– Celui-là irait jusqu'à dix millions ! Pensaient à l'unanimité les taureaux, les ours et les canards estropiés.

Il n'y avait que l'auctionneur qui entendit battre le cœur de Balcomb.

Sur ses traits et, dans son regard, c'était un calme absolu.

Milk, Blunt et Samuel Brand firent comme M. Powels, ils mirent leurs mains dans leurs poches.

– C'est autant de gagné pour les créanciers, dit Blunt.

– S'il a de l'argent en poche, répliqua Brand, Black et Storm finiront à Bedlam !

– Quatre-vingt mille livres la machine Perkins ! prononça lentement le commissaire.

Et la première bougie brilla.

Les gros bonnets échangèrent bien, entre haut et bas, quelques malédictions sortant du meilleur de leur cœur, mais aucun n'osa surenchérir. Il y avait pour cela une raison capitale. Les dettes de la faillite Balcomb ne montaient pas à deux millions de francs : en conséquence, tout ceci pouvait n'être qu'une manœuvre destinée à pousser l'encan hors de ses limites raisonnables. Un schelling de plus, Balcomb allait peut-être s'arrêter et laisser, triomphant du succès de sa ruse, la machine à l'imprudent acquéreur. La vente publique est un jeu où il faut aussi deviner les cartes de son adversaire.

La première bougie s'éteignit et la seconde brûla.

L'auctionneur entendit plus libre la respiration de Percy Balcomb.

Ces figures inconnues mêlées à la foule avaient peine à réprimer l'enthousiaste expression de leur joie.

C'était une affaire jugée. La machine Perkins, quelle que fût sa valeur réelle, restait à son premier propriétaire, au prix de deux millions de francs.

La troisième bougie s'alluma.

Un silence profond régnait maintenant dans la salle, où tout le monde était immobile et silencieux.

– Trois fois ! dit l'auctionneur au moment où la dernière bougie allait s'éteindre.

Et il ajouta comme c'était son devoir :

– À quatre-vingt livres la machine Perkins !

Une voix faible, une voix de vieillard, rompit le silence et fit tressaillir l'assemblée entière, comme frémit le voyageur solitaire qui entend un bruit vague dans la nuit.

– À quatre-vingt mille cinq livres.

Était-ce un fou ?

Ce devait être un fou.

C'était un fou, car on le vit, avec une tête blême et des yeux ardens, qui glissait son corps maigre et tout tremblant de fièvre entre Blunt et Samuel Brand. Il s'arrêta entre la table et l'estrade. Son regard se fixa sur Percy Balcomb.

Tout le sang de Percy Balcomb monta à son visage.

Ses yeux battirent, puis il devint pâle comme un mort.

Le vieillard, c'était un vieillard, lui fit un signe de tête familier qu'il accompagna d'un sourire.

Ce sourire tranchait comme une lame.

Les taureaux, les ours et les canards estropiés regardaient cela bouche béante. Les gros bonnets eux-mêmes étaient puissamment intrigués et se demandaient :

– Pour qui fait celui-là ?

Balcomb lui rendit un grave salut.

Il avait changé deux fois de couleur, puis sa figure avait repris son impassibilité de statue, mais il y avait à ses tempes deux larges gouttes de sueur.

Chacun s'attendait à ce qu'il allait couvrir en se jouant cette surenchère de cinq guinées, lui qui tout à l'heure faisait des bonds de dix mille louis. Il garda le silence.

– Quatre-vingt mille cinq livres ! dit l'auctionneur en s'adressant à lui seul, est-ce qu'il faut allumer, monsieur ?

– Balcomb s'inclina en signe d'assentiment.

Un murmure semblable à celui que sa dernière et vaillante surenchère avait excité quand il avait sauté de soixante mille à quatre-vingt mille courut dans la salle et dura tant que brûlèrent les trois bougies.

– Votre, nom, gentleman, demanda, l'auctionneur au vieillard, comme le troisième feu allait s'éteindre.

Le Vieillard monta les degrés de l'estrade et satisfit à la demande.

Le marteau d'ivoire retentit. La dernière bougie fumait.

Tout vu, tout entendu, personne n'ayant dit mot, prononça solennellement l'auctionneur, la machine Perkins est adjugée, pour le prix de quatre-vingt mille cinq livres sterling, à Gregory Temple ; esq., ancien intendant supérieur de la police de Londres.

La foule s'écoula, causant et riant. Une main adroite s'appropria, en dehors de toute enchère, le binocle de sir Arthur. Nous ne répondons ici que du gentleman Ned.

Quelques instants après, Percy-Balcomb marchait entouré de Perkins, d'Edmund Abercrombie et des marins de la *Délivrance*. Ils ressemblaient à un cortège funèbre.

Au lieu de répondre aux questions découragées de ses amis, Balcomb s'arrêta tout à coup et dit :

– Messieurs, je pars pour Paris demain. Il me reste le quart d'un jour et une nuit entière. Capitaine Abercrombie, je vous donne mandat de faire remonter en rivière le trois-mâts l'*Aigle,* qui est à l'ancre sous Greenwich. Ce navire aura l'honneur de transporter à la côte de Guinée ceux que vous savez et la machine de notre ami Perkins. Il devra se mettre en charge au dock Saint-Sauveur aujourd'hui à dix heures du soir... Perkins, vous retiendrez la maîtresse-grue du dock pour toute la nuit... Messieurs, il faut que nous puissions saluer demain en doublant l'île Thanet la machine en marche pour sa destination glorieuse ou que chacun de vous brise son épée et porte le deuil de ses espoirs... Je vais jouer ma dernière partie, et je n'ai pas besoin de vous : à demain !

XIII

In extremis

Cela avait la forme d'un dé à jouer que l'on aurait creusé : c'était un trou, dans la pierre de taille, un trou, parfaitement cubique, dont les murailles lisses étaient peintes au moyen d'une détrempe jaunâtre. Il y avait une fenêtre, fendue en large, comme une bouche sans lèvres, et protégée par un seul barreau de fer. Les Anglais écrivaient et parlaient déjà depuis longtemps avec une fluidité prolixe la langue des réformes généreuses ; mais la pierre de Portland a son langage aussi, moins bavard, plus éloquent, et Newgate est encore debout !

Les cachots du moyen-âge étaient hideux autrement ; peut-être en somme l'étaient-ils davantage : nous n'en avons vu que les ruines. Newgate se porte bien et la santé est toujours une beauté. Newgate est hideux entre toutes les choses hideuses et la geôle de Mazas, croquemitaine de pierre qui grimace l'*in-pace* au milieu des sourires de notre civilisation, est un palais de gaieté auprès de Newgate.

On pouvait respirer dans la cellule. Le nombre de pieds carrés nécessaires à la vie humaine était scientifiquement réservé ; le soupirail avait la mesure voulue pour que l'asphyxie ne se produisît point. C'était meublé d'une chaise en bois massif, attachée au mur par une chaîne, et d'un cadre en planches recouvert d'un matelas de laine. Luxe plus grand encore, une chandelle brûlait à terre dans un lourd bougeoir de plomb.

Ce luxe coûtait cher. Dans la discussion parlementaire sur le régime des prisons, qui eut lieu quelques années plus tard, après l'avènement de Georges IV, on parla de chandelles qui se vendaient une guinée.

Les cachots du moyen âge étaient humides et noirs : ils avaient d'étranges voûtes, des nervures effrayantes, des carcans scellés dans le granit, comme on peut bien le voir au théâtre de la Porte-Saint-Martin. Ces souvenirs, quelle que soit l'exagération des peintres et des poëtes, sont terribles, lugubres et honteux. Le coffre de pierre que l'humanité anglaise referme sur son captif ferait moins d'effet au théâtre ; c'est incomparablement moins pittoresque ; cela se rapproche mieux de la paix du cercueil. Ici le sinistre n'a point de fioriture ; c'est le laid sobre et l'horreur puritaine.

Il était aux environs de minuit. La bête fauve emprisonnée dans cette cage ne dormait pas. Aux lueurs vacillantes de la chandelle qui l'éclairait d'en bas, vous eussiez reconnu d'un coup d'œil Richard Thompson, malgré sa maigreur et le mortel changement qui s'était opéré dans sa physionomie. Il était assis sur sa chaise, la tête et le cou nus. Il n'avait pour vêtemens que son pantalon et sa chemise. Ses mains croisées sur ses genoux étaient prises dans cette espèce particulière de menottes que les Anglais appellent *manicles*. Ses jambes s'étendaient droit devant lui ; sa tête pendait sur sa poitrine.

Ses joues creuses étaient si pâles, l'immobilité de son affaissement était si complète, qu'on l'aurait pu croire mort, s'il n'eût été difficile qu'un cadavre se tint dans cette position sur un siège étroit.

Auprès de lui, un papier froissé traînait sur la dalle.

L'horloge de l'église de Saint-James sonna. Le prisonnier rentra ses épaules comme un homme qui a froid, mais il ne se leva point pour prendre sa houppelande, jetée sur le pied du lit. Il ramassa ses deux genoux tout contre sa tête, et prit cette pose que les peintres donnent volontiers aux malheureux frappés d'idiotisme.

Il n'était pas idiot, cependant. Au bout d'une minute ou deux, ses paupières baissées s'ent'rouvrirent ; ses pauvres yeux agrandis et ardens regardèrent droit devant lui et restèrent fixés sur la muraille.

La lumière frappait la muraille vivement. Il y avait sur l'enduit jaune une sorte de pochade, tracée naïvement et grossièrement, au charbon, par une main novice. Cette pochade eût arraché les larmes de vos yeux.

Elle représentait, Dieu sait comme, mais de façon du moins à ce qu'on ne pût se méprendre, une femme agenouillée auprès d'un petit enfant qui dormait. Au-dessous, il y avait deux noms écrits : Suzanne, Richard.

Un jour, un porte-clefs avait voulu effacer cela en nettoyant la cellule. Thompson s'était traîné à genoux pour embrasser ses pieds. L'homme avait haussé les épaules ; il n'était pas méchant : la pochade resta sur la muraille. Thompson passait ses heures à la regarder.

Son imagination et son cœur, moins impuissants que ses pauvres mains garrottées, donnaient à cette informe esquisse la couleur et la vie. Son rêve animait les lignes tremblées du dessin, et bien des fois cette muraille froide lui avait souri par les yeux mouillés de sa femme et par les lèvres entr'ouvertes du petit enfant, qui balbutiait le nom de son père.

– Soixante-huit jours ! murmura-t-il les yeux fixés sur l'esquisse. Suzanne m'aimait bien !… Sait-elle que je vais mourir ?

Sa paupière retomba, tandis que ses lèvres pâles remuaient comme s'il eût murmuré une prière.

Nous l'avons vu beau et conservant je ne sais quoi des joyeuses insouciances de sa nature, le fils de la comédienne, élevé sans doute dans une atmosphère de gaieté et de plaisirs ; nous l'avons vu, frappé déjà, mais gardant encore à ses lèvres la saveur des baisers de son fils. Lady Frances ne lui reprochait qu'une chose, à ce jeune homme brave et bon, sa faiblesse.

Eh bien ! il y a des faiblesses qui ne sont que la noble bonté. Richard n'était pas faible en face de la mort. Quand il pleurait, c'est que deux êtres chéris venaient visiter sa solitude ; il fallait maintenant la pensée de Suzanne et du petit Richard pour amollir son cœur.

Il souffrait bien. Il souffrait trop, et n'avait pour appui aucun de ces mobiles au moyen desquels l'âme exaltée brave la torture. Il n'avait à confesser ni foi politique, ni croyance religieuse. Il ne tombait pas sur un champ de bataille. C'était une mort obscure et triste qui montait, qui montait autour de sa jeunesse comme le niveau de la marée homicide qui va noyer le malheureux dont les pieds sont pris dans le sable mouvant des grèves.

Dieu lui avait enlevé une à une toutes ses joies avant de le river à l'immobilité de cette lente agonie.

On l'avait aimé, il avait tenu dans ses bras l'idole de son cœur ; celle qu'il adorait lui avait donné un fils ; ils auraient pu compter les heures de cette félicité sitôt enfuie. Un mur était sorti de terre, un mur de deuil, le séparant de toutes ses joies et l'emprisonnant dans le désespoir.

Il n'avait jamais revu Suzanne depuis le temps, et Suzanne ne lui avait pas écrit une seule fois.

Oh ! l'amour trouve moyen d'escalader les murailles d'une prison et de percer le chêne épais des portes ; il n'est point de cachot si sombre où ne puisse pénétrer un rayon d'amour !

Une lettre, une ligne, le nom de Suzanne sous ces trois mots ; je t'aime !

Mais rien ! Où était-elle ? Savait-elle ?

Il ne doutait pas de Suzanne. Il souffrait. Il regardait parfois dans l'avenir l'enfant triste qui allait grandissant sous l'aile de sa mère.

Il les écoutait parler de celui qui n'était plus. L'enfant demandait l'histoire de son père.

Mais quelle histoire racontaient les larmes de la veuve ?

C'était ici la main de fer qui lui tordait le cœur. Quelle histoire !...

Il disait à Dieu : Le monde m'a condamné, que votre volonté soit faite ! mais pour elle, ah ! pour elle, faites tomber sur mon innocence le rayon de votre lumière ! Qu'elle n'ait pas cette douleur et cette honte ; laissez l'honneur à son deuil !

Il disait encore : J'ai souffert trois parts. Rendez-leur en joie mes tortures. Ce sont mes héritiers, Seigneur, à moi qui n'ai point d'héritage ; que ma mort soit un patrimoine ! Je bénis votre main qui me frappe, si elle amasse pour eux les trésors de votre miséricorde !

Non, celui-là n'était pas faible. Qu'ils soient bénis ceux qui n'ont point de haine ! Il doutait de James Davy désormais, et il regardait M. Temple comme son bourreau. Ni James Davy ni Gregory Temple n'eurent une malédiction de sa bouche.

Tout était fini. Les préliminaires de l'instruction, envoyés de Paris par l'ancien intendant supérieur de police, avaient cette terrible solidité propre à chacune de ses œuvres. La justice anglaise, lancée dans cette voie et impatiente d'en finir avec une affaire qui avait jeté sur la police tant de défaveur et tant de ridicule, avait marché à grands pas. Comme il arrive toujours, une fois que les mains liées du hardi malfaiteur ne furent plus à craindre, les témoins surgirent de toutes parts.

Nous avons vu au Sharper's, dans la chambre de Jenny Paddock, la première répétition d'une comédie qui fut jouée quelques jours après à l'audience avec un merveilleux ensemble et avec un complet succès. Les dépositions échelonnées des *poulets-vierges* portèrent le dernier coup à Richard Thompson, en achevant de convaincre le jury. Le verdict fut dès lors affirmatif sur toutes les questions, et la cour prononça la sentence de mort.

Le papier froissé qui gisait à terre aux pieds du prisonnier était une copie à lui notifiée de l'arrêt des juges de l'Échiquier qui rejetait son appel.

Quelques minutes après minuit, l'homme qui était chargé de Thompson ouvrit la porte de sa cellule et entra d'un air bourru. C'était celui-là même qui avait épargné l'esquisse sur la muraille. Il avait le visage écarlate et les yeux troublés.

À peine entré, ses paupières battirent et ses gros sourcils se froncèrent.

– Avez-vous quelque autre mauvaise nouvelle à m'annoncer, ami Clarke ? demanda Richard avec douceur.

– On ne se couche donc pas aujourd'hui ? balbutia l'homme qui avait la langue épaissie. Le diable soit de moi ! je perdrai ma place pour ma sensibilité !

– Je me coucherai si vous l'ordonnez, Clarke, répliqua le prisonnier, mais je n'ai pas sommeil.

– Sommeil ! répéta Clarke qui tourna brusquement sur ses jambes chancelantes.

Son regard tomba sur l'esquisse, et un juron tomba dans sa gorge, tandis qu'il détournait les yeux.

– Que je sois pendu moi-même si je ne rêve pas de toute cette histoire-là ! dit-il entre haut et bas.

Puis il ajouta d'une voix rauque :

– J'ai bu pour me mettre en cœur, monsieur Thompson. Voulez-vous boire, vous aussi ?... ça remonte !

À ce moment on entendit le bruit d'un maillet de charpentier qui frappait à coups redoublés sur le bois.

La tête du prisonnier se redressa, et l'on aurait pu lire un sentiment d'angoisse dans son regard. Ses yeux quêtèrent autour de lui comme s'il eut instinctivement cherché une issue pour fuir.

– Voulez-vous boire ? répéta Clarke qui détourna de lui sa vue.

– Pourquoi boire ? prononça Thompson dont la voix s'étrangla dans son gosier.

L'homme ne répondit pas. Le maillet allait sur le bois, éveillant dans les grands corridors de la prison un écho retentissait et sinistre.

– Suzanne ! ma pauvre Suzanne ! murmura Thompson qui joignit les mains.

– Oui ! oui ! grommela Clarke en portant sa manche à ses yeux mouillés : et le petit enfant, n'est-ce pas ?... Pardieu, oui !... Que l'enfer me brûle !... Il ne fallait pas tuer la comédienne, garçon !...

– Sur l'espoir de mon salut, je suis innocent ! s'écria Richard.

– Pardieu, oui ! ça m'est bien égal, garçon... C'est l'idée de ce qui est là sur le mur, voyez-vous bien... Il y a chez nous la femme et le petit aussi... Ah ! j'ai bu ; voulez-vous boire ?

Il ouvrit sa veste et montra une bouteille. Un de ceux qui dressaient l'échafaud au dehors se mit à chanter. Clarke déposa la bouteille à terre et ferma les deux poings.

Puis, comme il vit que Thompson frissonnait, il alla prendre la houppelande sur le pied du lit et lui en couvrit les épaules.

– Ce n'est pas de peur ! dit le jeune prisonnier qui essaya de sourire.

– C'est Lewis qui chante comme cela, gronda Clarke, je me charge de le retrouver… Buvez un coup, garçon.

– C'était de froid, vous voyez bien, dit Thompson qui avait repris son calme. Je vous remercie, mon ami, mais je n'ai pas besoin de boire… C'est pour demain, n'est-ce pas ?

Clarke saisit la bouteille et en fourra le goulot dans sa bouche.

– À quatre heures du matin, répondit-il… J'ai raconté à la femme la chose qui est là sur le mur… elle a dit que si vous vouliez n'importe quoi à manger ou à boire…

– Ne m'enverra-t-on pas un prêtre, mon ami ? interrompit le prisonnier.

– Je savais bien que j'oubliais quelque chose !… c'est ce Lewis et sa misérable chanson… Le ministre est en bas avec sa Bible…

– Je vous prie de lui annoncer que je suis prêt.

Clarke fit un pas vers la porte, puis il s'arrêta et revint.

– La femme a dit que si vous aviez quelque chose à envoyer…, murmura-t-il, vous savez… pour ceux qui sont là sur le mur… elle ira où vous voudrez.

– Je vous remercie, mon ami, répliqua Thompson, qui avait des larmes plein la voix. J'ai un médaillon pendu à mon cou. Si vous voulez me rendre un grand service, vous ôterez les cheveux qui sont dedans, et vous les mettrez sur mon cœur, quand on va m'ensevelir… Vous couperez un peu de mes propres cheveux, que vous renfermerez dans le médaillon, et je vous dirai demain matin à qui l'envoyer, mon bon ami Clarke.

Le porte-clefs arracha sa main que Thompson tenait et se précipita hors de la cellule.

Thompson resta seul. Les coups de maillet ne le faisaient plus tressaillir. Il entr'ouvrit sa chemise et prit le médaillon qui pendait à son cou. Il le regarda longuement et le pressa contre ses lèvres en murmurant :

– Adieu, ma Suzanne chérie ! adieu, mon petit Richard bien-aimé !...

Puis il demeura immobile et recueilli en lui-même. Au bout de quelques minutes, la voix de Clarke se fit entendre de nouveau dans le corridor.

– Révérend, disait-il, c'est notre métier de prendre des précautions. Le doyen avait dit qu'il viendrait lui-même... Du moment que vous avez la lettre, signée de lui, comme quoi vous le remplacez, tout est bien...

À une question, faite sans doute par le révérend, il répondit :

– Vous savez, ils sont tous innocents..., mais celui-là, moi, je n'en ai jamais vu de pareil, depuis quinze ans que je mange le pain du roi... La comédienne a été étranglée, voilà, le sûr !... Après ça, dans quelque temps d'ici, un coquin nous dira peut-être, en montant sur les planches, là-bas, avec vous ou un autre derrière lui : C'est moi qui avais étranglé la comédienne... Chez nous, ça n'est pas si rare que les vaches à trois cornes... Entrez, et, pour sortir, frappez solidement à la porte en demandant Joseph Clarke.

La porte s'ouvrit, puis se referma à double tour. Thompson avait devant lui un ministre de la communion anglicane dont le visage était à découvert et qui portait à la main une Bible volumineuse.

Thompson le regardait et cherchait dans ses souvenirs à quel visage connu cette figure inconnue, austère et douce à la fois sous ses cheveux noirs, ressemblait.

Il se leva pour saluer.

Le ministre anglican déposa sa Bible sur le lit et ôta son grand chapeau du même coup que ses cheveux noirs, laissant voir de gracieuses boucles blondes sous lesquelles souriait le jeune et hardi visage de James Davy.

Thompson recula stupéfait. Un cri voulut s'échapper de sa poitrine, mais la main du révérend était déjà sur sa bouche.

– Mieux vaut tard que jamais, Thompson, dit-il tout bas.

– Quelque chose me disait que vous viendriez, James, murmura Thompson les larmes aux yeux.

– Je me perds dans tous mes noms, Richard, répondit le révérend en souriant ; appelez-moi Henri, qui est mon vrai nom, Henri de Belcamp ; mes amis me connaissent ainsi désormais.

– Désormais !..., répéta Thompson. Je n'ai pas à vous apprendre ce que ce mot signifie pour moi maintenant.

– Il signifie l'avenir, Richard, la jeunesse, le bonheur… Pensez-vous que je sois venu ici pour vous préparer à mourir ?…

– Comment avez-vous fait ?… demanda le condamné.

Car la joie fait de ces puériles questions.

– J'avais promis à Suzanne de vous sauver, Richard.

Cette fois, ce ne fut pas le dernier mot que Thompson répéta. L'idée de salut elle-même disparut devant la pensée de Suzanne.

– Suzanne ! s'écria-t-il ; oh ! parlez-moi de Suzanne ! parlez-moi de mon petit Richard…

– Je vous parlerai de tout ce que vous voudrez, Thompson ; mais en besogne, s'il vous plaît ! Je ne vous ai pas apporté les ailes d'Icare… et Icare n'aurait pu passer par cette abominable fente qu'ils nomment une fenêtre… Vous avez un pantalon noir c'est déjà quelque chose ; jetez bas votre houppelande, et faisons vite, car un autre visiteur va venir, et celui-là, c'est moi seul qui dois le recevoir !

Le comte Henri agissait tout en parlant. Son mouchoir fut suspendu vivement au-devant du trou de la serrure, pour arrêter les regards indiscrets, la houppelande vola sur le lit et la grande Bible fut ouverte.

La grande Bible était le contenu principal de cette précieuse valise que le comte Henri de Belcamp avait apportée de Versailles.

C'était une boîte de toilette, de toilette théâtrale.

Et nous savons si le comte Henri était un habile transformateur de physionomies. En un clin d'œil Thompson, moitié bon gré, moitié malgré, fut peint depuis le menton jusqu'à la racine des cheveux : un véritable tableau de maître qui reproduisait à s'y méprendre la figure même du révérend James Davy.

– M'expliquerez-vous ?... commença-t-il.

– Évidemment, interrompit Henri. D'abord, Suzanne n'a qu'une maladie, c'est sa tristesse. Elle vous aime toujours de tout son cher petit cœur...

– Oh ! merci, merci !... murmura Thompson.

– Il n'y a pas de quoi... En second lieu, le petit Richard est un amour qui a deux mères : Suzanne et Sarah... C'est le plus heureux et le plus bel enfant du monde... Si vous pleurez, mort-diable ! vous allez gâter ma peinture... Il ne faut pas croire, pauvre ami, que j'accomplisse un acte d'héroïsme c'est purement et simplement mon devoir que je fais, et je reste encore votre débiteur pour tout ce que vous avez souffert... Je pense être en mesure un jour d'acquitter cette autre dette.

– Généreux ami ! s'écria Richard, ne vous souvenez-vous plus de tout ce que vous avez fait pour moi ?

– Tenez-vous bien, que je pose la perruque ! À vous, comme à beaucoup d'autres, j'ai prêté peu, j'ai emprunté davantage ; ce n'est pas l'heure de régler nos comptes... Le très-honorable Peter Trump, doyen du clergé de Saint-James, n'aurait pas su vous ajuster comme cela, non !... Mais M. Temple nous en a appris bien d'autres !...

– Figurez-vous, continua-t-il en riant, que ce bon doyen, Peter Trump, est retenu prisonnier en ce moment par quatre belles dames, dont deux comtesses, ma foi ! qui ne savent pas si bien faire !... L'an prochain, si vous voulez, vous serez le lion de la saison, après une pareille évasion.

– Je vais donc m'évader ?... dit Richard qui se laissait tourner et retourner comme un enfant.

– Commencez-vous à vous en douter, Thompson ?... Sur une parole ! si je n'étais parfaitement sûr que dans un quart d'heure vous aurez la clef des champs, ce bruit qu'on fait là-bas m'empêcherait bien de rire.

Il s'arrêta un instant pour écouter les charpentiers qui cognaient de tout leur cœur.

– Il y a loin d'ici la liberté ! soupira Thompson.

– Deux cents pas et cinq minutes d'effronterie, ami... Je suis bien entré, pourquoi ne sortiriez-vous pas ? Donnez vos bras, je vous prie, que je vous passe ma douillette... et faites bien attention à ceci le révérend parle tout bas, il a une extinction de voix.

– C'est donc cela que je ne vous entendais pas dans le corridor !...

– Précisément. J'ai pris mes précautions, parce que je ne pouvais changer votre voix comme votre visage... Le remplaçant du doyen Peter Trump doit marcher d'un pas tranquille et discret, sans affectation... Essayez, je vous prie... Plus de dignité... j'allais dire plus de vanité... vous venez de faire un grand acte et votre nom sera demain dans le *Times*... Au chapeau maintenant... Si l'on vous interrogeait par hasard, vous êtes John Gravesend, adjoint au vicaire de Saint-James... Répétez le nom.

– John Gravesend.

– Plus bas... chuchotez-moi cela avec effort... avez-vous oublié l'extinction de voix ?

– John Gravesend, répéta pour la seconde fois Richard, adjoint au vicaire de Saint-James.

– Parfait... Vous allez tout uniment suivre Clarke, votre Bible sous le bras... S'il ne dit rien, vous ne direz rien..., s'il vous interroge, vous répondrez du fond de votre gorge malade : « Ah ! le malheureux garçon !... ah ! le pauvre jeune homme...

– Mais vous ? demanda Thompson.

– Ne vous inquiétez pas de moi... Quand je devrais passer au travers les murailles, il faut que dans quelques heures je sois sur la route de Paris : c'est promis... Êtes-vous prêt ?

– Je suis prêt à braver mille morts pour revoir ma femme et mon enfant, répondit Richard.

– Vous ne bravez rien du tout... faites seulement provision de sang froid et ne vous pressez pas... Maintenant, souvenez-vous bien de ceci : en arrivant sous la voûte, vous direz aux guichetiers : « Mes amis, priez pour le pauvre malheureux qui va mourir... » vous tournerez à droite, comme pour remonter à Saint-James, et vous irez doucement jusqu'au delà de l'église. Là, vous prendrez la première allée venue, et vous descendrez vers Smith-Fiels aussi vite que vos jambes pourront vous porter. Vous gagnerez la Tamise, vous passerez le pont, d'où vous jetterez la douillette dans la rivière. Il vous restera la redingote, et la casquette écossaise qui est dans la poche droite... Vous flânerez dans Bermondsey jusqu'à quatre heures du matin, et, à ce moment, vous entrerez dans le cabaret de l'Épée-de-Nelson, au coin du dock Saint-Laurent. J'y serai... Est-ce bien entendu ?

– C'est bien entendu, mais laissez-moi vous demander...

– Vous savez tout ce qu'il vous faut savoir, et je n'ai pas de temps à perdre... Voilà votre Bible.

Il poussa vers la porte Thompson, qui était admirablement déguisé.

– Y sommes-nous ? interrogea-t-il.

– Marchons ! dit Richard qui prit son courage à deux mains.

Henri donna trois grands coups de poing dans la porte en criant d'une voix étranglée :

– Clarke ! Joseph Clarke !

Presque aussitôt après, on put entendre un pas dans le corridor.

Henri recula vivement, s'assit sur la chaise rapprochée du lit, et appuya sa tête sur la couverture. Il s'était d'avance enveloppé dans la houppelande de Richard. On ne voyait que le derrière de sa tête nue, et nous savons que le prisonnier avait aussi les cheveux blonds.

La porte s'ouvrait en ce moment. Clarke avait continué de se remonter le cœur il était aux trois quarts ivre.

– Eh bien ! révérend, dit-il à Richard qui se présentait pour sortir.

– Ah ! le malheureux garçon !… chuchota Thompson du fond de la gorge.

– Oui, oui… pour sûr ! Et avez-vous vu ce qu'il y avait sur la muraille ?

Ils s'engageaient ensemble dans le corridor. Henri put encore entendre cependant Richard qui répondait :

– Ah ! le pauvre jeune homme !

Et Clarke qui reprenait d'un ton doctoral :

– Quand on a le mauvais rhume comme cela, révérend, il faut faire chauffer un quart de pinte de gin avec de la cannelle, du poivre, du piment…

Il y avait sans doute encore autre chose dans cette potion contre le mauvais rhume, mais la voix du porte-clefs se perdit au lointain.

La porte était refermée. Henri consulta sa montre, qui marquait minuit et demi. La toilette de Thompson n'avait pas duré dix minutes. Il s'étendit commodément sur le lit et ferma les yeux au bruit des maillets qui chevillaient l'échafaud.

XIV

Le maître et l'élève

Ce n'était peut-être pas pour dormir que le comte Henri de Belcamp avait fermé les yeux, mais il avait dans le ventre, comme dirait un sportman, une traite de cinquante lieues à cheval, et deux nuits sans sommeil pesaient sur ses paupières. Il s'assoupit, volontairement ou non, bercé par le marteau des charpentiers mortuaires. Les gens qui ont beaucoup risqué en leur vie, les coureurs d'aventures du nouveau monde, les héros de ces solitaires épopées où le chercheur d'or et le sauvage prolongent leur bataille implacable dans l'arène sans borne des forêts vierges ou des prairies, nos soldats d'Europe eux-mêmes quand ils ont fait longtemps la guerre de partisans, tous ceux-là savent dormir d'un œil et reposer comme l'oiseau sur la branche. Le comte Henri était un soldat, un coureur d'aventures, un sauvage, un homme dont l'existence, remise incessamment sur le tapis comme un va-tout, se jouait d'heure en heure.

Celui-là pouvait fermer les yeux aux bords du précipice, car il avait parfaite possession de lui-même.

Il y avait en lui un instinct qui restait éveillé pour faire sentinelle.

Dormir, pour lui, ce n'était pas complètement perdre connaissance, c'était donner une courte trêve à l'effort et aux calculs.

Cette nuit, en dormant, il attendait.

Il était sur le grabat, le visage tourné vers la muraille. La lumière, toujours posée au ras du carreau, dans son bas chandelier de plomb, éclairait son dos enveloppé dans la houppelande, et quelques boucles éparses de ses cheveux blonds. Il ne venait à son profil perdu que les lueurs tombant du plafond ou reflétées par la muraille terne.

Au bout d'une demi-heure environ, un bruit indistinct se fit dans le corridor. Cela ressemblait à des pas qu'on eût maladroitement essayé d'étouffer. Henri ne bougea pas ; des voix chuchotèrent de l'autre côté de la porte.

– Je risque gros, murmurait Clarke, dont la langue épaissie articulait difficilement, vous devez savoir ça, vous qui avez été dans la chose... Et comment le pauvre jeune homme a-t-il pu vous faire dire ceci ou cela, puisqu'on n'a jamais laissé passer un mot de sa main au guichet ?...

– J'y suis bien passé, moi, au guichet, répliqua une autre voix.

– Et ça a dû vous coûter bon, j'en réponds !... Moi, je me suis mis un peu en train, parce que le cœur me manquait de voir le pauvre diable cette nuit... C'est doux comme un agneau, n'est-ce pas ?... Et puis il a barbouillé une diable de chose sur sa muraille...

– Quelle chose ?

– Une femme qu'il a faite avec un bout de charbon... et un petit enfant...

Henri fit un mouvement sur le grabat. Sa tête se souleva à demi. Son regard interrogea la muraille. Il vit l'esquisse, sourit, consulta de nouveau sa montre, et remit sa tête sur l'oreiller.

– Ami Clarke, dit la voix de l'étranger, une voix de vieillard cassée et faible, tu sais que j'ai encore le bras long, malgré tout... Je ne serai pas plus d'une demi-heure avec le jeune homme, et tu gagneras du coup vingt guinées.

– Ma femme a grand besoin d'une mante neuve..., grommela Clarke.

– Vingt guinées sans rien risquer... Il est une heure ; on ne viendra pas avant trois heures du matin pour la toilette...

– Quatre heures, c'est annoncé... et les constables avec le shérif dix minutes auparavant.

– Nous avons donc quatre fois le temps qu'il faut.

La clef heurta la serrure, comme si une main mal assurée eu cherchait le trou.

– Eh bien ! dit Clarke, ce n'est pas pour les vingt guinées, Dieu me punisse si je mens !... c'est parce que j'ai le cœur à l'envers cette nuit, et que je vois danser tout autour de moi la pauvre chose qui est sur la muraille... Si on me prenait comme cela ma femme et mon petit enfant !...

Le pêne glissa dans sa gâche en sifflant ; le verrou à roue ronfla ; un petit son d'or chanta.

– Pour sortir, dit encore Clarke, frappez solidement en dedans et appelez-moi par mon nom. Diable d'enfer ! je crois que la tête me tourne !

La porte s'ouvrit, puis se referma sur Gregory Temple.

L'ancien intendant de police resta un instant près au seuil. La lumière, qui le frappait d'en bas, creusait profondément les rides de son visage et mettait des ombres sur ses yeux, qui néanmoins avaient de vagues lueurs. Il portait le costume des gardiens de Newgate, car il s'était évidemment introduit ici par quelque moyen de comédie rajeuni à force d'argent.

Les moyens de comédie traités ainsi réussissent toujours. On peut en inventer de nouveaux, mais les vieux sont bons.

Le collet de la veste lui montait jusqu'à mi-joues, et les têtes d'un trousseau de clefs sortaient de sa poche. Il avait un bonnet écossais qui descendait jusqu'à ses sourcils.

Son regard inquiet et d'une vivacité fiévreuse fit le tour de la boîte de pierre. Il frissonna légèrement. Quand ses yeux rencontrèrent le grossier croquis de la muraille, il les détourna.

– Richard ! murmura-t-il.

Une respiration calme et forte venait du lit.

– Est-ce du courage ? pensa tout haut le vieillard ; est-ce la brutalité de l'homme qui s'abandonne ?... L'âme est-elle morte avant le corps chez ceux qui n'espèrent plus ?...

– Moi, continua-t-il en frissonnant de nouveau et plus fort, ces bruits de maillet m'empêcheraient de dormir.

Il appela pour la seconde fois :

– Richard !

Et, comme on ne répondait point encore, il s'approcha du grabat en répétant avec impatience :

– Richard !… Richard Thompson !

– Je ne suis pas sourd, gronda le dormeur. Je vous entends bien !

M. Temple n'avait assurément aucun soupçon de ce qui s'était passé. Si par impossible il avait eu un soupçon, ces paroles l'auraient fait évanouir, car c'était identiquement le ton, l'accent et la voix du pauvre Richard. Henri avait infuse la science d'imitation qui complète les grands comédiens.

– Ne me reconnaissez-vous pas, Thompson demanda Gregory dont l'accent trahissait une fiévreuse agitation.

– Si fait, répondit-on rudement, vous êtes la corde qui va me pendre.

– Je suis le père de votre femme, Richard ! J'ai été trompé ; je viens réparer ma faute.

– Si vous vous repentez, soyez pardonné, dit le prétendu Thompson. Je viens de parler au prêtre, et je veux mourir en chrétien mais je veux mourir en homme aussi… Vous apportez des souvenirs qui me briseraient : sortez !

– Mais c'est la liberté que je vous apporte, mon fils, mon pauvre enfant ! s'écria le vieillard qui lui saisit le bras. Je sais que je vous ai fait bien du mal ; je ne vous demande ni tendresse ni reconnaissance… Mais écoutez-moi, au nom de votre femme et de votre fils !

La tête de Richard s'incrusta dans l'oreiller dur.

– Je vous écoute, dit-il d'un ton morne.

– Ce n'était pas du courage ! murmura M. Temple avec un amer sourire ; c'était l'affaissement de l'agonie !

Il se leva et fit quelques pas dans la chambre. Sa main pressa son front à plusieurs reprises.

– Richard, s'écria-t-il tout à coup violemment, tu es mon fils, je veux que tu sois mon fils ! Je mourrai fou, entends-tu, et il faut que tu me venges !

Il s'arrêta devant le lit. Le prisonnier restait immobile et silencieux.

– Il faut que tu te venges toi-même ! reprit le vieillard, les deux mains appuyées contre le maigre matelas. Il faut que tu venges les pleurs de ta femme… oh ! ma tête est lucide en ce moment… je vois clair comme à vingt ans… Je te dirai tout à l'heure comment tu t'échapperas d'ici… auparavant, il faut que je t'explique ton devoir… car, si je reste prisonnier à ta place, mon fils, tu agiras à la mienne !

Le prétendu Thompson respira bruyamment. C'est parfois l'essor de la poitrine oppressée qui veut se dégager, mais cela exprime aussi l'incrédulité dédaigneuse et découragée.

M. Temple se laissa tomber sur la chaise. Ses deux mains se crispèrent sur son front qui dégouttait de sueur.

– Soyez certain, Thompson, reprit-il en changeant de ton, que je vais vous dire des choses exactes, précises, authentiques. Ma fièvre peut me tuer pendant que je vous parle, mais j'ai toute ma raison…, je le jure !… Cet homme est en fuite, cet homme se croit sauvé… celui qui a fait de notre vie à tous un enfer… celui qui a changé ma Suzanne joyeuse en une pâle statue… celui qui a brouillé ma cervelle et qui cloue en ce moment les ais de votre échafaud.

– James Davy… murmura le prisonnier.

– Ah ! s'écria Gregory Temple qui joignit ses mains frémissantes, vous m'écoutez enfin ! Dieu sera plus fort que le démon !… Oui, James Davy ! et qu'importent ses autres noms, à l'heure qu'il est !… James Davy, le triple, le décuple assassin… James Davy est à Londres… Il triomphe sans doute… mais il est perdu !… Sa fuite le tue, si vous êtes encore un homme et que vous puissiez accomplir mes instructions… Richard, Richard, pour vous sauver je risque peut-être plus que ma vie ! Sur Dieu ! dites-moi que vous m'obéirez, car il y a du feu sous mon crâne, et une voix me crie d'aller à ma destinée !

– Vous ne m'avez encore rien commandé, prononça froidement Thompson, qui s'agita sur son lit avec nonchalance. Je n'ai en vous que la confiance résultant de ce fait qu'il n'est plus au pouvoir d'un homme de me nuire. Expliquez-vous si vous voulez que je vous comprenne.

La poitrine de l'ancien intendant de police rendit un gémissement.

– Cela devait être ainsi ! murmura-t-il ; c'est un malheureux enfant !... Pourquoi l'idée de ma fille grandit-elle en moi depuis que je songe à mourir !

Ses cheveux gris s'ébouriffaient sur son front hâve et ses yeux avaient les sinistres lueurs de l'égarement.

– Je vais m'expliquer, Richard, poursuivit-il cependant d'un ton soumis. Je conçois vos défiances, mais songez que je pouvais vous laisser ici. Et à quoi me servirait de vous tromper, pauvre enfant ? La corde est autour de votre cou. La perte de cet homme, songez-y bien, me vengera non-seulement de lui, mais de tous les misérables qui m'ont humilié. Je les abhorre désormais plus que lui-même. Mac-Allan, mon successeur... le lord chef-justice... et le régent ! Le régent, qui m'avait dit une fois, comme un sultan des *Mille et une nuits :* « Demande-moi tout ce que tu voudras... » le régent, débiteur ingrat, obligé insolvable, qui s'est ri de moi devant tous ses valets en habit de cour et qui a dit : « Je dois en effet une chose à ce vieil homme... un logement à Bedlam !

Il grinçait des dents et ses cheveux remuaient sur son crâne.

– Oh ! oh ! s'écria-t-il d'une voix qui était comme un rauquement sourd, je veux prendre la tête tranchée de cet homme par les cheveux et leur en fouetter à tous le visage. Les nobles brutes ! les souveraines caricatures ! Il me faut sur leurs joues de pleines poignées de boue et de sang !... Savez-vous ce que j'étais, jeune homme, avant que ce démon ne m'eût pris mon sang-froid, mon intelligence et ma mémoire ?... J'étais Gregory Temple, et combien de princes du sang ont tremblé devant moi !... Je savais tout, je voyais tout !... Le roi, s'il y avait eu un roi, n'aurait pas osé me parler comme à ses ministres... Savoir tout ! comprenez-vous le chiffre prodigieux de cette force !... Savoir tout, dans un monde où chacun, fût-ce le maître, a quelque chose à cacher !... J'avais cette puissance... et je suis tombé si bas que les voleurs de Saint-Gilles me regardent en riant, quand ils me rencontrent dans la rue !

– Et vous avez beaucoup de haine ? dit le prisonnier avec un calme qui fit bondir le vieillard sur son siège.

– Oui râla-t-il en un cri étranglé par sa rage folle. Assez de haine pour le jeter en proie au bourreau, enfant triste et faible que la peur a déjà changé en cadavre !...

– Mais, non, non ! interrompit-il en portant ses deux poings à sa bouche ; ne m'écoute pas... Tu as raison : je ne me suis pas encore expliqué..., ce que tu as à faire est si facile ! N'aimes-tu donc pas un peu le père de ta femme, Richard ?

À cette question qui arrivait si étrangement, le prisonnier répondit par ce mot évasif.

– Autrefois...

– C'est juste ! c'est juste ! murmura M. Temple avec une soudaine émotion ; tu as beaucoup souffert... souffert longtemps... Si je pouvais te bien convaincre qu'il est la cause, la seule cause de tout cela...

– Dites-moi ce qu'il faut que je fasse, interrompit Thompson d'un accent plus vivant.

– Bien, ami ! Tu as raison encore, c'est là le principal... qu'il soit condamné là-bas par contumace et cela me suffit... Que m'importe sa mort si je puis pendre son cadavre en effigie à la porte du palais du régent et crier dans les mille voix de la presse à tous mes insulteurs : Honte ! honte ! honte... Eh bien ! j'ai à Paris des trésors de preuves... et la dernière, celle que je suis venu chercher, car j'avais deviné son existence à l'aide de calculs dont ils se moquent tous, la dernière est à Paris, enfouie à quelques pieds sous terre, dans un lieu que je te désignerai.

271/392

– Désignez ! dit Thompson qui semblait pris d'intérêt et même d'impatience.

M. Temple le regarda, perdu qu'il était dans l'ombre du lit. Puis ses yeux se reportèrent vers le flambeau, comme s'il eût été tenté de le soulever pour mieux voir.

Mais sa pensée tournait au vent de sa passion et de sa folie.

– Vous savez ce que c'est qu'un alibi, Richard, reprit-il essayant d'établir une démonstration simple et concise. Les juges de France se trouvent en face d'un alibi comme on n'en vit jamais. Supposez un triangle A, B, C. Deux crimes ont été commis contemporainement, l'un au point B, l'autre au point C. On accuse un homme des deux crimes, et cet homme prouve clair comme le jour qu'il n'a point quitté le point A... Vous n'ignorez pas non plus que tout mon système de détection reposait sur une base géométrique, puisque j'arrivais à cette conclusion que tout malfaiteur essaye d'acculer son juge à l'absurde... Pour moi, qui suis l'inventeur même de l'instrument, tout ce travail ne présente pas l'ombre de mystère. La main d'un adepte est là : c'est signé en toutes lettres ! James Davy, en posant ce problème, me crie : C'est moi qui suis l'assassin... mais les magistrats Français ne savent pas ; ils en sont toujours aux vieux axiômes et aux vieilles méthodes. La triple impossibilité dressée devant eux comme une palissade infranchissable les arrêtera éternellement, – à moins qu'on ne leur mette dans la main la recette de ce tour d'escamotage... James Davy est accusé à Paris sous le nom de comte Henri de Belcamp. Il y a là, à un moment donné, trois Henri de Belcamp : un au point A, qui était lui-même, un au point B, qui était Noll le boxeur, un au point C qui était Dick de Lochaber. C'est assez naïf, n'est-ce pas ? Eh bien ! voici un papier qui vous donne la topographie exacte d'un champ situé à Paris, derrière Tivoli, où se trouve le cadavre de Noll, assassiné en revenant du point B, et le cadavre de Dick, assassiné en revenant du point C, la veille même du jour où James Davy fut arrêté au point A... Vous remarquez que ce jour-là même, au théâtre de l'Opéra-Comique, dix témoins, mentionnés au même papier, ont vu du sang au poignet du comte Henri et au-devant de sa chemise... Prenez cette pièce et prenez aussi la clef de la chambre que j'occupais à Paris, rue Dauphine, numéro 19 ; je vous les confie.

La main du faux Richard Thompson dut le démanger assurément ; mais il ne savait pas encore tout ce qu'il lui fallait apprendre, et son bras resta immobile.

– M. Temple, dit-il, prononçant enfin le maître mot du rôle qu'il jouait, tout le long de mon procès, ici, les juges et les avocats ont parlé de vous comme d'un homme ayant perdu la raison… Je ne puis affirmer que je l'aie cru, car je vous sais capable de prendre tous les déguisements, mais je ne me défends pas d'avoir eu et de garder des doutes… J'ai un espoir de salut en dehors de vous… Quel moyen d'évasion m'offrez-vous ?

– Le plus simple et le plus dangereux pour moi, répondit sans hésiter l'ancien détectif. Vous prenez mes habits, et je reste à votre place.

– La différence de nos âges…

– J'ai là tout ce qu'il faut pour vous transformer en vieillard.

– Et une fois transformé en vieillard ?…

– Que Dieu ait pitié de nous, mon gendre !… à votre âge et dans votre situation, je n'en aurais pas demandé si long !

Une fois transformé en vieillard, vous sortez avec Clarke qui est ivre et qui vous conduit jusqu'au corridor de l'Ouest, qui donne sur la cour de la Presse. Vous payez cinq livres à Clarke, et il vous remet entre les mains d'un de ses collègues qui coûte plus cher : celui-là a déjà reçu quinze livres, vous lui en compterez quinze autres, et il vous mènera au guichet du Nord, où vous êtes attendu pour payer trente livres et une poignée de main au vieux maître portier, qui est une ancienne connaissance. Une fois dans la rue, faut-il vous dire que vous poserez une jambe devant l'autre alternativement, afin de gagner au pied.

La main du prisonnier s'ouvrit pour prendre la clef et le papier.

Puis, tout en s'ébranlant pour se retourner, il dit :

C'est précisément tout cela, monsieur Temple, que j'avais besoin de savoir.

L'ancien détectif tressaillit à cette voix, qui lui parut toute changée.

Mais il n'eut pas le temps d'approfondir ce doute, ou plutôt la certitude lui vint comme un choc.

Le prisonnier, eu effet, se retourna tout simplement, et mit en pleine lumière le visage serein, ferme, intrépide, du comte Henri de Belcamp.

Les traits du vieillard se décomposèrent, et il voulut parler ou crier, mais sa voix s'étrangla dans sa gorge. Henri le regardait, toujours étendu qu'il était, mais appuyé maintenant sur le coude et la tête penchée en dehors du lit.

Il fut évident durant une minute que la folie cherchait Gregory Temple. Ses yeux, qui tout à l'heure brûlaient, devinrent ternes et comme étonnés. Il recula comme de plusieurs pas, et ne s'arrêta qu'à la muraille.

Puis un tremblement le prit par tout le corps, secouant ses jambes, ses bras et sa mâchoire, pendant que, du front au menton, sa face se couvrait d'une livide pâleur.

Tout le temps que dura cette crise, le comte Henri le considéra en silence d'un air indifférent et froid.

Au bout d'une minute, un flux de sang revint aux joues du vieillard, dont l'œil, demi fermé, jeta une flamme aiguë. En même temps sa main droite, d'un geste convulsif, se plongea sous le revers de sa veste, et il fit un pas en avant.

Le jeune comte sourit et dit :

– Détail oublié : votre ancienne connaissance le portier vous a pris vos pistolets de poche, et il me faudra les redemander en passant, pour compléter mon personnage.

– Misérable ! s'écria M. Temple qui avait de l'écume aux lèvres. Pour sortir d'ici, tu passeras sur mon cadavre !

– S'il le faut absolument, maître, repartit Henri dont le sourire disparut, je passerai sur votre cadavre.

– Et vous savez bien, ajouta-t-il avec un sérieux où il y avait à la fois une menace terrible et une étrange mansuétude, que, pour faire de vous un cadavre, moi je n'ai pas besoin d'armes.

La paupière de Gregory Temple s'injecta de sang. Il eut peur de mourir, écrasé par l'angoisse même de son impuissance. Et ce rêve lui vint, qui mit de la glace dans ses veines. Il se vit couché, faible, sur ce carreau. L'autre se penchait au-dessus de lui, la main droite à son cou, la main gauche sous la nuque...

Et il eut cette sensation de l'étranglé qui appelle en vain le souffle...

Il fit un effort désespéré. Ses poumons engloutirent l'air avidement, et il ouvrit la bouche pour pousser un de ces cris qui percent les murailles.

– Attendez que les charpentiers fassent trêve, dit Henri, qui laissa retomber sa tête sur l'oreiller. On ne vous entendrait pas.

Il se trouvait en effet que tous les travailleurs de l'échafaud donnaient du maillet à la fois, produisant un assourdissant tapage.

Henri ajouta :

– J'ai sauvé Richard Tompson, le mari de votre fille, mais sa destinée est attachée à la mienne.

La prunelle du vieillard eut un éclair sauvage tandis qu'il râlait :

– Que ma fille soit veuve !

Il n'y eut point de surprise dans le regard du jeune comte ; ce fut plutôt une froide pitié.

– Qu'est-ce qu'un bandit ? pensa-t-il tout haut, voici un vétéran des armées de la loi !

Puis il ajouta lentement :

– Gregory Temple, j'ai compassion de ceux à qui la folie a ôté le cœur. Ne vous indignez point de ce mot ; il n'a pas ici la même signification que dans la bouche de vos insulteurs. Peut-être ai-je comme vous mon idée fixe, idole à laquelle je sacrifierais tout ce que j'aime. Ce n'est pas moi qui vous ai déclaré la guerre ; je vous ai prévenu que j'avais des armes sûres et que la guerre vous serait mortelle. Je n'ai contre vous ni rancune ni haine ; j'aime ceux que vous devriez aimer et que vous êtes prêt sans cesse à engager sur le tapis vert comme un suprême enjeu, dans votre partie désespérée… Ne criez pas, Gregory Temple ; vous êtes faible, ici comme partout, contre moi… Il n'y a de l'autre côté de cette porte qu'un homme ivre qui sans doute sommeille. Il faudra pour le réveiller, non pas votre voix brisée, mais ma voix à moi, qui sonne comme l'appel d'un cor… Je vous l'ai dit : Je dois sortir d'ici, fût-ce en foulant aux pieds votre cadavre… Ne criez pas ; ma main est un redoutable bâillon, et, sur ma conscience ! si vous restez en paix, je n'ai ni le dessein ni le besoin de vous nuire.

Pendant qu'il parlait, Gregory Temple avait baissé les yeux. C'était, lui aussi, un homme indomptable. Il avait conscience de sa faiblesse, mais il n'était pas vaincu, puisque son ennemi dédaignait l'emploi de la force. Qui à terme ne doit, dit la philosophie des hommes d'argent, – et dans ces luttes prodigieuses qui agitent la poésie homérique, c'est souvent le terrassé qui tue…

Gregory Temple employait à chercher une arme le temps qu'on lui accordait. Il étudiait sournoisement l'étroit champ de bataille ; il repliait son regard en lui-même, et la sueur qui coulait sur ses tempes plombées disait l'effort qu'il faisait pour comprimer les violences de sa fièvre.

C'était entre ces deux hommes un contraste véritablement profond et complet, à part même la puissance victorieuse de l'un et la faiblesse épuisée de l'autre. Dans ce combat sans armes, pareil à celui qui se livre entre le juge et l'accusé, l'ancien magistrat ressemblait au coupable, et l'autre, le proscrit, l'évadé de toutes les prisons, avait le calme et l'autorité de la loi sur son siége.

– M. Temple, reprit Henri après une courte pause, il vous a été donné d'exercer sur ma vie une influence considérable. Je n'irai pas jusqu'à dire que cette influence a été bienfaisante, mais je me garderai d'affirmer du moins qu'elle ait été malheureuse. Par vous, j'ai souffert beaucoup et longtemps, il est vrai ; mais la souffrance trempe l'âme, et il se peut qu'une part de ma force me vienne de vous… M. Temple, vous avez aimé d'amour madame la marquise de Belcamp, ma mère.

– Hélène Brown ! dit l'ancien détective qui se redressa dans son dédain amer ; moi !

– Non pas Hélène Brown dans sa honte, monsieur, non pas cette fille belle comme une sainte que les hommes et les femmes de votre aristocratie ont souillée et perdue, non pas cet ange déchu déjà et chancelant au bord de l'abîme qu'un soldat des jours chevaleresques, le dernier gentilhomme, le marquis de Belcamp, mon père, couvrit du manteau sans tache de son honneur, non pas même cette femme entraînée par la passion victorieuse qui rejeta loin d'elle la robe nuptiale et foula aux pieds son salut, dans un accès de ce vertige froid et terrible comme tout ce qui est de Londres, et qui se plongea volontairement, avec un cri d'exilé qui retrouve sa patrie, dans les ténèbres d'un gouffre sans fond, non pas l'Hélène Brown de la légende fangeuse… mais un modèle de séduction décente et de noble esprit, mais une femme qui parut et disparut comme un charmant météore à votre horizon brumeux… une créole, commencez-vous à deviner ?…, une enchanteresse…

– Vous mentez ! dit rudement l'intendant supérieur.

Un tic nerveux agitait son corps et ses lèvres.

– Lady Caroline Dudley, continua paisiblement Henri.

– Vous mentez ! répéta Gregory.

– La mère du bandit Tom Brown, acheva le jeune comte qui le couvrait de son regard impassible ; de Tom Brown qui est mon frère et votre fils.

Une troisième fois M. Temple répéta : Vous mentez ! mais il s'affaissa sur sa chaise et ses deux mains couvrirent son visage.

Pour la troisième fois aussi, depuis qu'il était dans la prison, le comte Henri consulta sa montre et sembla calculer les heures.

– J'ai le temps… dit-il en se parlant à lui-même.

Puis il reprit :

– M. Temple, le moment et le lieu peuvent sembler étrangement choisis pour l'explication longue et solennelle qui va prendre place entre nous ; mais il se peut que nous soyons désormais des années avant de nous retrouver en face l'un de l'autre. Vous serez prisonnier, moi libre ; et, quand vous serez libre, la mission à laquelle j'ai dévoué mon existence aura mis entre nous l'Océan…

– Avant tout, s'écria l'ancien détectif, la preuve de ce que vous avancez !

– La preuve est dans votre conscience et dans votre haine, monsieur.

– Vous n'en avez pas d'autre ?

– Si fait… Vous avez porté, vous portez peut-être encore pendu à votre cou, un médaillon contenant une goutte de sang desséché, bizarre relique d'une nuit d'ivresse. Sur l'or du médaillon, Caroline Dudley, avec l'aiguille qui avait piqué sa veine, dessina un cœur et traça des lettres qui voulaient dire…

– *Heart's blood !* (sang de mon cœur) prononça tout bas Gregory Temple ; – un H et un B.

– Un H et un B, répéta le comte Henri : Hélène Brown.

M. temple ouvrit sa chemise d'un geste convulsif. Il prit le médaillon, souvenir de tant d'années, et le broya sous son talon en disant :

– Dans le doute on se lave !

Une étincelle alluma la prunelle d'Henri.

– Cela est d'un méchant cœur ! murmura-t-il.

Ce fut tout. Il reprit avec son calme reconquis :

– Je vous préviens, monsieur, que je ne faisais fond ni sur votre cœur, ni sur votre mémoire. Je ne suis pas ici en suppliant, mais en maître, et l'explication, dont je vous parlais tout à l'heure, n'est pas encore commencée.

– Êtes-vous eu mesure de me montrer ce Tom Brown ? demanda Gregory dont le trouble semblait augmenter à mesure qu'il réfléchissait.

– À l'heure voulue, peut-être, répliqua Henri.

– Et cette Hélène Brown qu'on a dite morte sortira-t-elle encore de terre ?

– Peut-être, s'il en est besoin.

Il y eut un silence que le comte Henri rompit le premier.

– Monsieur Temple, dit-il, vous étiez mourant au moment où Hélène Brown fut jugée, condamnée et envoyée en Australie avec Tom votre fils. Elle avait toujours gardé son secret comme une ressource suprême. Elle comptait sur vous, mais, à l'instant fatal, votre maladie rendit son secret inutile. Vous êtes né pour frapper, non pour secourir : chacun son étoile ! Je partis pour la Nouvelle-Galles-du-Sud libre, et libre je revins : nous causerons tout à l'heure du double motif qui m'entraînait si loin de l'Europe, où j'avais devant moi une vie facile et heureuse.

Quand je revins à Londres, j'avais accompli un devoir et mûri de grandes idées… Je ne vous défends pas de sourire, monsieur ; mais désormais je dois compter les instants, et je désire n'être point interrompu. Je vous fus présenté par lord Payne, qui connaissait vos relations intimes avec le secrétaire de l'amirauté. Je ne vous parlai que de l'amirauté.

Mais il est un fait remarquable. La police, entourée de tant de répugnances, inspire à ses adeptes un dévouement extraordinaire. Je vous plus sous mon nom de James Davy, et je n'ai pas à vous rappeler toutes les petites ruses, toutes les délicates prévenances, toutes les habiles coquetteries dont vous m'entourâtes pour faire de moi un prosélyte. Je me laissai prier longtemps après avoir été converti, car votre système séduisit le côté romanesque de mon intelligence, et je ne tardai pas à comprendre que je pouvais avancer ma tâche dans vos bureaux encore mieux qu'à l'amirauté. Vous m'avez pris pour un voleur et pour un assassin, monsieur Temple…

– Et vous étiez un conspirateur, n'est-ce pas ? ricana le détectif… nous connaissons cette histoire-là sur le bout du doigt !

– Et, dans quelques mois, poursuivit Henri sans tenir compte de l'interruption, je serai le premier ministre d'un empire puissant… et l'Europe bouleversée vous dira la misère de votre entêtement avec le néant de votre scepticisme !

– Si cela était, s'écria Gregory en haussant les épaules, viendriez-vous me raconter vos secrets !…

– Je ne vous ai pas encore dit un seul de mes secrets, répliqua le jeune comte. Cela va venir. Il fut un temps où ma force était de savoir ce que vous ignoriez, parce que vous luttiez encore. Maintenant vous ne pouvez plus lutter ; vous êtes vaincu à un point que vous ne soupçonnez pas vous-même. Je vous éclaire d'un seul mot, tenez ! Votre impuissance d'aujourd'hui sera celle de demain. La chaine qui vous garrotte ici, vous suivra au dehors. S'il ne tenait qu'à moi, vous seriez libre, et je vous dirais : marchez, accusez, frappez ! Je vous ai cloué au sol, j'ai paralysé vos bras, j'ai condamné votre langue au mutisme.

– Ouvrez donc cette porte, provoqua le détectif, et nous verrons bien l'effet de vos sorcelleries !

– Cette porte sera ouverte, monsieur, repartit sérieusement Henri, mais vous n'en savez pas encore assez ; je veux l'épreuve plus large ; écoutez encore… Au bureau de Scotland-Yard, où j'étais attaché, je surpris une fois deux lettres de la signora Bartolozzi, dont chacune était une trahison. Je pense que vous êtes au fait, puisque vous avez vu Frédéric Boehm ?

Gregory Temple fit un signe de tête affirmatif. Tout ce qui regardait cette affaire de la comédienne avait le don de captiver violemment son attention.

– Ce fut là votre grand malheur, reprit Henri, et le véritable point de départ de votre ruine. Connaissant en effet comme je les connais tous les rouages de votre mécanique détective, je ne doutai pas un seul instant de ce fait que, tôt ou tard, vos soupçons arriveraient à moi qui étais chez vous sous un faux nom et qui avais supprimé les lettres. Je pris les devants, je vous lançai dans une fausse voie, j'épaissis un voile autour de vos yeux… Je ne voulais alors que gagner du temps jusqu'au moment où la grande affaire de ma vie, engrenée à Londres, me permettrait de passer en France… Tout devait être alors fini entre nous.

– M'est-il permis de vous demander qui vous accusez du meurtre de Constance Bartolozzi ? interrompit M. Temple avec une sorte de calme.

– Tom Brown, votre fils, répondit Henri sans hésiter. – Et il continua :

– En France, la fatalité qui vous poursuit dans toute cette affaire me mit par trois fois en face de vous : je rencontrai votre fille, je reconnus Robert Surrisy, près de qui vous aviez exploité le meurtre du général O'Brien, son père, pour vous faire un agent de plus, et enfin la fille de Constance Bartolozzi, que j'aimai…

– Et ce n'était certes pas pour les millions que devait lui conquérir votre industrie ! railla M. Temple.

– Sans ces millions, monsieur, répliqua Henri, vous étiez sauvé… Je vous prie de noter en passant que toute ma conduite a été dirigée, non pas contre vous, Gregory Temple, mais contre votre système, qui devait nécessairement vous amener à moi… parce que votre système, suivant les probabilités à l'aveugle, comme l'eau coule dans un tuyau, devait rencontrer mon amour pour l'héritière de Turner et de Robinson, alors même que Robert Surrisy, Suzanne, la vieille Madeleine et autres n'auraient pas été là pour servir de fil conducteur…

– En passant, interrompit le détectif, est-ce Tom Brown qui a tué le général O'Brien ?

– Oui, l'assassin de Maurice O'Brien fut votre fils Tom Brown, comme votre fils Tom Brown, héritier naturel de Turner et de Robinson du chef de sa mère, fut l'assassin de Robinson et de Turner… Je franchis les détails, ma conduite envers Thompson et votre fille : ils m'ont pardonné tous les deux et ils m'aiment… je suis leur bienfaiteur. J'arrive à l'affaire de Versailles, où, pour votre malheur, je vous ai retrouvé en face de moi.

Il est impossible que vous n'ayez pas remarqué un fait assez curieux pour être noté. Quand vous avez soulevé ciel et terre pour empêcher l'ordonnance de non-lieu d'être rendue, vous avez trouvé en moi un aide et non point un obstacle. J'ai refusé de propos délibéré certaines explications… J'ai ménagé des lacunes…

– Mais, dit le vieux Temple, comment colorez-vous le fait des deux passe-ports au nom du comte Henri ? N'est-il pas clair et certain que vous vous serviez là de mon algèbre, et que vous ménagiez un argument par l'absurde ?

– J'aurais la prétention, mon maître, répliqua Henri du bout des lèvres, de tirer un tout autre suc de vos savantes leçons, si jamais j'en arrivais à la pratique… Je vous réponds encore par un mot : Tom Brown, votre fils, héritier naturel, était primé par moi, héritier légal, seul enfant d'Hélène, né dans le mariage. Je le gênais, à supposer même qu'il ne connût ni les testaments en faveur de Jeanne Herbet, ni mes projets d'union avec cette jeune fille… Ici, et bien à votre insu, sans doute, monsieur, votre fils Tom Brown a été votre complice : il a voulu faire d'une pierre trois coups…

– Incidemment, reprit-il avec gravité, j'ai l'honneur de vous faire part de mon mariage avec cette même Jeanne Herbet…

– Dans votre position ! s'écria M. Temple : vous avez osé donner cette arme terrible au ministère public !

– Non… j'avoue que j'ai reculé… L'innocence elle-même doit limiter sa confiance en la justice des hommes… Je me suis astreint à jouer une comédie… j'ai épousé mademoiselle Herbet sous le nom que je portais naguère dans Auction-Mart : Percy-Balcomb. Ce nom m'appartient, je l'ai gagné.

– Et c'est à moi que vous venez faire une pareille révélation !

– Encore une fois, monsieur Temple, prononça Henri en piquant chacune de ses paroles, je me confesse ici à un mort.

L'ancien détectif tressaillit et lui jeta un regard de défiance.

– Moralement mort, reprit le jeune comte en souriant, voilà tout ce que j'ai voulu dire… mais, en revanche, si parfaitement mort en ce sens tout figuré, que je vais vous révéler avant de quitter la place des choses beaucoup plus importantes... En attendant, je résume brièvement le sujet qui nous occupe. Je me suis défendu contre vous de mon mieux ; j'avais le droit de donner coup pour coup, car je n'étais pas l'agresseur ; je me rends cette justice de dire que je n'ai pas frappé à outrance. Maintenant, le résultat : Vous comprendrez tout à l'heure qu'avec le haut caractère qui m'attend dans un avenir prochain, je ne pouvais pas accepter de demi-mesures. Le ministre de César, pas plus que sa femme, ne doit être soupçonné. Je suis légiste : j'ai tranché dans le vif, toujours dans la prévision de vos attaques, car je ne me connais pas au monde d'autre ennemi que vous. Je ne laisse rien derrière moi ; à Prague, j'ai la décision de la table royale pour l'affaire O'Brien ; à Londres où nous sommes, j'ai le verdict du jury contre Thompson : *Non bis in idem.* En France, je vais avoir chose jugée... Quant à Tom Brown, votre fils, qui, continuant le cours de ses exploits, paraît décidé à déranger ma vie avec une patience de Pénélope, j'ai contre lui la plaine de Tivoli et les deux cadavres de Noll et de Dick, ses complices assassinés. Ici finit le point de mon premier discours.

Y avait-il un atome de vérité dans cette histoire de Tom Brown ?

Ce dédoublement aurait expliqué bien des choses inexplicables ; pas toutes cependant.

Et certes le médaillon broyé restait sur le carreau, miroitant aux lueurs de la chandelle, dont la mèche rasait maintenant le plomb du bougeoir. Qui avait pu révéler à Henri le mystère de cette goutte de sang et des deux initiales qui étaient à la fois un cri d'amour et une infâme signature ?

– Chantons, dit Virgile, des choses un peu plus grandes, reprit le jeune comte, trop vite au gré de son auditeur qui eût voulu réfléchir. Vous avez pu entendre dire au château de Belcamp, mon maître, que j'étais cinq fois docteur, c'est la vérité. Je me souviens de vous avoir ouï professer à vous-même cette opinion qu'un homme dans cette posture avait, selon les plus simples données de la probabilité, mieux à faire qu'à choisir le métier de malfaiteur. J'ajoute que, dans mon cas particulier, je suis fils unique de gentilhomme, héritier d'une fortune honnête, et adoré de mon père que j'aime toutes choses qui me paraissent ajouter à l'effet moralisateur des études.

Vous avez vu ma vie de très-près pendant plus d'une année. Je suis un homme du grand monde, mais je n'ai ni besoins qui soient des gouffres, ni vices insatiables. Avec le moindre effort j'étais riche ; en me croisant les deux bras, je pouvais me laisser vivre.

Voulez-vous me dire quelle raison humaine aurait pu précipiter le jeune comte de Belcamp, au sortir de ses études brillantes, au plus profond des ignominies de Londres ?

Car c'est de là, du fin fond de cette fange, entendez-vous, que le verdict de la cour des sessions arracha Tom Brown pour l'envoyer en Australie.

Et si vous voulez bien admettre qu'à cette époque, étant donné mon séjour authentique dans les universités allemandes, je n'avais même pas eu le temps d'être criminel à Londres, que par conséquent il y a vraisemblance que le Tom Brown condamné n'était pas votre serviteur, pouvez-vous me dire quel motif explicable me poussait vers cette terre australienne, égout terrible de notre civilisation ?

Ma mère ? Vous tomberiez juste, monsieur. Je n'ai jamais cessé d'aimer ma mère.

Mais cela suffisait-il ? Non. Mon idée était née…

Oh ! vous êtes habile, je ne suis pas de ceux qui le nient, moi ! mais vous aviez un système et un système est un canon percé aux deux bouts.

Vous n'avez pas réfléchi à ceci : que le probable est néant vis-à-vis de ceux qui justement marchent au-dessus du probable.

Dussiez-vous sourire encore et me rendre les dédains dont vous abreuvent vos ennemis vulgaires, le conspirateur vous échappait, tandis que vous chassiez au malfaiteur.

Voilà que vos yeux brillent, maître, comme autrefois quand nous étions sur une piste. Ne vous réjouissez pas. La piste est bonne, mais elle conduit à une forteresse imprenable.

J'étais ambitieux, j'aimais la liberté, j'avais lu comme on dévore un poème l'histoire des guerres de l'indépendance américaine. Mon père avait été l'un des héros de cette lutte. Moi aussi je voulais porter un coup à l'Angleterre. J'allais en Australie pour prêcher ma croisade. Enfant ! direz-vous. C'est juste ; j'étais enfant. L'Australie aussi. Un désert ne se révolte pas. Mais me voici homme, et l'Australie atteindra, elle aussi, la puberté. Patience !

Il y a un rocher entre l'Australie et Londres qui s'appelle Sainte-Hélène... Vous tressaillez, cette fois, M. Temple ! Nous détestons les mêmes hommes. Le régent d'Angleterre et ses suppôts vous ont cruellement insulté hier ; demain, ils vous flagelleront. Voulez-vous vous venger ?

Le vieillard avait tressailli en effet. Mais il releva son œil calme et clair en disant :

– Monsieur, on ne se venge pas d'une nation. Que Dieu sauve le régent ! Je suis Anglais.

– Et gentleman aussi, Gregory Temple !... je suis fâché d'être votre ennemi, prononça le jeune homme avec lenteur.

Il écouta. Tout bruit avait cessé. La dernière cheville de l'échafaud était posée.

– Le temps presse désormais, dit-il, j'achèverai ce que j'ai commencé, monsieur Temple. Je vous forcerai de me respecter si vous continuez de me haïr. Vous êtes Anglais : je n'insulterai pas l'Angleterre. C'est du reste un grand peuple pour avoir répandu la haine et la terreur de son nom sur la surface de l'univers entier, malgré ce mot de liberté, chéri de tous, qu'elle a inscrit la fois sur son écusson féodal et sur son drapeau envahisseur.

Ce fut mon premier travail : parcourir d'un regard la carte du monde et chercher ceux qui, comme moi, détestaient l'Angleterre. D'où j'étais, je voyais d'abord, vers l'Occident, l'Afrique et l'Amérique, au travers de ces archipels confus de l'Océanie qui ne connaissent pas encore d'autre oppresseur que l'Anglais. Du côté de l'Afrique, j'entendais deux voix : le chœur rauque des négriers anglais et le chant de ce cantique libérateur où se trouve cette strophe : « Détruisons l'esclavage impie, afin de ruiner du même coup les colonies françaises et les plantations yankees ! « Peu m'importe le mobile secret. Je dis : Fille qu'elle est de deux péchés capitaux, l'avarice et la haine, la suppression de la traite des noirs sera un des grands faits de ce siècle et le meilleur honneur de l'Angleterre !

Du côté de l'Amérique, j'écoutai l'hymne lointain de la délivrance qui se chantait depuis les confins du Mexique jusqu'aux deux Canadas. C'était en anglais encore, cette poésie :

« Nous sommes libres, mais nous voulons perpétuer l'esclavage ! »

Au-devant de l'Afrique, je vis la France, non pas la France d'Europe, mais cette patrie lointaine qui a pour protection le drapeau ; la colonie qui appelle la patrie sa mère, et celle-ci avait nom l'île de France. Le drapeau français gisait à terre ; le drapeau anglais flottait au vent, portant ses plis comme un doigt indicateur vers cette autre île, imperceptible point perdu dans l'espace, où l'Angleterre fortifiait une prison et creusait un tombeau. C'était encore la France pourtant.

Vers le nord, je vis ces pays féeriques qui, à vol d'oiseau, me séparaient de l'Europe : un patrimoine français aussi, l'Inde, trésor du monde ! L'ombre de Dupleix me montra, parmi les immenses contrées que baignent l'Indus et le Gange, un domaine dérisoire par son exiguïté.

Mon regard franchit ces contrées éblouissantes, passa par-dessus la Perse menacée, et s'arrêta sur l'incommensurable étendue de cet autre empire : la Russie, ennemi géographique et naturel de l'Angleterre. J'étais en Europe et je cherchais l'Angleterre. Je voyais les États d'Allemagne où, malgré l'alliance temporairement nouée pour écraser la France, le nom anglais est abhorré. Je voyais l'Italie instruite par l'esclavage de l'Archipel, l'Espagne déshonorée par Gibraltar, le Portugal tributaire, la Hollande annihilée, la France raillée par ces deux îlots qui sont faits de son sable, Jersey et Guernesey, et Paris conquis, tout plein d'habits rouges, réduisant l'histoire de France à la journée de Crécy et à la trahison de Waterloo !...

Plus loin, et séparés du reste du monde, comme dit le poëte latin, je vis enfin les Anglais chez eux : une petite terre divisée en trois parties, dont l'une opprime les deux autres. Des ennemis partout, même à la maison : ennemis meurtris, foulés aux pieds, mais implacables : les highlanders au nord, les irlandais à l'ouest.

Sur ce tableau, je restai toutes les heures d'une longue nuit, et mes yeux fatigués ne virent plus rien qu'un aigle perché sur le roc de Sainte-Hélène, et qui regardait l'empire des Indes par-dessus le continent africain...

Dans l'œil de l'aigle, je lisais cette pensée : Le cœur de l'Angleterre est dans l'Inde, et l'Inde, c'est quatre-vingt millions de vaincus sous le fouet de quelques milliers d'oppresseurs.

Et sur cette pointe de terre qui séparait l'aire de l'aigle du paradis à conquérir, sur ce cap, extrémité de la terre africaine, il y avait ces mots : Bonne-Espérance.

– Il s'appelle aussi le cap des Tempêtes... murmura M. Temple, qui concentrait désormais en lui-même sa profonde émotion.

Il voulait savoir maintenant ! Il était Anglais. À cette époque, le nom de Napoléon sonnait comme un tocsin à toute oreille anglaise.

Le comte Henri se leva.

– J'en accepte l'augure, dit-il, les yeux brillants et la tête haute. Tant mieux si la tempête vient. Je veux pour alliés tous les tonnerres !

– Si vous n'avez pas d'autres soldats que la foudre !... dit l'ancien détective d'un ton provoquant.

Henri dépouilla la houppelande de Richard Thompson. Au lieu de répondre, il dit :

– Vous avez sur vous votre boîte ?

M. Temple l'avait annoncé lui-même. Il avait prononcé naguères ces paroles qu'il croyait adressées à Thompson : « J'ai là tout ce qu'il faut pour vous transformer en vieillard. »

La police de Londres était alors célèbre dans toute l'Europe pour l'incroyable perfection de ses déguisements.

M. Temple hésita… mais il voulait savoir ; et qu'importait un déguisement tant que la porte close restait entre le comte Henri et la liberté ?

– Je suis faible et vous êtes fort, murmura-t-il. À quoi me servirait de vous résister ?

Il lui tendait, en parlant ainsi, un exemplaire relié de son fameux livre intitulé : l'Art de découvrir les malfaiteurs. Le livre était creux, comme la Bible du prétendu ministre anglican : il contenait couleurs, pinceaux, pommades et miroirs.

Dieu veuille pour vous, mon maître, dit Henri, que vous restiez sage ainsi jusqu'à la fin, car nous aurons à passer un moment difficile, et votre tête est chaude… Pousserez-vous la soumission jusqu'à me tenir la glace ?

– Non, répondit M. Temple.

Henri prit le chandelier qu'il posa sur le lit, auprès de la boîte, et s'agenouilla devant.

– J'ai des soldats, reprit-il en commençant paisiblement sa toilette, et vous auriez pu vous montrer plus obligeant sans crainte de trahir la curiosité qui vous tient : mon envie est de ne rien vous cacher… Plus vous saurez, moins vous serez à craindre… J'ai douze cents soldats en Afrique, armés comme il faut, croyez-moi… J'ai quatre cents soldats dans un certain port des États-Unis… En France et en Angleterre, l'embarras sera pour le transport, car si j'avais une grande flotte, j'aurais une grande armée… mais nous serons en tout plus de deux mille hommes en quittant Sainte-Hélène. Dans l'Inde, trente mille Afghans nous attendent avec dix mille cipayes… Est-ce assez, le croyez-vous, pour avoir une armée de cent mille hommes un mois après notre arrivée ?

Le pinceau glissait sur ses joues et autour de ses yeux.

Il n'est pas d'Anglais intelligent qui ne regarde l'Inde comme une mine incessamment chargée, à laquelle la moindre étincelle pourrait mettre le feu.

Tout cela était-il fantasmagorie ou réalité ?

En réalité, jamais expédition d'aventuriers, depuis les grandes guerres de la Tortue, n'avait pris des proportions aussi redoutables.

Le sang du vieillard bouillonnait dans ses veines. Il dit en contenant sa voix :

– Et l'aigle n'aura-t-il que ses ailes pour passer par-dessus le continent africain ?

Henri recula pour voir l'effet de sa peinture.

– Aujourd'hui, dit-il, vous avez porté à tâtons un coup qui a failli nous tuer.

– Dans Auction-Mart ?

– Précisément… Le patriotisme anglais est un grand sentiment, et tout grand sentiment a des inspirations. Vous avez agi comme si vous aviez su que la machine Perkins était un pétard destiné à faire sauter l'Angleterre.

– Une machine infernale !…, s'écria M. Temple.

– Étiez-vous déjà à Scotland-Yard quand on envoya de Londres celle qui devait éclater contre le premier consul, demanda Henri !… J'ai mis votre front sur ma tête, monsieur Temple, tenez ?

Il se retourna brusquement et leva le chandelier. Les rides du vieux détectif jouèrent.

– Il me semble que je me vois dans un miroir, monsieur le comte, balbutia-t-il.

– Celle-ci, continua Henri tranquillement, cette machine infernale, ne ressemble pas à l'autre. Elle est faite pour le combat, non pour le meurtre. La frégate de guerre, percée de quarante-huit sabords, qui doit la recevoir dans ses flancs est construite et l'attend.

– Ah ! fit M. Temple, construite ?

– Et armée, ajouta le jeune comte.

– En France ?

– Plus près que cela de Sainte-Hélène... et à portée des bricks de guerre, également à vapeur, qui se rangeront sous son pavillon.

– C'est donc la Providence qui m'a poussé ! murmura l'ancien intendant.

Il essuya la sueur de son front.

– Vous comprenez à demi-mot, vous, monsieur Temple, reprit Henri qui poursuivait sa toilette avec un soin minutieux : ou la vapeur est une utopie, ou c'est la grande invention des temps modernes ; dans le premier cas nous échouons, et c'est à recommencer... dans le second, nous nous rions de vos lourdes flottes.

– Ils me croiront cette fois ! s'écria M. Temple qui joignit ses mains tremblantes ; ils seront bien forcés de me croire, quand je leur apporterai ce gigantesque témoignage !

Henri donnait le dernier coup à ses rides.

– Avec cette machine, continua-t-il, Napoléon pourra être, s'il consent à son enlèvement, à Pondichéry trois semaines avant la nouvelle de son évasion de Sainte-Hélène. L'empire français aux Indes, monsieur Temple ! ajouta-t-il, tandis que son œil brillant éblouissait tout à coup le regard de Gregory. Êtes-vous de force à calculer l'infini..., et avais-je raison de vous dire que j'allais changer la face du monde ?

– Et c'est moi qui ai empêché cela ! Que Dieu protége ma patrie ! s'écria M. Temple les larmes aux yeux.

– Je n'avais que deux millions, dit le jeune comte, et je savais que le comte Frédérick Boehm était derrière vous avec sa fortune immense. À quoi bon lutter ? Mes deux millions ont servi à autre chose, et pendant que nous parlons comme deux amis, monsieur Temple, la machine descend la Tamise sur un fin voilier.

L'ancien intendant de police fit un mouvement rapide, comme s'il et voulu s'élancer vers la porte. Henri lui barra le chemin, et M. Temple s'écria :

– Fou que je suis ! n'ai-je pas le reçu de la maison Staunton, chez qui la machine est emmagasinée !

– Dans votre portefeuille, je pense ?

– Sans doute.

– Et votre portefeuille est sur la tablette de votre secrétaire, dans la chambre que vous occupez à Mivart-Hôtel, appartement du comte Frédérick Boehm... libres sous caution que vous êtes tous deux... Frédérick Boehm était votre allié hier ; il vous a donné quatre-vingt cinq mille livres sterling... Cette nuit, il vous les a reprises, parce que, au prix d'un sourire de Sarah O'Brien... au prix de l'espoir d'un sourire, devrais-je dire, j'ai racheté le corps et l'âme du comte Frédérick Boehm.

M. Temple resta foudroyé.

Henri de Belcamp referma la boîte. La transformation était consommée. Sur son torse jeune et souple, il portait, en vérité, la vieille tête du détectif coiffée de mèches grisâtres.

– Maintenant, mon maître, dit-il, le calme de son accent prenant quelque nuance impérieuse, j'ai besoin de votre veste et de votre bonnet.

Le vieillard tressaillit de la tête aux pieds. Ses yeux éveillés et perçants s'arrêtèrent un instant sur le visage de son adversaire, puis ils devinrent mornes. La prunelle sembla s'éteindre tout à coup derrière ses paupières demi-baissées. Puis encore il lança vers la porte un regard de bête emprisonnée.

Le comte Henri frappa du pied.

M. Temple fixa sur lui son œil terne ; ses sourcils eurent un froncement, tandis que toutes les rides de son visage se creusaient.

Il éclata de rire d'une façon si soudaine et si inattendue qu'Henri resta stupéfait.

– Votre veste et votre toque, monsieur ! ordonna-t-il pour la troisième fois.

Aussitôt Gregory Temple se dépouilla.

– Vous m'auriez tué si tout cela était vrai ! prononça-t-il d'une voix stridente.

Et il rit encore.

Henri avait déjà la toque sur la tête ; il gardait la veste à la main.

Il était si fort et si grand, l'autre était si chétif et si faible, que l'idée du meurtre ne pouvait naître sans un sentiment de dégoût.

– Si vous me faisiez obstacle en ce moment, monsieur Temple, répondit cependant Henri, et si je n'avais aucun moyen humain de vous réduire au silence, cela est bien vrai, je vous tuerais, car il faudrait la main de Dieu lui-même pour m'arrêter dans la route où je marche… Mais, loin de me barrer la route, vous me servez, comme vous m'avez servi toute votre vie votre haine infatigable a sans cesse été mon salut… Sans vous, pourrais-je sortir d'ici, en laissant cette cellule vide ? Vous allez y tenir ma place, comme j'y ai tenu celle de Thompson… Vous m'avez donnez un plan du champ où sont enterrés Noll et Dick… Vous m'avez donné la clef de votre arsenal de preuves… et, demain, si quelque soupçon naissait derrière moi, je vous laisse encore ici avec mission de l'étouffer.

– Aussi haut que portera ma voix, grinça l'ancien intendant de police, qui avait résisté trop longtemps à l'accès pour que sa fureur condensée n'éclatât pas enfin, terrible, je crierai tout ce que vous m'avez dit, assassin ou conspirateur ! Je vous dévoilerai, je vous démasquerai, ici, en France, partout !… Misérable insensé, si vous avez rêvé de mettre le feu au monde, il fallait garder votre secret ! Vous ne me tuerez pas sans résistance, et pendant la lutte ma voix percera cette porte. On vous trouvera près d'un corps mort… Si vous m'épargnez, je parlerai ! vous êtes à moi, quoi que vous fassiez ! vous vous êtes livré dans votre orgueil aveugle ! Je suis comme un ver de terre auprès de vous, mais je suis votre vainqueur.

Henri avait aux lèvres un sourire implacable.

– Vous voilà enfin comme je vous souhaitais, mon maître, dit-il en se préparant à passer la veste de gardien. Nous ne luttons pas comme les autres, nous deux, et, si je vous mets à mort à la fin, ce sera d'un coup inouï, avec une arme inconnue... Parlez ! de par Dieu ! enflez votre voix, criez... Quand on va vous trouver ici à la place de Thompson évadé, affirmez que vous avez été joué par Jean Diable entre ces quatre murs... Dites que Jean Diable est le comte Henri de Belcamp, et que le comte Henri de Belcamp, enfermé dans la prison de Versailles, vous a raconté sa vie cette nuit, à Newgate !... Écrivez à Paris que Percy-Balcomb et le comte Henri sont le même homme, bien que le père d'Henri et la femme de Percy disent le contraire... Envoyez des gens à Tivoli fouiller un terrain qui sera vide... Faites ouvrir par la police votre chambre de la rue Dauphine d'où vos papiers se seront envolés... Ajoutez à cela l'histoire d'une flotte à vapeur et de soixante mille soldat armés pour conquérir l'Inde... Vous ai-je parlé de mes cent dix canons ? J'ai cent dix canons, entendez-vous, avec leurs munitions... Vous ai-je parlé de mes dix mille fusils ?... J'ai dix mille fusils avec leurs baïonnettes et leurs cartouches... Ma flotte est prête. N'oubliez rien, vous, mon maître, vive Dieu ! n'oubliez rien ! j'ai besoin que vous disiez cela, que vous amalgamiez toutes ces fables, que vous entassiez toutes ces impossibilités... Vous reconnaissez-vous, répondez ! Reconnaissez-vous votre système ?... Je traite le gouvernement de l'Angleterre comme vos bandits traitent un détectif je lui jette aux yeux, par vous, à pleines mains, cette poudre d'absurdité que vous avez inventée ; j'épaissis entre lui et moi, grâce à vous, le brouillard d'invraisemblance... et, dans ce brouillard, ma machine glisse, mon artillerie roule, mes hommes marchent... Le géant de fer et de cuivre qui défiera vos vaisseaux à trois ponts doit approcher de Gravesend à l'heure où nous sommes... la marée est pour lui et le vent souffle du nord... La machine va doubler Ramsgate, entrer dans la Manche, gagner l'Océan... Mort de ma vie ! votre système est grand, souverain, merveilleux c'est l'instrument d'Archimède avec un levier facile... car, pour le faire marcher, il suffit de confier son secret à un honnête homme préalablement accusé de folie !

La gorge du détectif rendit un râle profond.

– Folie, si vous dites qu'un autre que Thompson était enfermé dans ce cachot ! poursuivit Henri qui ne modérait plus le sauvage éclat de son triomphe ; folie, si vous parlez de Jean Diable, à moins de donner ce nom à Thompson lui-même ! folie, si vous faites voyager le prisonnier de Versailles sur un rayon de lune comme un sorcier ! folie encore si vous mêlez Balcomb et Belcamp devant les gens qui connaissent Belcamp et Balcomb !... Les cadavres de Tivoli, rêves !... Les papiers de la rue Dauphine, illusions !... et la flotte ! oh ! la flotte ! et les canons !... folie ! folie !... Les trois royaumes vont rire... folie furieuse, comme il n'y en a pas à Bedlam !

Il y avait une écume sanglante à la bouche de Gregory Temple. Car tout cela était vrai.

Il l'entendait d'avance, ce cri de la prévention incurable, en face de l'invraisemblance de ses dénonciations Folie ! folie ! Folie !

L'impuissance de sa rage arrivait à être une agonie.

Il voulut parler, il ne put ; sa voix étranglée resta dans son gosier. Ses yeux tournèrent blancs, les coins de ses lèvres s'abattirent.

Il ferma ses deux poings, il fit un pas vers la porte, il se dressa tout droit en un suprême effort, et s'affaissa pesamment sur le carreau.

Henri lui tâta le cœur et attendit une minute en silence. Sa physionomie avait changé ; elle exprimait une grave commisération.

Au bout d'une minute, il souleva M. Temple et le porta sur son lit avec précaution. Il jeta sur lui la houppelande de Thompson, après avoir tourné sa tête vers la muraille.

– Holà ! Clarke ! Joseph Clarke ! cria-t-il en battant la porte à coups redoublés.

Son regard guettait cependant M. Temple, que ce cri ne fit point tressaillir.

La clef bruit dans la serrure.

– Je m'étais endormi, dit le gardien. Savez-vous qu'il n'est que temps !

– En route, Clarke, ordonna le comte Henri qui le repoussa dehors. Nous sommes en retard... Tu reviendras voir le prisonnier qui a pris mal... Tiens, voilà cinq guinées.

– Merci, monsieur Temple... c'est pour la femme et le petit.

En arrivant au haut du corridor, le prétendu M. Temple lui dit rapidement :

– Clarke, s'il vous arrive malheur, allez chez M. Wood, dans le Strand... il y a pour vous un contrat de rentes de soixante guinées... Voyez au prisonnier !

Clarke resta ébahi. Par la fenêtre du corridor, il entendit le guichet de la porte extérieure s'ouvrir, puis se refermer, et le pas rapide d'un homme dans la rue.

XV

L'aigle

Le jour se leva, brumeux et triste, sur une de ces scènes qu'il faut avoir vues pour s'en faire une idée, la fête d'Old-Bailey, dont la gloire toute jeune éclipsait déjà les splendeurs de Tyburn. Rien ne peut dire la gourmandise des curieux de Londres pour ces drames du gibet ; rien, si ce n'est, hélas ! la vogue hideuse qui affole une partie de la population parisienne les nuits d'échafaud.

Qui donc est ce public ? Au fond de ce mystère il y a un horrible mot. Ceux qui savent prétendent que ce public est le même exactement que celui de nos théâtres. Ce que certaines gens veulent bien appeler la *basse classe* n'est pas toujours en majorité. On voit là de bons bourgeois, emmitouflés chaudement contre l'angine, des cigares animés dont quelques-uns sont bien de la Havane, des femmes, entendez-vous, je ne dis pas des dames, des femmes qui ont un nom sous leur voile ; on prétend cela. J'ai ouï dire quelque chose de plus incroyable : aux fenêtres de ces taudis qu'on loue, pour mieux voir, loges obscènes de cet infâme spectacle, on aperçoit des visages de jeunes filles.

Amour du monde, Paris, fleur et perle des cités, j'ai ouï parler de beaux petits enfants, amenés là entre le père et la mère ! Leur promet-on qu'ils reviendront s'ils sont bien sages ?

Paris ! cœur de la terre !...

La charpente sombre sortait des fenêtres et pendait sur la foule : une foule massée, pétrie, pressée comme les harengs dans la caque ; une de ces foules qui tuent et noient. Cette cohue rendait un grand murmure essoufflé où l'on ne distinguait point le râle des femmes asphyxiées. Les fenêtres des maisons voisines étaient bouchées par les têtes et présentaient d'étranges mosaïques, formées de visages juxtaposés, dont les yeux avides flambaient. Une autre foule était sur les toits. Aux corniches, des excentriques avaient accroché des cordes et s'étaient pendus par la ceinture ou par les aisselles, en face de la poutre où l'on allait pendre un homme par le cou.

À Londres, la gaieté est rare ; mais là il y avait de la gaieté. C'était vraiment un bon gros rire qui couvrait les cris d'angoisse ou d'agonie. Quand la maîtresse fenêtre de la prison s'ouvrit enfin. Il y eut un long grognement qui valait bien les bravos que l'on accorde par anticipation à l'entrée d'un acteur favori.

Cependant celui qu'on devait pendre par le cou avait accompli à la lettre les instructions de son sauveur : il s'était dépouillé de sa douillette en passant le pont de Londres, et, portant désormais le costume de tout le monde, il avait tué de son mieux les heures de la nuit. Au moment où nos curieux l'attendaient, tuant le temps aussi à écraser des chiens et des enfants, Richard Thompson, exact au rendez-vous, venait d'entrer dans le cabaret de l'Épée-de-Nelson, sur le quai du dock Saint-Sauveur, en face de la grande grue. Il était là depuis quelques minutes à peine quand un jeune homme à la physionomie franche et riante vint droit à lui en disant : À l'avantage !

Richard ne se sentait pas le pied sûr tant qu'il touchait encore le sol de Londres. Maintenant qu'on lui avait rendu l'espérance d'embrasser Suzanne et son enfant, la vie lui était doublement chère. Il tendit sa main avec hésitation et répondit :

– Que cherchez-vous, bon cousin ?

– La Bible de mon maître, répliqua l'inconnu.

– Et qui est votre maître ?

– Le révérend John Gravesend, adjoint au vicaire de Saint-James.

Richard entr'ouvrit sa redingote et montra la Bible.

– Levez-vous donc, bon cousin, et suivez-moi, dit l'inconnu. Je vais vous mener à la fontaine.

Au bout du quai, il y avait une petite barque avec deux rameurs. Le jour était venu tout à fait, mais la brume épaississait. L'inconnu et Richard descendirent dans la barque.

– Lieutenant, dit une voix qui fit tressaillir Thompson, il vient de passer un canot plein d'hommes… mais je dis des hommes, là !…

ça vous avait des figures de vrais lapins… Je ne pouvais pas bien voir, rapport à la brume, mais il y en a un qui a crié : Bonjour, caporal !

Richard s'était élancé vers le rameur.

– Pierre Louchet, s'écria-t-il en lui saisissant les deux mains.

Il ne put dire que cela, et il resta tout tremblant.

La figure du bûcheron exprima une joyeuse surprise.

– La chance y est ! fit-il en clignant de l'œil à l'adresse du lieutenant. Depuis ce matin on ne voit que des gens de connaissance !… celui-là, c'est l'Anglais qui embrassait et qui pleurait… le ton… son… vous savez ?… les deux écus… celui qui n'était pas le père du mioche… et qui avait le petit portrait…

– Connaissez-vous donc ma femme et mon enfant, monsieur ? balbutia Richard, en se tournant vers son conducteur.

– Nage ! ordonna celui-ci qui prit la barre.

Puis il ajouta au moment où la barque entrait dans le courant du jusant :

– M. Thompson, je suis le frère de Sarah, votre amie, et je suis l'ami de votre chère femme, qui habite la maison de ma sœur… Appuie à bâbord, Pierre, méchant matelot !…

– On n'est pas du métier, lieutenant… Je n'ai appris que l'exercice.

Le petit Richard a bien dansé sur mes genoux, reprit le lieutenant. Je m'appelle Robert Surrizy.

– Ah !… fit Thompson. Et vous êtes le frère de Sarah !

– La folle vous avait parlé de l'histoire du carnet ?… et du nom qui veut dire sourire ?… Le roman a fini comme cela… et un autre roman a commencé pour elle dont le dénouement sera, s'il plaît à Dieu, le bonheur… Mais nous reparlerons de toutes ces choses à bord, monsieur Thompson, car, malgré la promesse de mon nom, je ne puis plus parler que du bonheur des autres.

Il donna un coup de barre pour éviter le câble d'une allège, et ajouta en étouffant un soupir :

– Appuie, les fils ! appuie partout !

Quelques minutes après, entre Deptford et l'île aux Chiens, la barque accosta le grand canot de la *Délivrance,* tout plein de ces figures de *vrais lapins* dont avait parlé Pierre Louchet. La *Délivrance* elle-même chauffait en avant du pont de la basse route de Deptford.

Cette fois Pierre Louchet reconnut les visages et faillit devenir fou.

– Le capitaine Gauthier ! le major Lointier ! le lieutenant Renault !... et le colonel aussi, saperlotte !... Vive qui qu'on va crier ?...

Au milieu de son transport, son regard rencontra, sur le pont du bateau à vapeur, une figure hautaine et calme. Il serra le bras de Robert.

– L'autre Anglais !... murmura-t-il ; celui qui écrivit le nom de la mère sur ma porte, et que M. Temple dit que c'est un assassin !

– Silence ! répondit Surrizy ; c'est le général !

À ce moment une clameur immense, faite de plaintes, de grognements, d'imprécations et de blasphèmes, partait d'Old-Bailey, le théâtre de l'échafaud, et montait dans le brouillard, qui heureusement défendait le ciel. Le spectacle était décommandé, on mettait une bande sur l'affiche ; ce n'était pas le condamné qui était sorti par la fenêtre ouverte, ce n'était pas même le bourreau et ses aides ; moins que cela ; ce n'était pas non plus le shériff arrivant comme un régisseur dans l'embarras pour avouer l'indisposition ou l'absence d'un premier sujet. Les charpentiers arrivaient pour démolir l'échafaud.

Oui, le cockney de Londres est soumis aux lois ; oui, Londres en colère s'enfuit devant un commissaire lisant le *riot act* sous la protection de quatre constable armés de baguettes ; oui, Londres est doux, timide et pareil à ces enfants peureux dont la maussade humeur s'apaise à la seule vue d'une poignée de verges ; mais, de par tous les diables ! il ne faut pas lui voler ses pendus !

Un meeting rassemblé dans un but frivole, la politique, par exemple, ou la religion, peut bien être dissipé par la lecture de l'acte sur les attroupements ; mais un meeting réuni pour voir pendre !

Les gouvernements les plus forts doivent s'arrêter devant certains excès. Promettre une pendaison et ne pas la fournir, c'est lâche ! Ces quinze mille citoyens qu'on a dérangés en vain avaient leur vie à gagner. Et quand pendra-t-on, je vous prie ? Retrouve-t-on l'occasion perdue ? On peut avoir affaire une autre fois.

Il y eut des vitres cassées. L'émeute hurla sous les fenêtres de Mansion House. Les constables arrêtèrent courageusement un Français égaré qui demandait son chemin, une vieille Irlandaise aveugle et le président d'un club de tempérance qui, pour un peu trop d'eau-de-vie qu'il avait bue, essayait de soutenir les murailles chancelantes de la tour.

Sans cette conduite ferme des constables, on ne sait pas ce qui serait arrivé.

La *Délivrance,* déployant derrière elle son long étendard de fumée, glissait déjà devant Gravesend et dépassait dans sa course légère tous ces fins voiliers de la marine anglaise qui étaient alors sans rivaux dans le monde entier. Sur le pont il n'y avait que l'officier de quart et les hommes nécessaires à la manœuvre. Au salon, tous ceux qui avaient droit de prendre part au conseil étaient rassemblés.

À l'issue du conseil, le comte Henri prit la main de Frédérick Boehm et la mit dans la main de Robert Surrizy.

– Voici l'homme que votre sœur Sarah aime depuis son enfance, malgré les événements et malgré elle, dit-il à Surrizy. Il avait seize ans quand votre père est mort. Il sera votre frère. Sa volonté est de vous restituer les biens du général. Maintenant que les comtes Albert et Reynier ne sont plus, moi seul au monde puis vous expliquer certains mystères ; la lumière sera faite, si Dieu me laisse le temps, et vous porterez, M. Surrizy, le nom d'O'Brien, qui vous appartient comme à Sarah. Ma vie a été laborieuse, vous le savez désormais, et c'est mon excuse. Depuis des années, je ne me souviens point d'avoir perdu une heure. Il se peut, Surrizy, car chacun de nous voit au travers de sa propre passion, il se peut que vous gardiez rancune au comte Frédérick, innocent des malheurs de votre famille. Souvenez-vous qu'il est votre chef dans notre hiérarchie, et qu'à l'heure où bientôt nous dirons tous adieu à l'Europe pour livrer notre grande bataille, c'est lui qui nous fournira notre meilleur drapeau : grâce à Frédérick Boehm, le roi de Rome et l'impératrice Marie-Louise seront à notre bord.

– Je n'ai pas de rancune, dit Robert, les yeux fixés sur le noble visage de comte Boehm. S'il veut, je puis être son frère en effet, car vous avez dit vrai, Belcamp, et Sarah m'avait déjà parlé de lui.

Une nuance rosée vint aux pâles joues de Frédérick Boehm.

– Mourir aimé et mourir en combattant !… murmura-t-il avec un sourire qui chantait son extase.

Mais il y avait un autre cœur qui cherchait Surrizy. Quand les embarcations devinrent plus rares dans la Tamise élargie, ils se rassemblèrent tous trois sur l'un des bancs qui bordaient le grand panneau, Surrizy, Frédérick et Richard. Richard et Frédérick se disputaient la parole : l'un disait Sarah, l'autre Suzanne ; ils épanchaient leurs espérances et leur bonheur dans cette pauvre âme de soldat qui n'avait plus ni bonheur, ni espérances, et qui pourtant, elle aussi, murmurait un nom auquel nulle voix ne faisait écho : Jeanne ! Jeanne !

– Mourir aimé ! pensait-il en répondant aux questions avidement égoïstes de ces deux amours, mourir en combattant !

Puis il ajoutait en lui-même, dans la vaillance de son cœur :

– Moi, je suis le fiancé de mon épée, et c'est en mourant que j'aurai mon vrai sourire !

Et il leur disait, à ces heureux :

– Sarah est belle comme la fleur sous la rosée ; Sarah vous aimera ; Sarah vous aime… Suzanne a bien pleuré ; dans sa prière de ce matin, Dieu a dû murmurer à son oreille : Ton bonheur est en route... Pour qui d'elle ou du petit Richard sera votre premier baiser ?

Ils n'entendaient pas le soupir qui s'étouffait tout au fond de sa poitrine.

On avait doublé Thanet. Ramsgate fuyait déjà sur la droite. Le brouillard restait à Londres, ici c'était le grand soleil.

À perte de vue, sur la Manche, on n'apercevait en ce moment qu'un grand navire courant sous toutes voiles vers le sud.

Henri monta au banc de quart et commanda :

– Tout le monde sur le pont !

Chacun vint et tous ces vieux soldats avaient leurs uniformes ; Henri portait le grand cordon de la Légion d'honneur par dessus ses habits.

On gagnait sur le navire, dont l'arrière avait ce nom nouvellement inscrit : l'*Aigle.*

En arrivant par son travers, Henri commanda de hisser le pavillon.

Le drapeau tricolore flotta à la corne d'artimon de la *Délivrance,* et des couleurs pareilles montèrent à l'arrière de l'*Aigle.*

Ce ne fut qu'un instant, mais sur tous ces visages bronzés des larmes roulèrent.

On pouvait voir, entre le grand mât de l'*Aigle* et son mât d'artimon, le pont défoncé sur une longueur de plusieurs mètres. Par cette ouverture passait le dos brillant de la machine Perkins, dont le cuivre et le fer ruisselaient au soleil.

Autour de la machine cinquante officiers français étaient rangés.

Henri se découvrit et mit la main sur sa poitrine. Un seul cri, un grand cri, passa de l'un à l'autre navire : Vive l'empereur !

Pus les deux pavillons tricolores tombèrent. L'*Aigle* mit son cap au sud-ouest, et la *Délivrance* poursuivit sa route vers les côtes de la France.

XVI

Rendez-vous

Cinq jours s'étaient écoulés depuis qu'avaient eu lieu à l'hôtel de France de Versailles les préliminaires du mariage de Jeanne avec Percy-Balcomb.

Nous sommes à Miremont, dans la maison de la veuve Touchard.

Le jour baissait. Germaine et Jeanne étaient sous la petite tonnelle tapissée de chèvrefeuilles, d'où l'on apercevait de profil le paysage charmant plusieurs fois décrit dans ces pages. Ce n'étaient point ici les vastes aspects de la clairière, située à mi-chemin de la Croix-Moraine, et ce n'était pas non plus l'horizon complet que voyait le château. Le Prieuré, assis à mi-côte avait devant lui le parc de Belcamp, bordé par la courbe de l'Oise. L'œil s'arrêtait d'un côté aux collines qui montent vers l'Isle-Adam, de l'autre à ces fouillis de verdure sur lesquels tranchait le vieux moulin avec son arche antique.

Madame Touchard avait le curé. Ils s'asseyaient tous deux sur le banc de bois, encadré dans les rosiers, qui s'adossait à la maison, entre les deux fenêtres du salon. La tante avait déposé son ouvrage, sur l'avis amical du bon prêtre disant : « Ma chère dame, *vous vous perdez la vue,* » et ils causaient tous deux, tandis que par derrière la servante allumait au salon.

Jeanne et Germaine causaient aussi, mais à voix basse. M. le curé, au travers de la cloison en fleurs, avait essayé vainement deux ou trois fois d'entendre un peu ce qu'elles disaient.

Germaine était toute rose, Jeanne, calme et douce, avait sa belle pâleur, Germaine n'écoutait guère la conversation du prêtre et de la tante ; Jeanne en saisissait parfois quelques mots qui la faisaient plus distraite.

– Mais enfin, dit Germaine, tu l'aimais, je m'en souviens bien.

Je l'aime encore comme je l'aimais, répondit Jeanne. C'est pour moi un frère.

– On n'épouse pas son frère, et tu te laissais très-bien marier avec lui.

– Je le savais franc et noble comme l'or. Sa femme sera heureuse.

– Voilà ! s'écria Germaine dont le petit pied colère frappa le sable, moi j'ai été une inconstante, une infidèle, une capricieuse et tout ce qu'on voudra, le jour où j'ai dansé avec le comte Henri de Belcamp… et toi, parce que tu as toujours de belles raisons à ton service, tu as mis de côté le pauvre Robert, sans que personne ait soufflé mot… pas même lui !…

Il y eut un silence pendant lequel la tante dit au curé :

– Des hommes qui n'avaient pas de famille, vous comprenez… certainement, cela peut prêter à la médisance, mais on voit tous les jours des testaments pareils… Feu ma sœur avait le ton et les manières d'une personne comme il faut, malgré l'état qu'elle faisait… M. Robinson et M. Turner étaient cousins tous les deux et avaient le même héritier : un vrai scélérat, à ce qu'on dit… et c'était sans doute une manière de le déshériter…

Le curé murmura :

– C'est toujours une bien étonnante histoire !

– Robert est le meilleur des hommes, pensa tout haut Jeanne.

Puis elle ajouta en souriant :

– Non pauvre Laurent n'a-t-il pas eu raison d'avoir peur ? Tu as été bien près d'aimer le comte Henri, Germaine !

– Moi ! s'écria la fille de l'adjoint Potel avec indignation, je n'aime personne !

– Excepté Laurent, j'espère ?

Germaine dit avec une rancune concentrée :

– Depuis que vous voilà riches comme des puits, vous n'êtes plus les mêmes !

– Il n'y a que moi de riche, prononça Jeanne d'un accent rêveur.

Germaine repartit presque sèchement :

– Ça n'en est que plus drôle !

– Je croyais comme vous, disait la tante, que les choses auraient traîné en longueur, et que nous allions avoir des affaires bien embrouillées, mais tout cela s'est fait comme par enchantement, Jeanne était émancipée d'avance, vous savez ?

– Et qui vous avait mis cette idée d'émancipation en tête ?

– M. le comte Henri de Belcamp.

– À quelle occasion ?

– Dès le premier jour… Ma sœur Constance avait ses hommes d'affaires à Londres : un M. Daws, qui était dépositaire des deux testaments, et un M. Wood… quelque chose comme un avoué. C'est ce M. Wood qui a pris la direction de tout cela. En moins de deux mois, tout a été fini, et Jeanne pourrait maintenant, si elle voulait, toucher la totalité.

– C'est bien toi plutôt, reprenait Germaine, c'est bien toi qui as été sur le point d'aimer le comte Henri ! Moi, il me faisait peur, voilà tout…, je le trouvais trop beau, et toute cette histoire de sa Georgette, en Australie, c'était pour toi… Comme c'était joli quand il la racontait !…, et puis il t'avait sauvé la vie ?… Va, Jeanne, je n'étais pas jalouse ; s'il avait dû aimer quelqu'un ici, c'était toi !

– Jalouse ? répéta Jeanne en souriant.

Germaine rougit jusqu'au blanc de ses jolis yeux.

Mais il faisait brun déjà, et les deux fenêtres du salon brillaient, montrant le petit ameublement, forme empire, en merisier recouvert de laine jaune. Germaine pensa qu'on ne verrait point sa rougeur.

– Tout cela pour épouser M. Percy-Balcomb ! reprit-elle d'un petit ton dégagé. Tu nous diras quelque jour le mot de l'énigme, ma bonne, n'est-ce pas ?

Elle regarda Jeanne, qui était rêveuse, et jeta ses deux bras autour de son cou en murmurant :

– Je ne sais pas pourquoi je parle toujours de cela !... Tu es la meilleure comme la plus belle... C'est l'idée que j'ai que dans le monde entier il n'y avait que toi pour Henri et que Henri pour toi... Gronde-moi si tu veux, j'ai besoin de le dire à quelqu'un : Eh bien ! oui, si Henri m'eût aimée par hasard, je serais devenue folle... Si j'étais homme, je voudrais le servir comme un esclave..., et j'ai dit à ton frère que je serais sa femme s'il se dévouait à Henri !

Elle s'arrêta frémissante.

Jeanne lui mit sur le front un long baiser et murmura :

– Ne dis cela qu'à moi, Germaine...

La voix du vieux prêtre s'élevait. Moins que jamais, Germaine écoutait de ce côté, il n'y eut que Jeanne à entendre.

– Dès le premier jour ! disait M. le curé avec étonnement ; il vous a parlé de ces deux successions dès le premier jour !

Comme de deux éventualités plus ou moins éloignées, répondit la tante.

– Et il vous demanda les actes de naissance ?

– Vous savez, nous étions cruellement gênés à la maison... Depuis la mort de la mère, les deux enfants étaient pour moi une lourde charge... on se plaint..., on bavarde..., je disais des choses que je ne comptais pas faire... je parlais de mettre les deux enfants à la porte.

– Ce fut dans cette première conversation qu'il vous conseilla de faire émanciper Jeanne ?

– Ce jour-là ou le lendemain...

– C'est grave, dit M. le curé.

– Pourquoi grave, puisqu'il fréquentait ma sœur à Londres et qu'il connaissait ses affaires ?

Le vieux prêtre fit sonner violemment sous sa main le couvercle de sa tabatière.

– Madame, s'écria-t-il comme malgré lui, votre sœur aussi est morte assassinée !

La tante recula sur son banc.

– Qu'as-tu, Jeanne ? demanda Germaine ; tes mains deviennent froides.

– On vient chercher mademoiselle Germaine, dit la domestique à la porte du salon.

M. le curé se leva.

– Malheureuse histoire, ma bonne dame, conclut-il. Dieu me garde de soupçonner le fils de notre digne maire ! Mais… mais…

– Mais quoi ? demanda la tante avec une certaine velléité de bataille.

– Germaine, mon enfant, interrogea le vieux prêtre à haute voix, avez-vous le bateau ?

– Oui, monsieur le curé.

– Adieu donc, ma bonne dame, dit ce dernier non sans précipitation. J'ai mon rhumatisme et je ne serai pas fâché d'éviter le détour du pont du moulin, qui m'allonge d'un bon quart de lieue… La paix soit avec vous !

La tante resta maussade et pensive. Le curé baisa Jeanne en silence, pendant que Germaine nouait les rubans de son chapeau de paille, et ils partirent tous les deux, descendant droit à la rivière où le jardinier de l'adjoint Potel attendait avec le bachot.

À peine avaient-ils dépassé le coude du sentier que Briquet se montra à l'autre bout du jardin. Jeanne s'élança à sa rencontre. Elle ne parla point cependant, et ce fut la tante qui demanda :

– Avons-nous de meilleures nouvelles, ce soir ?

– Voilà une vieille bête à qui je jouerai un tour de ma façon avant le jugement dernier, cette madame Etienne ! répondit Briquet. Ça devient monotone de m'appeler toujours M. Trompe-d'Eustache… une simple cuisinière n'en a pas le droit !… Pour les nouvelles, M. le marquis va toujours de même. Les médecins de Pontoise n'y entendent goutte, voyez-vous ; on n'a de bons remèdes qu'à Paris… Le pharmacien d'en face de chez nous, rue Dauphine, vous mangerait cette fièvre-là en deux douzaines de pilules !…

– Il a passé une mauvaise journée ? interrogea la jeune fille avec émotion.

– Est-ce qu'on sait dans c'te maison-là ? Ça a l'air d'une grande morgue ! Pierre et mademoiselle Fanchette poussent des soupirs ; Anille et Julot vont jusque dans le bas parc pour s'entrefaire la cour avec des griffes… C'est si godiche la campagne !… Madame Etienne vous a des airs d'enterrement et parle de ce qu'on fit pour la pompe funèbre de son ancienne dame… Le médecin est installé au salon, où il prend son café toute la sainte journée… Pierre a dit qu'il y avait plutôt un petit peu de mieux…

– Ah !… fit Jeanne ; et avez-vous demandé s'il voulait me recevoir ?

– Personne n'entre dans sa chambre, excepté la Madeleine, la mère de M. Robert… encore une qu'est d'une gaieté à faire dresser les cheveux sur les têtes depuis longtemps chauves !

– On ne vous a rien dit de M. le comte Henri ? interrogea la tante.

– Pas soufflé !… La cuisinière fait ses embarras, rapport à un méchant barreau de la grille que j'ai enjolivé de mon nom avec une lime… qu'on a découvert que je m'en étais servi parce j'avais aussi regravé Briquet sur le manche… Y a donc de quoi fouetter un chat !

– Et la poste ?

– Rien des bureaux ! répliqua Briquet. – Je fais toujours mes plaisanteries spirituelles de Paris, comme si c'était compris dans le fond des campagnes !… Rien de rien, quoi !… C'est drôle d'avoir trois maîtres au soleil et de n'en plus voir la queue d'un… pas même

M. Férandeau !... Dites donc ! je mangerais une bouchée sans répugnance après ma course.

On l'envoya souper.

En gagnant la cuisine, il se frotta les mains avec énergie en disant :

– N'empêche que je l'ai mis tout au long sur la boîte aux lettres !

Sous-entendu son nom de Briquet.

Passion étrange et puissante comme celle qui entasse les chiffons sous le nom d'autographes ! J'ai connu un ancien fabricant de boîtes à musique qui collectionnait des boutons.

Il était à son aise et coupait les *moules* sur le dos des laquais, au parterre des théâtres.

– Je ne suis pas inquiète de M. Balcomb, dit la tante : nous ne pouvons pas avoir le courrier de Londres avant demain soir... Mais ton frère... et ces messieurs.

– Trois étourdis !... murmura Jeanne, comme pour esquiver la nécessité d'une réponse.

– Certes, certes, fit madame Touchard, et quelquefois bien gênants... mais c'est égal, la maison semble triste et trop grande.

Jeanne prit sa lumière.

– Déjà ! s'écria la tante étonnée.

– Je suis lasse, répliqua la jeune fille.

– J'aurais voulu te parler affaires, mon enfant ; cet argent que tu as dans ton secrétaire...

– Demain, ma tante, je suis lasse.

Elle tendit son front au baiser de madame Touchard, et monta l'escalier de sa chambre.

Sa chambre était restée simplette et pauvre comme au temps où sa tante l'avait à *sa charge*. Il y avait un petit lit avec des rideaux de calicot blanc, une commode de noyer, un vieux secrétaire et quatre chaises de paille. Pour ornements, un enfant Jésus sur la commode et une Vierge dans la ruelle.

Elle avait des millions et elle était par contrat la femme d'un millionnaire.

Dans ce vieux petit secrétaire, à la tablette tremblante, on avait enfermé aujourd'hui même des titres qui valaient deux cent mille francs de rentes.

Jeanne déposa sa bougie sur la commode et ouvrit sa fenêtre. La fenêtre avait la même vue que le jardin, plus large seulement et plus nette. Le Prieuré, comme l'indiquait son nom, était une vieille demeure : la chambre de Jeanne avait un balcon en tourelle avec une balustrade de fer. Jeanne mit une chaise sur le balcon et s'assit.

La nuit était venue tout à fait. La lune rouge s'élevait derrière les collines barbues. Le ciel, où quelques nuages blancs voguaient avec lenteur, avait des teintes profondes, car cette lune, large et terne comme un grand disque d'airain, ne dardait pas encore de rayons.

Jeanne croisa ses mains sur ses genoux. Elle avait toujours son vêtement de deuil. Son visage était triste et des soupirs soulevaient sa poitrine.

Je ne sais dire pourquoi elle était ainsi plus belle. Dans cette nuit éclairée par les vagues reflets du bougeoir et par les lueurs qui montaient de l'horizon, il y avait autour de sa jeune tête mélancolique et si pure un angélique reflet. Les poëtes ont vu de pareils visages au travers de l'extase ; les peintres aussi, qui sont des poëtes avec un instrument plus grossier. Moi, je la reconnus un jour dans un chant de Beethoven ; une autre fois, j'aperçus ses noirs cheveux qui flottaient parmi les sobres et divins accords d'une sonate de Mozart.

Elle était la beauté qui est leur rêve à tous, la beauté une et souveraine. Je sais ce que c'est que la beauté : c'est cette argile que la main de Dieu modela, chauffée jusqu'à la transparence et montrant les rayonnements de l'âme.

Les regards de Jeanne se perdaient dans la nuit.

Il y avait deux lumières parmi l'ombre, l'une tout près, l'autre au lointain, la première dans la pauvre cabane de Madeleine Surrisy, la seconde au château de Belcamp.

Jeanne regardait ces deux lumières.

Un soupir souleva sa poitrine. Elle envoya un baiser vers le château en murmurant ces deux mots : mon père !

Elle détourna ses yeux de cette autre lueur qui venait de la cabane.

Les bruits du dehors allaient mourant.

Au dedans, on entendait encore la voix des domestiques, et les pas lourds de la tante vaquant à des soins d'intérieur.

Le clocher invisible et perdu, comme le village, dans l'ombre de la montée, sonna neuf heures. Le moulin cessa de chanter, et l'on commença d'ouïr le cours de l'eau.

Jeanne était immobile comme une sombre et délicieuse statue.

– Encore quatre heures ! murmura-t-elle quand le clocher eut fini de parler.

Elle se leva et vint s'agenouiller au-devant de son lit. Elle pria longtemps, les yeux fixés sur l'image de la Vierge. Quand elle s'assit de nouveau sur le balcon, les deux lumières brillaient encore, seules dans le paysage qu'enveloppait la nuit.

La brise des soirs ridait maintenant un blanc ruban d'argent qui festonnait le bas de la colline. La lune avait monté. Le ciel palissait et voilait les feux diamantés de ses étoiles.

Dans la maison les bruits se taisaient, enflant ces autres sons vagues qui viennent des ténèbres et dont l'accord murmurant s'appelle le silence.

Dix heures sonnèrent, puis onze heures. Minuit tinta ses douze coups, pendant que la lune, au plus haut de sa course, glissait, nef muette et splendide, parmi l'écume des nuées, Jeanne restait sur le balcon, et les deux lumières brillaient toujours.

– Madeleine veille, prononça Jeanne, tressaillant au son de sa propre voix qui rompait le silence. Mon père souffre…

À une heure moins le quart, elle rentra et prit dans son secrétaire une liasse de papiers qu'elle serra dans son sein ; elle avait dans l'expression de ses traits une grave mélancolie, point d'agitation, point de crainte.

Elle ouvrit sa porte sans hésiter, elle descendit l'escalier en prenant des précautions pour n'être point entendue, mais d'un pas ferme. Elle sortit : le gros chien de garde vint japper à ses pieds. Au dehors, et quand elle eut refermé la porte de la cour, le sentiment de la solitude la saisit en même temps que le froid peut-être. Elle hésita, elle resta frissonnante à deux pas du seuil, mais ce ne fut qu'un instant, et bientôt elle prit sa route vers le chemin de halage. Une fois au bord de l'eau, elle suivit résolûment le plan nivelé qui menait au moulin.

À sa droite la façade blanche du château neuf brillait comme un palais de marbre.

En arrivant au pont du moulin, dont le tablier frêle, posé sur de massifs supports, tremblait au choc de la chute, elle s'arrêta et s'accouda contre la balustrade vermoulue. On y voyait là comme en plein jour. Son œil suivit le fil de l'eau jusqu'à l'atterrissement planté de saules, où ses yeux en se rouvrant, avaient pour la première fois rencontré le regard du comte Henri.

Puis elle reprit sa marche, mais il y avait une larme sous sa paupière.

Elle allait maintenant dans la direction du vieux château.

À deux cents pas du moulin, elle tourna sur la gauche pour entrer dans cette grande prairie où Madeleine Surrizy avait entrevu deux ombres, le soir où elle porta la lettre du marquis à la poste de Saint-Leu, la lettre qui mandait Gregory Temple au château. Elle traversa toute la prairie et gagna l'avenue qui descendait de l'esplanade à l'Oise, en face de la maison de Madeleine.

Là elle s'arrêta et s'assit sur le tronc du vieil arbre déraciné.

Ses deux mains s'appuyèrent contre son cœur.

Elle attendit. C'était un rendez-vous donné au lieu même où s'étaient échangées les premières paroles d'amour, douces choses dont l'écho, réveillé dans ce silence, faisait encore palpiter son cœur.

Le soir du contrat de mariage, à Versailles, Henri lui avait dit : Dans cinq jours, à une heure du matin, je serai là.

Chaque lieu a non-seulement son aspect, mais ses saveurs aussi et son langage. Revenez au pays après longtemps, c'est le parfum particulier de l'air qui le premier vous saisira le cœur, avant même les caresses du paysage ; puis ce sera quelque son familier, le timbre d'une horloge dont le carillon forme un accord à quoi rien ne ressemble, la plainte d'une cascade, le choc d'un marteau, emmanché peut-être à une pauvre main qui a bien faibli depuis le temps ! Une fois, dans un jardin où j'avais rêvé le songe heureux de l'adolescence, j'ai pleuré ; deux grosses branches frôlaient l'une contre l'autre, tout en haut d'un tilleul : je reconnaissais l'instrument monotone et mystérieux qui jadis accompagnait le chant de mon premier rêve…

La nuit était douce et calme comme celle de l'autre rendez-vous. Jeanne écoutait la même brise dans les mêmes feuillages, et l'Oise tranquille murmurant la même caresse à ses rêves. Jeanne laissa tomber sa tête entre ses mains. Une angoisse lui étreignit l'âme. Pourquoi ?…

Au lointain, vers l'Isle-Adam, un bruit se fit, mais si loin que l'oreille en percevait à peine la nature. C'était peut-être le trot cauteleux d'un gibier sous bois : mais le vent soufflait du nord-est. Non, non, cela sonnait autrement que le sabot mignon d'un chevreuil ; c'était bien le fer d'un cheval broyant le sable de la route. On distinguait déjà la batterie du galop. Voici qu'une ombre rapide glissait sur le chemin de halage.

Les planches du vieux pont retentirent, et le chien du meunier aboya.

– Henri !...

– Ma Jeanne chérie !...

Il y eut un long baiser silencieux.

Puis, comme l'autre fois, ils s'assirent l'un près de l'autre, tandis que le vaillant cheval, dont les flancs fumants avaient le manteau d'Henri pour couverture, restait dans l'herbe sans même être attaché.

– Jeanne, ma femme bien-aimée, dit Henri dont le visage parlait de fatigue, mais en même temps rayonnait l'enthousiasme, nos jours d'épreuve sont à leur fin. Tandis qu'ils poursuivent ici l'ombre d'un criminel, le soldat combat et remporte ses obscures victoires, prélude d'un immense triomphe. Dieu est avec nous et conspire. Tout a réussi : nos hommes sont embarqués, la machine Perkins vogue vers les côtes de Guinée... et moi je reviens subir ma dernière épreuve pour m'élancer, libre et fort, à la tête de mon armée !...

Jeanne donnait son beau front à ses baisers, mais elle restait silencieuse.

– Libre !... murmura-t-elle enfin dans un profond soupir, vous êtes libre aujourd'hui, Henri... mais demain...

– Aujourd'hui je suis enchainé par ma promesse et mon devoir, Jeanne ; demain cette chaine sera rompue...

– Écoutez-moi, interrompit la jeune fille avec effort, j'ai sur moi toute ma fortune, toute cette fortune dont la source est un deuil et un tourment. Prenez-la et fuyez.

Elle entr'ouvrait sa mante et présentait à Henri ces papiers retirés de son secrétaire.

– Fuyez !... répéta Henri.

Il s'était reculé comme si une main brutale l'eût blessé en le repoussant. Une pâleur mortelle couvrait son visage.

– Vous n'avez pas même dit fuyons ! ajouta-t-il.

S'il faut le dire pour vous persuader, Henri, murmura Jeanne, fuyons ! oh ! fuyons bien vite : je suis prête !

Il se rapprocha et mit la main froide de Jeanne contre ses lèvres qui brûlaient.

Et cependant vous savez tout désormais, prononça-t-il de cette voix vibrante qui attachait comme un lien, qui enveloppait comme un rêt, et dont l'accent descendait si profondément dans le cœur ; – à vous seule ici-bas j'ai donné mon secret tout entier… et c'est vous, Jeanne, qui me conseillez de fuir !

– Je vous le demande à genoux, Henri, parce que je vous aime et que j'ai peur.

– Qui n'a plus confiance en moi ne m'aime pas, Jeanne ! murmura le jeune comte, dont la tête s'inclina sur sa poitrine.

Les deux mains de Jeanne étreignirent son cœur.

– Ô mon Dieu ! mon Dieu ! s'écria-t-elle, tandis que deux grosses larmes brillaient en roulant sur sa joue, peut-on donner plus que sa conscience à celui qu'on aime !…

Puis avec le froid de la grande passion, elle ajouta en se tournant vers Henri :

– Ma fortune n'est rien, je la déteste ; ma vie est peu, car je voudrais mourir ; mon honneur… Je suis folle… Je souffre… les mots de ma prière brûlent ma bouche et mon cœur… Je vous aime… Je hais le jour où je vous ai vu… Je suis si malheureuse que j'espère parfois en la pitié du monde… et je suis si heureuse que j'ai peur des jalousies du ciel !… Je veux aller avec vous en haut ou en bas ; il y a une chaîne autour de mon cœur ; je vous appartiens ; vous me cachez ma religion, vous êtes ma conscience… Y a-t-il plus à donner, dites, dites ! je vous le donnerai.

Elle appuya sa tête contre le sein d'Henri qui battait violemment. Mais il affermit, par un effort violent, sa voix qui tremblait, et dit avec une tristesse austère :

– Jeanne ! ce n'était pas ainsi que je voulais être aimé.

Un sanglot souleva la poitrine de la jeune fille.

– Mon Dieu ! mon Dieu !… répéta-t-elle du fond de son angoisse.

Il reprit lentement.

– Je ne voulais pas que ma femme pleurât, je ne voulais pas que ma femme souffrît, je ne voulais pas qu'un trouble ou qu'un doute se mêlât, le soir, à la prière de ma femme. Je ne voulais pas qu'elle dît ou qu'elle pensât : Je ne sais plus ce que c'est que l'honneur. Je ne voulais pas être entre elle et sa religion, et j'avais choisi sa conscience pour être la mienne.

Jeanne se couvrit le visage de ses mains.

– Quand vous êtes là, je crois… murmura-t-elle.

– Je voulais que ma femme n'eût pas besoin du son de ma voix ou de la persuasion de ma parole pour croire, car je puis n'être plus là et manquer à cette tâche de servir sans cesse d'appui à une confiance chancelante. La porte de mon cachot peut se murer, je puis mourir…, et je voulais que, prisonnier ou mort, ma femme fût ma volonté même, active et libre, hors de ma prison et au-delà de ma tombe. Je voulais de l'amour, puisque j'aime, mais entre vous et moi, Jeanne, quelque chose devait dominer l'amour même : c'était la foi.

Elle jeta ses bras frémissants autour de son cou.

– Pardon, balbutia-t-elle dans ses larmes, pardon et pitié ! Je n'étais pas digne de vous aimer !

– On dit cela quand on n'aime plus, Jeanne, répliqua Henri dont l'accent se fit plus douloureux et plus amer.

Alors elle se laissa glisser à deux genoux, et s'écria parmi ses sanglots qui éclataient :

– Vous êtes perdu, Henri ! Je vous dis qu'il faut fuir… non pas seul…, tous deux ; oh ! oui, tous deux, car je veux me perdre avec vous !

XVII

Mémento

Le comte Henri s'inclina sur le front de Jeanne, oh il mit un baiser. Toute l'émotion de sa voix avait disparu quand il répondit :

– Que ne disiez-vous qu'il s'agissait d'un danger nouveau, Jeanne ? Je vous ai avoué dès le premier jour que ma vie était le danger même, et qu'il n'y avait rien en ma vie qui ne fût danger, danger de honte, de chute et de mort ! Je vous ai avoué cela bien simplement et bien sincèrement, comme on discute dans le monde, entre époux sages, les fortunes et les positions avant de passer le contrat. Je vous ai avoué cela pour que vous puissiez prendre une décision en pleine connaissance de cause ; mais je ne m'abuse pas ; ces précautions loyales n'étaient pas suffisantes. On n'inculque pas en une fois à une chère enfant comme vous cette terrible idée du danger permanent, habituel, sans cesse renaissant et toujours prêt à vous submerger comme une mer où l'on nage. La pensée d'exagération vient d'elle-même, et malgré soi l'on croit voguer en pleine fiction poétique. Si j'avais su qu'un péril vous effrayait, j'aurais été moins sévère, il faut de la douceur pour donner à l'élève docile sa première leçon. Relevez-vous, Jeanne, ma bien-aimée, et souvenez-vous que depuis l'heure où j'ai cessé d'être enfant j'ai respiré le péril comme vous respirez l'air qui vous fait vivre. J'ignore la cause de votre effroi, mais je vous certifie d'avance qu'il ne tiendra pas contre ma confiance. Tout à l'heure, je vous disais le mot : C'est la mer, et je nage. Qu'importe une tempête de plus quand le cœur et le bras sont forts, exercés, infatigables ! Asseyez-vous là, près de moi, et parlez ; que je sache tout, que je vous quitte heureuse et consolée ; que j'emporte avec moi, pour les heures de ma suprême épreuve, la chaleur vivifiante de votre baiser le plus doux et le baume de votre adoré sourire.

Il souriait lui-même, si calme, si vaillant, si fier que les larmes de Jeanne se séchaient à l'écouter. Elle obéit comme un enfant, elle aussi vaillante que lui sous sa frêle enveloppe, et aussi forte peut-être.

Elle s'assit, les mains dans ses mains, mais son pauvre cœur battait, et, quoi qu'elle fit, elle ne put lui rendre sourire pour sourire.

– Henri, dit-elle après s'être recueillie en elle-même, il faut en effet que vous sachiez tout : depuis votre départ, il s'est passé tant de choses ! Vous n'êtes plus accusé de deux meurtres impossibles, accomplis à la même heure sur deux points différents : vous êtes accusé d'avoir tué deux hommes au restaurant du *Gourmand du jour,* dans la nuit du 15 au 16 mai, la veille de la fête de votre père.

Involontairement, Jeanne avait les yeux fixés sur ceux du jeune comte.

La lune, au plus haut de sa course, avait mangé les nuages. La lumière était vive et nette. Les moindres détails de la physionomie d'Henri apparaissaient aussi distinctement qu'en plein jour.

S'il fût resté impassible cette fois, peut-être que le soupçon se serait enraciné dans l'esprit de Jeanne, car la surprise est une chose naturelle, et pour la supprimer il faut un effort.

Mais Henri ne cacha point sa surprise. Seulement sa surprise fut exempte d'inquiétude.

– Ah ! murmura-t-il ; alors, c'est que j'ai un ennemi de plus.

– Gregory Temple ?…

– Non, Gregory Temple est à Londres et réduit au plus fâcheux état. Les médecins déclarent désormais sa folie incurable.

– Gregory Temple, poursuivit Jeanne, a laissé à Paris un agent actif et implacable, Madeleine, la mère de Robert Surrizy.

– C'est juste, dit le jeune comte.

Et ce fut tout ; Jeanne reprit :

– Soit que Madeleine ait reçu des instructions de M. Temple, soit qu'elle ait agi par elle-même, une fouille a été pratiquée dans les terrains de Tioli, et l'on a découvert deux cadavres dans une fosse peu profonde qu'on avait recouverte à l'aide de mottes de gazon… Les fouilles ont été faites sans tâtonner… l'indication donnée parlait de chardons replantés au-dessus du trou et que la sécheresse avait sans doute empêché de reprendre… on a creusé du premier coup sous une touffe de chardons desséchés…

– Ces détails m'étaient connus, interrompit Henri froidement. Tom Brown a fait son métier ; passez !

– Tom Brown ! répéta Jeanne qui tressaillit.

– Entendîtes-vous déjà prononcer ce nom ? demanda le jeune comte.

– Oui, répondit Jeanne ; bien des fois, depuis trois jours... votre affaire est dans toutes les bouches et remplit tous les journaux...

– À quelle occasion parle-t-on de ce Tom Brown ?

– Je vous le dirai tout à l'heure. Auparavant, je veux finir ce qui regarde les deux hommes tués à Tivoli... Nous avons tous été interrogés comme témoins...

– Vous s'écria Henri, stupéfait cette fois.

– Tous ceux qui étaient dans la loge au théâtre Feydeau.

– C'est juste, fit encore le jeune comte avec un sourire amer : lady Frances, Germaine, M. Potel et Suzanne... et vous n'avez certes pu dire autre chose, sinon qu'il y avait sur moi deux taches de sang ?...

Jeanne courba la tête.

– Vous l'avez dit et vous avez bien fait, Jeanne, prononça le jeune comte gravement. C'est par le mensonge seul que je puis être perdu.

Un soupir souleva la poitrine de Jeanne.

– Sur mon salut, Henri, s'écria-t-elle, je ne vous crois pas coupable !

– Me faites-vous cette grâce, en effet ?...

– Oh ! ne me raillez pas et ne discutez pas les paroles qui m'échappent... Je vous aime, ayez pitié de moi !

Il l'attira contre son cœur et murmura :

– Tout le bonheur que je vous donnerai dans l'avenir, enfant mille fois chérie, ne payera pas ces larmes... J'aurais dû combattre seul !

– Je vous aurais aimé malgré vous ! dit-elle en un baiser.

Puis, se dégageant :

– Notez bien que je ne suis pas la seule à vous croire innocent, reprit-elle ; Germaine, la chère créature, lady Frances, Suzanne et ma tante vous défendent... et votre père, votre admirable père, l'amour fait chair, la confiance, la bonté, la loyauté ! Je ne l'ai vu qu'une fois depuis votre départ, et certes il ne sait pas que je suis plus près de vous encore que lui-même. C'est de l'adoration qu'il a pour vous, Henri, et pour cela tout le restant de ma vie l'entourera d'un culte.

– Mon bien-aimé père ! murmura le jeune comte ; avec vous, Jeanne, c'est là le meilleur de mon cœur... mais, continua-t-il, comment ne l'avez-vous vu qu'une seule fois depuis mon départ ?

– Je répondrai à cette question en terminant, et ma réponse sera triste, Henri... Laissez-moi suivre le fil de mes révélations... Vous m'interrogiez sur ce nom de Tom Brown, voici ce qui s'est passé le lendemain de votre départ à Paris, rue Dauphine, n° 19, où M. Temple avait son domicile.

Le jeune comte fit un mouvement et ne prit point la peine de cacher un vif redoublement d'attention.

– Un garçon boiteux, continua Jeanne, fils du concierge de cette maison, n° 19, se rendit dans la matinée chez le commissaire de police du quartier, et fit déclaration qu'une odeur pestilentielle sortait par les fentes d'une porte dans la maison garnie tenue par son père. La porte était celle d'une chambre habitée par un Anglais, qui avait abandonné son domicile depuis plus d'une semaine, en emportant sa clef. Le commissaire de police se transporta sur les lieux ; le concierge, sa femme et sa fille donnèrent de telles explications sur les allures mystérieuses de cet Anglais, qui était M. Temple, que le magistrat dut croire à un crime, et n'hésita pas à faire forcer la serrure.

Chacun s'attendait à se trouver en face d'un cadavre, tant l'odeur qui sortait par les fentes et le trou de la serrure était fétide. Il n'y avait point de cadavre. L'odeur venait d'un plat de viande abandonné sur une table, et dont la décomposition avait rempli de miasmes cette chambre close.

Mais la justice se trouva là tout à coup en présence de découvertes plus importantes que la preuve même matérielle et sanglante d'un crime, et c'est la mise au jour des documents rassemblés dans cette chambre, jointe à l'exhumation de Tivoli, qui a donné à votre procès cette nouvelle et redoutable allure.

– Qu'y avait-il donc dans cette chambre ? demanda Henri sans fanfaronnade mais sans peur.

– Il y avait ce que vous avez dit la trace d'une étrange et implacable folie. Une sorte de légende répétée partout, faite d'un mot, d'un nom et d'une date : MEMENTO, – *Constance Bartolozzi*, 3 *février* 1817, couvrait les lambris de cette chambre, les tapisseries, le plafond, le parquet, les meubles, le rideau, tout… Henri, cet homme est notre ennemi, mais il est le vengeur de ma mère !

Elle s'arrêta parce qu'un spasme comprimait sa poitrine.

Le comte Henri de Belcamp répondit :

– Jeanne, cet homme fut un grand esprit, un magistrat intègre, une âme courageuse et loyale. Je ne suis pas son ennemi… Quand je ne serai plus là, dans deux jours, vous verrez une grande joie ; la fille de cet homme aura retrouvé son mari et pourra nommer son fils, l'enfant étranger qu'on l'accusait toujours de porter dans ses bras. Demandez-leur alors ce que j'ai risqué pour leur bonheur… Contre l'injustice des hommes je peux beaucoup, mais contre la main de Dieu nul ne peut rien… C'est Dieu qui donne la folie.

– Ce mot, ce nom, cette date, reprit Jeanne MEMENTO, – *Constance Bartolozzi, 3 février 1817*, écrits des milliers de fois en gros caractères ou en lettres microscopiques, se retrouvaient en tête d'une multitude de papiers chargés de calculs, tracés en chiffres, en lettres connues ou inconnues. Tout cela se rapportait à vous, ou du moins à un personnage que la justice prend désormais pour vous : Tom Brown.

– L'homme qui a tué votre mère, prononça lentement le comte Henri.

Jeanne frissonna de la tête aux pieds. Son regard resta un instant fixé sur le jeune comte, dont le visage exprimait une douce et miséricordieuse tristesse.

– Oh ! c'est bien vrai ! s'écria-t-elle. Ceux qui vous accusent sont fous. Est-ce qu'on peut adorer le meurtrier de sa mère ?

– Est-ce que l'assassin surtout, murmura Henri, dont la sérénité était profonde et grande comme le calme même de la nuit splendide, est-ce que l'assassin peut sourire à la fille de la victime ?

Leurs deux mains se joignirent. Jeanne continua :

– Parmi toutes ces pièces et au milieu d'une correspondance volumineuse, deux pièces ont principalement attiré l'attention de la justice. C'était d'abord un tableau noir, de grande dimension, dressé en face de la fenêtre et couvert d'écriture en majeure partie chiffrée. Ce tableau représentait l'ensemble des calculs de probabilités au moyen desquels M. Temple était parvenu à connaître l'assassin de Constance Bartolozzi. La justice a reconnu que M. Temple avait un système qui lui est propre, à la fois très-savant et très-ingénieux, qu'il caractérise lui-même sous ce titre : *l'impossible.* Je ne saurais vous l'expliquer. Ce que je puis vous dire, c'est qu'en un coin du tableau une accolade réunissait ces divers noms :

Henri Brown (Londres),

James Davy (Londres-Paris),

Henri de Belcamp (Paris)

Richard Thompson (Londres-Paris),   JEAN DIABLE LE QUAKER

Georges Palmer (Prague),

Tom Brown (Londres-Australie).

Le tableau a été conservé.

La seconde pièce est une biographie complète de ce Tom Brown ou Jean Diable depuis ses premières années, et porte pour suscription : Ceci est dédié à l'auteur du *Livre des Aventures surprenantes de Jean Diable le quaker*, publié à Londres en mars 1817.

C'est un terrible chapelet de crimes, dont chacun est appuyé sur notes justificatives, une histoire où sont mêlés les exploits de Tom Brown et d'Hélène sa mère. Ce poëme effrayant se termine par la plus odieuse de toutes les lâchetés on voit Tom Brown abandonner sa mère mourante au milieu des désert de l'Australie…

Les yeux de Jeanne étaient toujours sur Henri. En ce moment elle vit son visage changer.

Mais un nuage sombre couvrait la lune, et tout le paysage se voilait d'ombre comme les traits du comte Henri.

Le nuage passa, la lune brilla. La figure d'Henri, noble et sereine, était de nouveau sous le regard de Jeanne.

– Qu'ils vous voient seulement, murmura-t-elle ; ils sauront bien que vous n'êtes pas capable d'une lâcheté ! Tout ce que je viens de vous dire, Henri, je le sais par votre cousin, M. le conseiller de Boisruel, qui est venu hier au château, et que votre père a refusé de recevoir.

– Et que pense notre cousin ? demanda Henri sans empressement comme sans affectation d'indifférence.

– Il ne sait… il a peur pour vous… il est triste.

– Je lui suis reconnaissant de l'intérêt qu'il veut bien prendre à moi… Et pourquoi mon père a-t-il refusé de le recevoir ?

– En répondant à cette question, dit Jeanne, dont la voix baissa malgré elle, j'arrive à vous expliquer pourquoi, depuis la signature du contrat de mariage, je n'ai vu M. le marquis de Belcamp qu'une seule fois… Henri, votre père est bien malade…

– Mon père ! s'écria le jeune comte, dont toute la froideur disparut comme par enchantement, bien malade !… en danger, peut-être !

– Peut-être… murmura Jeanne tristement. Le médecin ne s'explique pas.

Henri s'était levé d'un mouvement involontaire et comme si sa première impulsion eût été de s'élancer vers le château.

Mais il se rassit et croisa ses mains sur ses genoux en pensant tout haut :

– Cela ne se peut pas… Vous seule connaissez mon secret, Jeanne… vous seule et ceux qui ont juré le pacte de la DÉLIVRANCE… Je ne m'appartiens plus… Au nom de Dieu, parlez vite ! Tout le reste n'est rien : mais ce qui regarde mon père touche le fond même de mon cœur comme s'il s'agissait de vous ?

– Vous avez raison de l'aimer, Henri, répliqua la jeune fille pensive, car jamais je ne vis amour semblable à celui qu'il a pour vous. Je n'ai pas connu ma mère ; il me semble que les mères doivent seules aimer de cette tendresse sans bornes. Votre nom était sans cesse dans sa bouche, et il trouvait mille ingénieux détours pour revenir à vous, toujours à vous. Douter de vous lui semblait un blasphème. Il nous cherchait, Germaine et moi, parce que nous voulions bien toujours parler de vous. L'idée que vous êtes coupable, non pas de meurtre, mais de quoi que ce soit, ne pouvait pas entrer en lui. Au fond de votre prison, vous étiez sa meilleure espérance et son plus cher orgueil. Il avait honte de lui-même d'être si peu quand il songeait à vous. Vous étiez au-dessus de tout, et le noble passé de votre race lui paraissait comme une ombre auprès de votre lumière…

Elle s'arrêta.

– Vous parlez au passé, murmura Henri très-ému. Se pourrait-il que l'exhumation de Tivoli et l'affaire de la rue Dauphine eussent fait impression sur cet esprit si droit ?…

– J'ignore s'il connaît l'un ou l'autre de ces faits, répondit la jeune fille.

– Eh bien, alors ?

– Il y a autre chose, Henri…

– Mais ici, reprit-elle après un silence, je n'ai rien vu moi-même et je ne puis vous parler que par ouï-dire… La nuit même de votre départ, ou plutôt le matin, vers trois heures, on frappa à la porte de l'hôtel de France, à Versailles, où logeait votre père. Une voiture était là, contenant une femme dont on ne pouvait voir le visage.

Un voile épais et noir le couvrait. Elle demanda, d'une voix si faible, qu'on eut peine à l'entendre, M. le marquis de Belcamp. Le marquis, réveillé, descendit lui-même. La femme voilée découvrit son visage pour lui seul. Elle ne parla point. Le marquis tomba sur le pavé, où il resta évanoui.

Quand il reprit ses sens, au lieu de rentrer à l'hôtel, il monta dans la voiture, qui était un fiacre de Paris, et, sur son ordre, le cocher prit la route du château de Belcamp.

Ce fut ce jour-là même que je le vis. Il revenait à Versailles à cheval, vers l'heure où d'ordinaire nous étions admis à la prison. Il était si changé que j'eus peine à le reconnaître. Ses joues étaient couleur de terre ; ses yeux brillaient au fond de leurs orbites creusées, comme s'il fût sorti de son lit après une longue fièvre. Il avait la voix faible et comprenait mal ce qu'on lui disait.

On eut de la peine surtout à lui faire entendre qu'un ordre venu des ministères vous consignait au secret, et que les portes de la maison d'arrêt lui étaient désormais fermées. Quand il comprit enfin, il eut un second évanouissement plus long que le premier.

Il me dit en s'éveillant :

– Je ne reviendrai plus à Versailles.

Puis il voulut remonter à cheval, mais nous le mîmes dans sa berline et je l'accompagnai. Pendant toute la route, il garda le silence. J'essayai de lui parler de vous ; sa main me faisait signe de me taire.

Il refusa de me laisser entrer au château.

Depuis lors sa porte m'est fermée.

– Et cette femme ?… demanda Henri dont la voix était très-altérée.

– Je vous ai dit sur cette femme tout ce que je savais.

– Comment !… les domestiques…

– Les domestiques ne l'ont pas revue depuis son arrivée au château de Belcamp.

– Le médecin…

– Le médecin a couché, ces quatre nuits dernières, à Belcamp… Pas une seule fois il n'a aperçu cette femme.

– S'est-elle retirée ?…

– On ne sait pas.

– Serait-elle morte ?

– On n'a point vu de cercueil…

– Mais, reprit Jeanne après un long silence, pendant lequel le comte Henri était resté plongé dans une profonde ct laborieuse méditation, il est une personne qui ne couche pas au château et qui cependant approche votre père de plus près encore que le médecin.

– Quelle est cette personne ?

– Madeleine Surrisy.

– Madeleine ! répéta le jeune comte avec une plainte morne ; ils me tueront dans le cœur de mon père !

– Que lui avez-vous donc fait, Henri, à cette Madeleine ?… murmura Jeanne.

– J'ai aimé son mari… Grâce à moi, elle verra son fils riche avant de mourir… et peut-être l'entendra-t-elle appeler du nom de son père.

Trois heures de nuit sonnèrent à la petite église de Miremont. Henri baisa plus tendrement les mains de Jeanne : elle vit bien qu'il allait partir.

– Ce que je vous dis ne fait donc rien sur vous ?... soupira-t-elle.

– Je savais d'avance ce que pouvaient nos ennemis, Jeanne, répondit le jeune comte avec un mélancolique sourire.

– Et vous allez vous mettre entre leurs mains !

Ceci fut dit d'une voix tremblante et toute pleine de prière. Henri appuya les deux mains de Jeanne contre son cœur.

– Il n'y a pour fuir que les coupables, prononça-t-il sans cacher les lassitudes mélancoliques qui étaient au fond de sa fermeté. Je suis le fils du marquis de Belcamp, je suis votre mari, Jeanne, et je suis le chef d'une noble armée. Il faut que mon père, ma femme et mes soldats assistent au triomphe d'un innocent ou à la mort d'un martyr.

– Henri ! Henri ! supplia Jeanne qui mit ses beaux cheveux dans son sein ; que ce ne soit pas pour moi ! fuyez, oh ! fuyez, je vous le demande à genoux !

Il se redressa et laissa tomber ces mots qui eurent un accent étrange.

– Jeanne, m'aimez-vous donc mieux que notre honneur ?

La jeune fille ne répondit pas tout de suite ; Henri sentit ses mains froidir et frémir dans les siennes ; puis, lentement et avec une sorte de solennité, elle les dégagea pour nouer ses deux bras à son cou. Ses yeux, ses beaux yeux, limpides comme la virginité, rayonnaient la passion douloureuse et profonde. Ce fut elle qui tendit ses lèvres pâles, appelant le premier baiser d'époux. Et parmi le silence de ces prémices chastes, elle dit :

– Je ne sais pas comme je vous aime... je sais que je vous aime au point de vous donner plus que ma vie... Henri, mon Henri adoré, faites suivant votre conscience et selon votre génie. Que jamais je ne sois un obstacle sur votre chemin. Vous m'avez choisie pour confidente ; vous m'avez ouvert, avec votre cœur, les vastes horizons de votre pensée. J'ai compris, j'ai admiré, je me suis agenouillée... Si vous voulez prouver à quelqu'un votre innocence, je dis à ceux qui ont besoin de preuves, à votre père, à vos amis, au monde, allez et suivez votre route. Mais, je le répète, que ce ne soit pas pour moi, moi je n'ai pas besoin de preuves. Quoi que vous fassiez, quoi que l'on vous fasse, vainqueur, vaincu, vous êtes mon amour et mon honneur ; l'univers entier vous donnerait le nom de criminel que je vous garderais dans mon cœur comme on y garde une foi persécutée. Je suis à vous comme le prêtre est à Dieu, et mon âme vous suivrait même au-delà de l'échafaud !

Ils se levèrent tous deux et marchèrent vers la prairie, où le cheval, immobile, attendait.

– Dieu me doit le bonheur à cause de vous, murmura Henri. Ceux qui m'attaquent sont forts, mais ils m'ont laissé grandir et je vaincrai. Il s'arrêta au moment de poser le pied dans l'étrier.

– Je vaincrai, Jeanne, répéta-t-il, et sa voix avait des accents tels que le cœur de la jeune fille tressaillit d'allégresse.

Un instant il la regarda avec ravissement, puis ses yeux attristés se baissèrent.

– Mais, reprit-il en un murmure, si Dieu ne voulait pas, si ce baiser que me donnent vos lèvres était un dernier adieu !

L'angoisse étouffa la réponse de Jeanne.

Henri poursuivit d'un ton sérieux et ferme.

– Jeanne, il est un homme qui vous aime d'un amour chevaleresque. Si je meurs, soyez sa sœur ou sa femme.

Il fut obligé de soutenir la jeune fille qui chancelait dans ses bras.

– Je vous ai prise à lui, poursuivit le comte de Belcamp, je vous lègue à lui... Pourquoi pleurer ? Et de qui donc le soin de faire son testament, a-t-il avancé la dernière heure ?... Je suis plein de vie, ma Jeanne bien-aimée, et parmi ceux qui me défendront à l'heure du péril, placez au premier rang, ce bon, ce loyal, ce vaillant jeune homme, Robert Surrisy… En cas de malheur, ce serait lui que je chargerais avec vous d'exécuter ma volonté dernière… m'écoutez-vous ?

– Je vous écoute, Henri, murmura la jeune fille.

Le comte sembla se recueillir et sa main glissa sur son front.

– J'ai de l'orgueil, dit-il ; je pense que mon entreprise c'était moi-même. Moi mort, la vaste association dont je suis le chef reste un corps sans âme. Un drapeau sera mon linceul, et il faudra les longues préparations de l'avenir pour exhumer ses plis qui flotteront sur le monde. Si je meurs comme Moïse, en vue de ma terre sainte, il restera un suprême devoir à accomplir, un seul ! l'accomplirez-vous ?

– Quel qu'il soit, je l'accomplirai.

– Un homme attend bien loin de nous à qui j'ai dit : « Avant que cette année 1817 ait achevé son cours, la destinée aura parlé. Interrogez la mer, sire, du haut de votre île : la mer vous répondra. Vous verrez un jour un petit navire, sans voiles ni rames, et qui sera poussé par un nuage. S'il passe sous pavillon anglais, c'est la liberté : préparez-vous… S'il passe sous pavillon tricolore, c'est que Dieu n'aura pas voulu, et si un voile noir flotte à sa corne, adieu, sire, je serai couché sous le marbre d'une tombe…

Si je meurs, Robert et vous, Jeanne, vous monterez ma goëlette, qui s'appelait, hélas ! la *Délivrance ;* vous irez dans les eaux de Sainte-Hélène et vous arborerez en vue de l'île, deux heures après le soleil levé, un pavillon aux trois couleurs d'abord, puis le drapeau noir… Le ferez-vous ?

– Je jure que je le ferai.

– Merci donc et au revoir, ma Jeanne chérie. Maintenant je vous dis, comme tout à l'heure : Il est une voix au dedans de moi qui me crie : nous vaincrons !

Il l'enleva dans ses bras, baignée de larmes. Leurs lèvres s'unirent encore une fois. Puis le comte Henri sauta en selle et s'éloigna au galop. Jeanne avait ses deux bras tendus vers lui.

Comme il traversait le pont, elle le vit qui envoyait un baiser. L'instant d'après, il disparaissait dans l'ombre du moulin.

Jeanne reprit lentement le chemin du Prieuré. Elle passa le restant de cette nuit agenouillée, mais les paroles de la prière ne montaient point jusqu'à ses lèvres.

Henri brûlait le pavé sur la route de Versailles.

XVIII

Avant l'orage

M. Roblot, sous-directeur de la maison d'arrêt de Versailles, se leva ce matin rouge, boursouflé, congestionné, malade. Il maudit ses enfants qui venaient lui dire bonjour, et chercha querelle à sa femme. Ses yeux étaient brûlants et hagards, les rides de son front s'étaient creusées, sa goutte lui torturait les orteils, et il avait la tête lourde comme un plomb.

Il passa dans son cabinet en robe de chambre et en pantoufles. Au lieu du café au lait qu'on lui servait d'habitude, il demanda un jambonneau et une bouteille de Thorins. Il y avait eu pour moins que cela des querelles longues et redoutables dans le ménage Roblot ; mais ce matin le sous-directeur provoqua sa femme en passant d'un regard si sauvage, qu'elle n'osa pas, malgré son intrépidité, accepter la bataille.

Dans le cabinet, il y avait sur la table une lettre ouverte et deux lettres cachetées. C'était la lettre ouverte et reçue la veille au soir qui mettait le sous-directeur dans ce triste état. Les deux autres missives étaient son courrier de ce matin, et il n'en avait point encore pris connaissance.

En arrivant, il brutalisa son fauteuil et il grommela.

– Imbécile ! pourquoi cela est-il directeur ? Énigme ! Neveu de la marchande à la toilette de la maîtresse du mari de la nièce du confesseur de la tante du ministre ! Le népotisme est quelque chose de bien révoltant ! Tonnerre ! moi, personne ne m'a protégé, je suis le fils de mes œuvres !

Il prit la lettre en ajoutant :

– Joli fils qu'elles ont là, tes œuvres !... On va te flanquer à la porte roide comme balle... et ce sera bien fait !... Tu iras boire à la fontaine, bétail !... ça t'apprendra à te fourrer avec les Libéraux !

Il déplia la lettre et y jeta un regard mélancolique.

– Directeur, cela ! s'écria-t-il ; et ça parle ! et ça commande ! « Je serai de retour demain matin… » ça marche donc tout seul. Nom d'une pipe ! Si je lui communiquais une volée, à celui-là, avant de partir !…

– Car il faut partir, ma vieille, continua-t-il d'un ton mélancolique ; c'est l'ordre du jour. Tu étais ici comme un poisson dans l'eau, et tu t'es amusé à faire le méchant… va boire à la fontaine !

– Mais, sacrebleu ! s'écria-t-il en froissant la lettre, pourquoi celui-là revient-il aujourd'hui plutôt que demain ? M. le comte a donné sa parole qu'il serait ici ce soir. J'étais paré : Ni vu, ni connu… Ça s'appelle la destinée, quoi ! la fatalité, le guignon, la male chance !

Machinalement il prit une des lettres cachetées, et la tint un instant entre l'index et le pouce.

– Je parie un franc que c'est quelque chose de désagréable, dit-il ; un malheur ne vient jamais seul… « Cour d'assises de Versailles… » Ce n'est pas le Pérou que ces juges ! Je ne sais pas pourquoi ils méprisent l'administration qui les vaut bien… surtout quand elle est ancien militaire… Voyons ce qu'elle chante, la cour d'assises de Versailles.

Il rompit le cachet et bondit sur son fauteuil.

– Un interrogatoire ! s'écria-t-il d'une voix étranglée ; aujourd'hui un interrogatoire !

Il laissa retomber ses deux bras, et sa joue écarlate devint terreuse.

– Ça se trouve bien ! prononça-t-il avec accablement. On va répondre au juge d'instruction : Ayez l'obligeance de repasser, M. le prisonnier n'est pas visible.

– Tonnerre d'allumette ! rugit-il dans un paroxisme de rage ; il ne manquait plus que cela ! Tu t'es mis dans ces draps-là toi-même ! Va voir s'il y a du pain à tremper dans la fontaine pour tes enfants ? Maintenant, savoir ce qu'ils veulent interroger, ces bonnets carrés ! ça les amuse ! pour faire des embarras. Je donnerais vingt sous pour que la dernière lettre fût encore une avance ! ça me ferait plaisir, ma parole !

Il ouvrit la troisième missive d'un geste convulsif : elle était du ministère de l'intérieur apportée par exprès. Elle contenait ces mots :

« Un message arrivé de Londres à Boulogne m'est transmis par voie télégraphique. Le bureau de Scotland-Yard a reçu avis que le prétendu comte de Belcamp était à Londres. Sous ce nom se cache le fameux bandit Jean-Diable.

» L'inspecteur fera aujourd'hui sa visite par ordre personnel du ministre. »

Roblot se leva et fit le tour de son cabinet, les bras étendus, comme les romans de la Table ronde représentent le bon roi Arthur quand il reçoit des coups de fendant sur son casque.

– Allons ! Allons ! allons ! répéta-t-il par trois fois, ne manque-t-il plus rien ? C'est dommage qu'il n'y ait pas une quatrième tuile pour faire partie carrée... Le directeur, l'inspecteur et le juge d'instruction ! Bravo ! face au parterre ! À bas la musique ! Je vais commencer à me faire sauter le caisson.

Il ouvrit son tiroir, où il y avait une lourde paire de pistolets.

– Y a un brave homme qui veut vous parler, dit la servante qui entrebâilla la porte.

– Est-ce le directeur ? est-ce le juge d'instruction ? est-ce l'inspecteur ? demanda Roblot qui était réellement sous le coup d'une attaque de folie, qu'ils aillent à la fontaine !..., ou se faire lanlaire... au choix du souscripteur !

– Faut qu'il cache du vin ou de la liqueur sous son lit, bien sûr, dit la vieille femme ; il est tourné dès le matin ?

Roblot dirigea sur elle les deux canons de ses pistolets ; elle s'enfuit en criant. Roblot la poursuivit.

– Félicité ! hurla-t-il dans le corridor, je ne vous tuerai pas, je sais que vous êtes innocente ! mon intention est d'attenter seulement à mes jours... Ou est-il le brave homme ?... c'est peut-être celui qui vit César à la veille d'une bataille où il avala son biscaïen… où Pompée… Je suis dégommé, créature ! dégommé… dégommé !… Dites au bonhomme d'entrer… à moins que ce ne soit M. le préfet, mille misères !… et apportez le jambonneau, café, vin, eau-de-vie…, je me détruirai après !

Il rentra, tomba sur son fauteuil et mit sa tête sur la table.

– Je suis en avance, mon bon M. Roblot, dit derrière lui une voix qui le fit tressaillir, comme si l'un de ses deux gros pistolets eût déjà fait explosion dans son oreille.

Il se retourna et vit une figure inconnue.

– C'est jugé ! grommela-t-il, je rêve tout debout ! Le diable m'emporte si je n'ai pas cru entendre sa voix !

L'inconnu, vieillard à figure douce et modeste, sourit dans ses rides. Comme Roblot le regardait de plus près, il redressa son dos voûté et enleva sa perruque de cheveux blancs.

– Monsieur le comte ! s'écria Roblot ébahi.

Les larmes lui vinrent aux yeux. Il se leva tout chancelant, ivre sans avoir bu, et vint se jeter dans les bras d'Henri.

– Par exemple, dit-il en sanglotant…, voilà un joli trait… un trait qui vous honore !… Les coquins ont du bon, ma parole ! Et je connais plus d'un homme établi qui, une fois la clef des champs dans sa poche… Allons, allons, j'ai eu une souleur qui peut compter, mais tout est pour le mieux : je vais vous mettre sous cadenas, saperlotte ! et je veux bien être brûlé vif si je vous perds de vue maintenant !

– Ce sera la récompense de mon exactitude, dit le comte en souriant.

– Ce sera tout ce que vous voudrez ! je vous tiens, je ne vous lâche plus… et je ne vous donnerai pas la cellule au barreau scié, non !… Tonnerre de là-bas ! vous ne m'aviez pas dit que vous étiez Jean Diable !

– Jean Diable ! répéta Henri. J'ai ouï dire qu'il s'échappait parfois de prison, mais que jamais il n'y rentrait de bon gré.

– Très-bien ! s'écria Roblot rondement ; tout ce que vous voudrez, encore une fois... Voyez-vous, le directeur peut venir à présent, le juge aussi, et encore l'inspecteur, j'ai mon affaire... La femme et les petits ne vivent pas de l'air du temps... J'étais inquiet depuis trois jours, pas mal, parce que votre affaire prenait une tournure... On a bien raison de dire qu'il ne faut jurer de rien ! moi, dans le commencement, j'aurais mis ma main au feu que vous étiez innocent !... allez-voir s'ils viennent ? L'histoire de Tivoli, l'histoire de la rue Dauphine, voilà le mot du rébus à moitié deviné..., et quand j'ai vu ces trois machines me tomber sur la tête... mais vous ne savez pas de quoi il s'agit ?...

– Si fait, interrompit Henri.

– C'est juste... vous continuez à être comme le solitaire, qui sait tout... Nous rognerons ça... je vous promets que vous serez empaqueté comme il faut j'ai eu trop peur !... Je disais donc, quand j'ai vu que j'allais perdre ma place...

– Ne vous souveniez-vous plus de ce que je vous avais dit, en cas de malheur ?

– Cherche ! répliqua Roblot. Jean Diable en a dit bien d'autres !... s'il faisait des rentes viagères à tous les geôliers qu'il a mis sur le pavé !... excusez !... J'allais tout uniment me brûler la cervelle, voyez.

Il montra ses deux gros pistolets.

– Mais, reprit-il en riant lourdement, ce que je voudrais savoir, c'est pourquoi vous êtes revenu.

– Parce que j'ai appris que l'interrogatoire aurait lieu aujourd'hui, répondit le jeune comte.

Roblot fixa sur lui ses yeux ronds avec un redoublement de stupéfaction.

– Eh bien ! vous avez de la vertu de reste, vous, grommela-t-il. Mais tout ça doit cacher quelque ruse infernale !... Je me disais aussi pour un simple comte, il se grime joliment bien !... il se fait les figures qu'il veut..., ça n'est pas bon signe.

– Ah çà ! reprit-il, vous savez ? c'est fini les fontaines et les chevaliers de la Délivrance et les grands aigles de la Légion d'honneur, avec la foi, l'espérance et la charité !... J'en ris, moi, ma parole ! à présent que j'ai la tête hors de l'eau !... Pendant ces trois jours, j'en ai fait, des réflexions : je me suis dit plus de dix fois et plus de vingt aussi que j'étais un imbécile... Allons, Monsieur le comte, il faut rentrer dans son œuf comme un bon petit poulet !

– Je suis prêt, mon cher monsieur Roblot, dit Henri.

Le vieux soldat ne se possédait pas de joie. Chez la plupart des hommes, la joie produit la bonté, l'indulgence, la miséricorde : chez d'autres, c'est l'égoïsme qui s'exalte naïvement. Ceux-là passent sur vous sans vous voir, leur triomphe vous écrase par mégarde ; leur expansion est de l'insolence brutale et impitoyable. La plupart du temps, ces braves ne sont pas du tout ce qu'on appelle des hommes méchants, c'est leur manière d'être heureux.

À son insu, et sans avoir aucunement conscience de son ingratitude, Roblot se vengeait de l'atroce frayeur qu'il avait eue.

– Parbleu ! reprit-il, vous êtes prêt ! je crois bien ! il n'y a plus de simagrées à faire ! Je suis à mon devoir et à mon gouvernement, sacrebleu ! Quand on a été sur le point de s'abimer le crâne, on se moque un peu des poignards des chevaliers de la Délivrance. Ils n'ont qu'à venir ceux-là ! J'ai des chevrotines à leur service... voilà ! Je vous dis la chose en douceur, Monsieur de Belcamp. Si vous tentiez de me faire une autre farce, je vous ferais sauter la cervelle bel et bien : c'est ma charge.

– Mon brave monsieur Roblot, répliqua le jeune comte, quand vous voudrez, je suis absolument à vos ordres.

– Oui, oui, saperlotte s'écria le sous-directeur avec emphase ; c'est bien le mot : à mes ordres ! absolument !

– Mais, continua-t-il, pris d'un vague remords, nous, avons le temps de reste !..., et, après tout, vous me tirez d'embarras... Un verre de Thorins, mon prisonnier, voulez-vous ! moi, j'aime faire galamment les choses… à la soldat français.

– Je vous rends mille grâces, monsieur Roblot. Je suis très-las et n'ai qu'un désir, me reposer.

– Je comprends… il faut se recueillir avant l'interrogatoire.

– Vous vous trompez, monsieur, je n'ai rien à dire que la vérité.

Roblot éclata de rire. Puis il devint sérieux, tandis que son regard se fixait sur le jeune comte.

– Ma parole sacrée ! grommela-t-il, on lui donnerait le bon Dieu sans confession… mais chat échaudé craint l'eau froide, et je me connais en physionomies… Tonnerre de là-bas ! je pourrai raconter aux petits, plus tard, que j'ai été en tête à tête avec Jean Diable, dans mon propre cabinet…, c'est curieux… Il est vrai que j'avais une paire de pistolets, ah mais !

Il prit ses deux pistolets, qu'il fourra dans les bretelles de son pantalon, pendant qu'il allait décrocher une grosse clef à un râtelier monumental.

– Ce n'est pas moi, dit-il qui laisserais ces joujoux sur la table !

Quand il se retourna, tenant sa clef à la main, il poussa un cri de terreur. Le comte Henri jouait avec deux superbes pistolets dont les canons damasquinés lui lançaient au visage deux rayons du soleil levant. Il laissa tomber la clef et porta vivement la main à ses bretelles, mais les deux éclairs le menaçaient déjà ; il vit les gueules béantes des canons à la hauteur de ses yeux, il entendit les batteries craquer, il sentit presque le choc des deux balles frappant à la fois son front de père de famille.

Tous les anciens militaires ne sont pas forcément des héros.

Au moment où il mourait de ses deux terribles blessures, la voix douce du comte Henri dit :

– Je n'ai plus besoin de ceux-ci que j'avais pris pour mon voyage ; permettez-moi de vous les offrir, mon cher monsieur Roblot.

Les yeux du sous-directeur se dessillèrent. Il vit qu'on lui présentait les deux pistolets par la crosse.

– Bien vous en a pris, balbutia-il, de rendre les armes.

Puis, entrevoyant peut-être le burlesque de son rôle, il ajouta :

– Monsieur, je ne puis rien accepter de vous. La place de ces objets est au greffe.

Il ramassa la clef et tira le verrou d'une petite porte communiquant à l'un des corridors de la prison. Henri, sur son ordre, passa le premier. L'instant d'après, il était installé dans une cellule de choix admirablement sûre comme le lui affirma Roblot.

M. Roblot lui promit en outre qu'il ne serait plus servi par Mestivier, son gardien ordinaire, auquel il se chargeait de faire *donner de l'avancement.*

La porte fut refermée, et Henri entendit bientôt le pas d'une sentinelle qui se promenait de long en large devant sa porte.

Quant à Roblot, il avait changé d'idée, il voulut que le jambonneau et la bouteille de Thorins fussent portés dans la salle à manger. La femme et les petits furent conviés au festin, et la servante reçut l'ordre de faire du café noir très-fort, parce que monsieur avait à travailler de tête.

– Gardez-vous de juger votre maître, ma fille, dit-il, c'est un homme complètement au-dessus de votre portée.

Et il continua à l'adresse de sa famille :

– Vous mangez mon pain, c'est très-bien, loin de moi la pensée de vous le reprocher… mais savez-vous le prix qu'il me coûte ? Peut-être eussiez-vous dû supposer qu'il fallait des circonstances bien graves, j'ajoute bien terribles, pour troubler la sérénité d'un ancien militaire. Soyez heureux et tranquilles ; ne connaissez jamais le besoin ni les soucis rongeurs. Que toutes les fatigues, que tous les dangers soient pour moi, c'est mon sexe et mon devoir ! présent à l'appel, toujours ! Dévouement, fidélité, vigilance, sang-froid dans le danger ; gravez cette devise sur ma tombe !

Il mangea le jambonneau.

Le directeur revint, le juge d'instruction procéda à l'interrogatoire, l'inspecteur fit sa visite, M. Roblot reçut leurs félicitations.

Puis les jours se passèrent et l'instruction se poursuivit avec une activité extraordinaire. Le comte Henri fut tenu au secret le plus rigoureux. Roblot disait figurément à ses supérieurs qu'il couchait en travers de sa porte.

Et cependant Roblot ne savait pas tout, car on recevait à Miremont des lettres de Percy-Balcomb, timbrées de Londres.

Il faut dire que Miremont ne s'occupait pas beaucoup des nouvelles de Percy-Balcomb ni du retard apporté aux épousailles de Jeanne. Il y avait, Dieu merci ! d'autres émotions dans l'air. Depuis l'époque incertaine de sa fondation, Miremont n'avait jamais éprouvé une pareille fièvre. Cette localité, obscure hier, attirait aujourd'hui les regards de toute la France et même de l'Europe ; elle le sentait, elle en était fière ; elle s'abonnait aux journaux pour y voir son nom.

Nous n'avons pas besoin d'ajouter que l'opinion miremontaise avait été encore une fois et complètement retournée par la face nouvelle que prenait l'affaire du jeune comte. Le secret d'une instruction transpire toujours. Miremont connaissait vaguement l'histoire des récentes découvertes de la justice. La légende de Jean Diable avait un succès prodigieux dans la *société*. Les petites Chaumeron jouaient à s'enterrer mutuellement dans la plaine de Tivoli.

La situation de M. le marquis inspirait bien une certaine pitié. La pitié est un sentiment mêlé où il entre un *quantum sufficit* de vengeance : Miremont peut l'éprouver. Songez à tous les respects qu'on avait prodigués à cet homme ! Et, n'avait-il pas forcé la société à s'agenouiller devant son fils ! un brigand !

Certes il était bien malheureux, mais il avait une berline et dix-huit mille livres de rente.

Certes, nul ne songeait à l'accuser de complicité dans ces ténébreuses horreurs… mais en somme on ne le connaissait que depuis trois ans… et il y avait bien des mystères autour de lui.

Cette femme qui avait été le chercher à Versailles au milieu de la nuit, cette femme voilée qu'il avait conduite au château et que l'on n'avait plus revue…

– Atout ! disait Chaumeron. C'est cocasse… Ah ! bigre !

Il y avait un va-et-vient continuel de Miremont à l'Isle-Adam, où Godinot, le commissaire de police, tenait un bureau de mystères.

Bien-des-Pardons espérait être mairesse, et madame Chaumeron pensait que la seconde place d'adjoint revenait de droit à son mari. Elle comptait sans madame Célestin, qui avait fait le rêve d'élever à cette importante position ses deux Bondons.

Chaque jour, à tour de rôle, don Juan Besnard, Mademoiselle ou quelque autre étaient dépêchés à Versailles en exprès. Ils revenaient avec de pleins paniers de cancans. On s'assemblait alors chez M. Morin du Reposoir, sous la présidence de l'adjointe, et l'on tenait assises. Miremont vivait double et triple, on peut bien le dire ; Miremont s'amusait. Ce fut pour lui une agréable époque.

Et notez qu'il y avait autre chose que les cancans-Belcamp. Le Château-Neuf présentait aussi toute une série d'énigmes à deviner ; le Prieuré fournissait son contingent de charades. Les trois fainéants étaient revenus. D'où ? Bien fin qui aurait su le dire ! Robert Surrizy était sans cesse sur la route de Paris ; Lady Frances voyageait ; Suzanne…, vous le croirez si vous voulez, cette blonde, timide et triste Anglaise, se promenait dans le parc du Château-Neuf avec un beau jeune homme, un Anglais aussi, et tour à tour ils embrassaient le petit Richard, qui les appelait papa et maman.

– Mariés, disait Chaumeron ; au tambour de basque ! attrape !

Elle semblait heureuse, cette Suzanne, et pourtant on avait appris que son père, libre sous caution à Londres, était dans une maison de fous !

Lady Frances Elphinstone, depuis qu'elle n'était plus la mère du petit Richard, n'avait pas une moins bizarre histoire. Il y avait à l'hôtel Meurice, à Paris, selon le rapport de Godinot, un comte autrichien, beau comme un astre, mais qui se mourait de la poitrine. Lady Frances Elphinstone passait ses nuits auprès de son lit. Ce comte Frédérick Boehm, comme il s'appelait, venait aussi de Londres. Il recevait non-seulement Frances, mais encore Robert Surrizy et l'Anglais de Suzanne. Malgré son état de santé, il avait remué ciel et terre pour voir le comte Henri à la prison de Versailles.

Bien-des-Pardons n'avait-elle pas quelque raison de dire que tout cela sentait son Jean Diable à plein nez !

Robert Surrizy fréquentait Jeanne comme si de rien n'eût été ; Laurent n'avait jamais été mieux avec la jolie Germaine, et Férandeau tournait à l'homme grave. Un jour que Mademoiselle revenait de Versailles, elle raconta qu'elle avait vu les badauds rassemblés devant le marchand d'estampes de la rue de la Paroisse, où tout Miremont était exposé. Ce Férandeau, trahissant l'hospitalité, avait vendu son album à un éditeur, avant de devenir un homme politique. Il avait livré Miremont pour le prix d'un festin au Veau-qui-tette, son rêve ! Toute la société y avait passé ; don Juan Besnard, avantageux, brutal et idiot ; Chaumeron, monté sur ses jambes de coq et suivi de sa couvée ; Morin du Reposoir, adjoint, belle qualité : Bien-des-Pardons, humble mais empoisonnée ; madame Célestin, enfin, le tricot au poing, l'aiguille dans les cheveux, et menant paître ses deux agneaux de Siam…

Élève fidèle de Louis David, Férandeau n'avait pas attaché à ces frivolités une grande importance. Il était en train de devenir célèbre malgré lui. C'est ici l'histoire de tous les peintres caricaturistes. La vocation de nos plus grands comiques les égara d'abord vers la tragédie.

On ne saluait plus Férandeau dans les chemins vicinaux de Miremont.

Que dire encore en fait de mystères ; il n'y avait pas jusqu'à Madeleine Surrizy, la paysanne à lugubre tournure de nonne, qui ne se mêlât d'avoir des mystères. Elle seule était admise au château. Et madame Etienne avouait que son ancienne dame, quelque temps avant sa mort, recevait comme cela les visites d'un porte-malheur.

Une nuit, Blondeau, le garde-champêtre, braconnant aux canards le long de l'Oise, avait entendu des voix dans la cabane de Madeleine. Robert et sa mère se disputaient. La mère disait :

C'est un assassin !

Toujours et partout ce mot d'assassin !

Quel allait être le dénoûment de ce drame ? Chaumeron ne mâchait pas sa façon de penser : il disait : Si j'étais juré, la roue, tapé ! Les deux Bondon n'avaient jamais vu guillotiner et vivaient sur la promesse d'aller à Versailles, le *jour du comte Henri* ; Bien-des-Pardons comptait les heures qui la séparaient de l'exécution, et retournait une robe de soie puce pour cette fête. La mère Chaumeron avait dit aux huit ou dix petites filles, que, si elles étaient sages, on dînerait à cette occasion sur l'herbe, dans les bosquets de Trianon…

Mais l'autre camp semblait avoir une confiance égale et contraire. Ce lutin de Germaine se moquait de tout le monde et prédisait que Miremont ferait encore des courbettes à M. le comte. Elle allait, riant et chantant, du Prieuré au Château-Neuf, ou se réunissaient les tenans du comte Henri et l'heureuse issue du procès ne faisait pas l'ombre d'un doute. C'était un dévouement qui, pour certains, allait jusqu'à l'enthousiasme. Suzanne apprenait le nom d'Henri au petit enfant, et ne pouvait parler de lui qu'avec des larmes dans les yeux ; son mari, puisqu'elle était mariée, professait pour le jeune comte une sorte de culte. Jeanne, Germaine, Frances, Robert, Laurent et Férandeau lui-même, étaient comme des dévots autour du cachot de ce dieu.

Les deux partis pouvaient se balancer par le nombre. Si la faction commandée par Bien-des-Pardons et madame Célestin eût possédé autant de vaillance que de venin, la guerre civile aurait peut-être ensanglanté Miremont.

Pendant que ces passions s'agitaient, le château était neutre, muet, immobile ; le château, si joyeux naguère, et dont toutes les portes s'ouvraient si largement à l'hospitalité. Vous eussiez dit une maison déserte ; fenêtres et portes étaient closes nul pas ne foulait plus les allées du parc ; l'herbe croissait déjà dans les allées, et, chose triste qui pouvait servir à mesurer l'abandon, la grande table du dîner de fête restait dressée au milieu de la pelouse, et les guirlandes de feuillage pendaient encore, desséchées, à leurs supports de fil de fer.

Qu'y avait-il dans ce château en deuil ? Un immense amour trompé, une grande douleurs, un découragement sans bornes !

Les murs ne laissaient passer ni sanglots ni larmes. C'était un funèbre silence, un désespoir morne.

Et c'était un mystère profond, celui-là parmi tant de mystères que l'œil des curieux ne pouvait point percer : Une femme était entrée dans cette maison et n'en était point sortie.

Qu'y avait-il derrière ces croisées doublées d'épais rideaux ? Une prisonnière ? une victime encore ?

M. le marquis de Belcamp n'était sorti de sa demeure qu'une seule fois chancelant comme un moribond, plus pâle qu'un fantôme, mais droit et regardant haut.

Il avait entendu la messe et s'était agenouillé devant la table sainte.

Qu'y avait-il ?… Sous le fier panache des grands chênes, sombre et lentement balancé par la brise, le vieux manoir dressait ses profils mélancoliques. Quelque chose l'enveloppait qui n'était ni un voile ni une brume ; ce n'était pas l'œil qui percevait cela, mais le cœur ; quelque chose qui ne peut point s'exprimer avec des paroles, vaste et sinistre impression, semblable aux angoisses solennelles de l'heure qui précède l'orage, frisson mortel et profond, d'où se dégageait l'idée des éternelles justices de Dieu !…

XIX

Le Palais de Justice

Le sixième jour de la session, à cinq heures du matin, il y avait déjà une foule nombreuse aux alentours du tribunal. On attendait l'ouverture des portes pour les débats de l'affaire du comte Henri de Belcamp. Mille bruits contradictoires couraient dans cette cohue, composée de petits bourgeois et de paysans ; on disait entre autres choses que l'accusé n'avait point voulu d'avocat, et qu'il se défendrait lui-même.

On racontait des centaines d'histoires, entre autres celle-ci :

M. Roblot, sous-directeur, ancien militaire, avait payé plusieurs fois de sa personne contre l'accusé, qui était un homme terrible qui se procurait des armes à volonté. Bien en avait pris à M. Roblot d'être un brave militaire, etc., etc., etc.

Une moitié de la foule, ignorant ce que c'était que Jean Diable, essayait de l'apprendre à l'autre moitié.

Vers sept heures, M. Huchon, le commis greffier, entra dans son bureau et fit le geste bien connu de Robinson Crusoé découvrant l'empreinte du pied de Vendredi sur le sable. La planche de son pupitre, qu'il avait laissée noire et intacte, portait maintenant sept lettres gravées au couteau et très lisiblement. L'assemblage de ces sept lettres formait le nom de Briquet.

Le commis appela les garçons de bureau. Des renseignements pris, il résulta qu'un jeune garçon, maigre et laid, coiffé de cheveux couleur poussière de grande route, nuance favorite du gamin de Paris, était venu la veille au soir avec une lettre du ministère chercher trois places pour la séance de ce jour.

À huit heures, le franc-parler de Chaumeron se fit entendre dans le corridor. Il voulait onze places sous prétexte qu'il était voisin de campagne du père de l'accusé.

– Jeune homme, dit madame Morin du Reposoir au commis greffier, je suis première adjointe dans la localité même !

– Voici un commandant de la garde nationale et un conseiller municipal, ajouta orgueilleusement madame Célestin, qui montrait des deux mains le Bondon de droite et le Bondon de gauche.

– Les places de M. le président ! commanda un grand laquais.

Un autre :

– Les places du général !

– Voyons ! voyons ! les enfants, la préfecture !

– Laissez-moi passer, je suis pour l'évêché !

– Du ministère, s'il vous plait !

– De la recette générale !

– Pour mademoiselle Léocadie, de l'Opéra…

– Monsieur Huchon, votre dame m'a promis ; vous savez, je suis le boulanger.

– Ohé ! Huchon ! les amis !

– Y en aura-t-il une petite pour la concierge et sa demoiselle.

– Monsieur Huchon ! – Mon cher monsieur Huchou ! – Vous faites des embarras ? – Malhonnête ! – J'ai payé une demi-tasse hier ! – Sieur Huchon, vous serez destitué ! – Oh ! qu'il est gentil, ce Huchonneau ! – Subalterne ! – Là, vous êtes un amour ! – Je te repincerai, propre à rien ! – Merci mille fois ! – Que le diable vous emporte !

Tout cela en même temps. Une moitié de ce Huchon était sur le pavois, l'autre aux gémonies.

À neuf heures, la séance commença. Aux places de l'évêché, de la recette générale, de la préfecture, etc., on trouva que le président était un petit homme assez bien. Le ministère public excita une certaine curiosité. Mademoiselle Léocadie toussa beaucoup derrière son éventail pour se faire remarquer des avocats. La concierge et sa demoiselle mangèrent des berlingots de Marseille. Tout ce monde était gai comme pinson. La cour d'assises est un des plus joyeux coins de cet univers !

Quand l'accusé parut, il y eut un grand silence. La concierge s'attendait à voir un homme avec des cheveux bleus et des cornes. Elle fut mortifiée. Mademoiselle Léocadie sourit aux avocats.

À trois heures, la séance fut suspendue. On avait lu l'acte d'accusation, interrogé l'accusé, reçu la déposition de tous les témoins et entendu le réquisitoire. Nous laissons à dessein toutes ces choses dans l'ombre. Nous plaçons en quelque sorte la justice sur un piédestal autour duquel la foule curieuse passe, et nous ne nous occupons que de la foule.

Le respect profond que nous professons pour la justice ne peut s'étendre jusqu'à l'auditoire.

La foule avait besoin de cet entr'acte. Elle se précipita dehors avec délices. On entendait dans les corridors.

– Ah ! c'est joli, pour le coup ! En voilà un qui avait la main leste !

– Cette idée des deux passe-ports !

– Ma chère ! il a l'œil doux comme une femme. Connais-tu l'histoire de Lesurques ?

– Neuf millions d'un coup !

– Es-ce que M. Huchon vous en a trouvé une ?

– Les gendarmes m'empêchent de voir, c'est pire qu'un pilier !

– Mais comment faisait-il donc quand il mettait sa main gauche sous la tête et qu'il appuyait son pouce sur la gorge ?

– Il est coupable, aussi vrai que Caïn !

– L'innocence saute aux yeux !... Vous ne trouverez pas un jury pour condamner cela !

– Monsieur, demanda mademoiselle Léocadie à un avocat en robe, bien fier d'être ainsi compromis, si les jurés disaient nous n'en savons rien ?

– On les mettrait à Sainte-Pélagie, répondit Briquet qui passait.

– Eh bien ! s'écria Chaumeron en jouant des coudes pour rejoindre Bien-des-Pardons, étais-je crânement casé, moi, hein ?... Ma fille a eu un tabouret... Il ne s'agit que de n'avoir pas sa langue dans sa poche. Enlevé !

– Le monstre ! gémit Mademoiselle ; tuer deux hommes qui étaient sur le point de se marier !

– Hé ! monsieur Potel, que dites-vous de cela ? la marmite bout...

– Ma conviction n'est pas formée, monsieur.

– Elle y met le temps... Si nous cassions une croûte ?

Toutes ces choses communes, insignifiantes, misérables, étaient dites avec une passion extraordinaire. La foule est un monstre qui rugit des niaiseries.

Henri, cependant, quittait la salle des séances et se rendait, escorté par ses gendarmes, dans la chambre assignée au repos des accusés. Le secret, si rigoureux qu'il soit, cesse nécessairement à l'audience. Depuis ce matin, Henri était entouré de tous ceux qui l'aimaient. Dans cette cohue, avide de banales émotions, habillée de drap fin et de loques, d'indienne trouée et de velours, diaprée de taches sordides, de bijoux, de décorations et de broderies d'or, suant la misère ou puant le sachet, parterre disparate et heurté du plus terrible et du mieux suivi de tous les théâtres, Henri avait reconnu bien des figures chères. Jeanne était au premier rang, la belle madone en deuil, cachant son émotion sous son voile et tâchant parfois de sourire en retenant ses larmes.

Non loin d'elle, Suzanne et Richard Thompson s'asseyaient auprès de lady Frances Elphinstone. Le pâle et beau visage de Frédérick Boehm se montrait derrière les traits mutins de Germaine, colère, agitée, enthousiaste, tantôt triomphante, tantôt découragée et ne sachant point cacher sa fièvre. Çà et là des têtes graves, et marquées pour la plupart d'un cachet militaire, parsemaient l'auditoire ; il y avait de fines moustaches noires et aussi des barbes grises. Aussi près que possible de la porte communiquant avec le greffe, Robert Surrizy, Laurent et Férandeau étaient debout.

Mais le regard d'Henri avait en vain, et à bien des reprises, parcouru toute la salle, cherchant les cheveux blancs de son père ; le marquis de Belcamp n'était pas là ! C'est une grande autorité que la présence d'un père auprès du banc fatal. Le jury n'est pas la loi inflexible dans sa lettre ; il est une conscience qui peut être éclairée, égarée, émue par tous les moyens humains.

L'absence de M. le marquis de Belcamp privait Henri d'une de ses meilleures armes.

Ce n'était pas pour cela qu'Henri parcourait de temps en temps la salle d'un regard inquiet et triste. Il n'avait pas besoin d'armes. Au fond de son cœur il n'y avait qu'une voix et qu'une parole. Ce n'était pas lui-même qu'il plaignait quand il disait : Mon père ! mon pauvre bien-aimé père !

Il espéra pendant la lecture de l'acte d'accusation, pendant les débats, qui furent courts et vifs, pendant le réquisitoire, plaidoyer éloquent et d'une haute habileté. En se retirant, il espérait encore, car ses yeux se promenèrent avec lenteur sur l'assemblée.

Auprès du seuil, plusieurs mains se tendirent pour serrer la sienne chaleureusement. La main du comte Frédérick Boehm resta plus longtemps que les autres. Henri et lui échangèrent un signe rapide.

Il y avait dans l'auditoire deux classes qui, sans savoir pourquoi, s'intéressaient à Henri ; les bonnes gens du peuple et les grandes dames. Toutes les jeunes filles étaient, aussi de son parti, mais elles savaient bien pourquoi, car il y avait un cœur dans ses yeux. Beaucoup de gens dans l'assemblée le détestaient parce qu'il était comte, d'autres parce qu'il était beau, jeune, riche, que sais-je ? Tel le haïssait parce qu'une femme avait rougi en le regardant, ou pâli, ou souri...

Ces paroles ne sont point dites avec amertume. La source de nos impressions, brusquement découverte, fait souvent honte quand elle ne fait pas rire.

Mais, quelles que fussent les dispositions diverses, après le réquisitoire foudroyant de l'éminent magistrat qui occupait le siége du ministère public, tous et toutes pensaient qu'Henri serait condamné.

Quand il eut passé le seuil de la salle d'audience, ceux qui lui avaient serré la main sortirent.

Robert parvint jusqu'à Jeanne.

– Votre mère l'a tué ! murmura la jeune fille.

Robert répondit :

– Je le sauverai !

Puis il ajouta :

– Ma mère est une noble femme qui suit son devoir comme nous suivons le nôtre.

Une larme vint aux yeux de Jeanne qui lui tendit la main.

– Pardonnez-moi, murmura-t-elle, je suis injuste parce que je souffre.

– Oh ! s'écria Germaine, cet homme qui a parlé contre lui… si je pouvais manier une épée !…

– A-t-il consenti ? demanda lady Frances tout bas.

– Ma sœur, répondit Robert, tant qu'il est sous le coup de la loi, nous n'avons aucune autorité à subir, sinon celle de Frédérick Boehm qui est maître.

– Dieu soit loué ! dit Frances en rougissant.

Elle saisit la main de son frère au moment où il se retirait, et le força d'approcher son oreille tout contre ses lèvres.

– Que Frédérick le sauve, et je suis à lui ! murmura-t-elle.

L'instant d'après quelques groupes de deux, trois et quatre personnes quittaient la rue Saint-Pierre, encombrée devant le palais de justice, et s'engageaient dans la rue de Jouvencel, qui était déserte. Ces groupes ne se réunirent point, et ceux qui les composaient continuèrent de se promener de long en large.

Certes, parmi tous les gens qui entouraient le palais, ceux-ci étaient les plus calmes et les plus froids.

Ils ne disputaient point ; ils n'établissaient point de gageures sur le verdict probable du jury, ils n'apportaient point à l'accusé le tribut de leurs bruyantes sympathies, et pas davantage ils ne le poursuivaient de leurs malédictions.

C'étaient, pour la plupart, de ces hommes à tournure militaire dont nous avons parlé déjà.

Parmi eux, il y avait des Anglais, car les noms de Perkins et d'Abercombrie avaient été prononcés.

Ces noms étant donnés comme une clef, si vous eussiez examiné de plus près ces rudes et austères figures, vous auriez reconnu le capitaine Gauthier, le lieutenant Renault, Pierre Louchet, le bûcheron, et une partie du vaillant équipage de la *Délivrance.*

Au milieu du groupe principal, composé d'Abercombrie, Perkins, Robert Surrisy et Laurent, se tenait le comte Frédérick Boehm, dont la tête pâle dépassait tous les autres fronts.

– Messieurs, disait-il, Dieu seul désormais peut savoir l'issue de cette lutte ; comme il ne nous est pas possible de peser dans la balance, nous devons nous tenir prêts à tout événement. M. Abercombrie et M. Perkins vont partir sur l'heure pour Dieppe, afin que le navire lève l'ancre dès que milord aura le pied sur le pont.

– Nous sommes ici sur l'ordre de milord…, objecta Perkins avec répugnance.

Et Abercombie ajouta :

– Milord sait ce qu'il fait… Tous ces pantins ont des rôles dans sa comédie. Je parie cent livres contre dix schellings qu'il va sortir de là blanc comme neige.

– Comme chef, répliqua Robert, M. le comte Henri de Belcamp a sans doute le droit d'avoir ses secrets ; mais chacun de nous aussi a le droit de voir ce qui, du fond de sa prison, échappe peut-être à sa vue. Les événements ont marché ; le vent a tourné… Si c'est une comédie qu'il joue, pour employer votre expression, et dans un but que nous ne connaissons point, les planches de son théâtre sont désormais au-dessus d'une mine chargée de poudre. Notre règle est sage quand elle dit que le maître captif n'a plus qu'un commandement d'honneur. Nous sommes tous ici sous les ordres du comte Frédérick Boehm… à moins qu'un membre du conseil suprême ne se déclare.

Un homme petit, carré, aux traits intelligens et hardis, toucha l'épaule de Frédérick au moment où celui-ci allait prendre la parole.

– Amiral !… murmura le jeune comte en se découvrant.

L'inconnu mit un doigt sur sa bouche.

– J'ai la qualité que vous demandez, dit-il d'une voix brève. Je suis membre du conseil suprême. Les autres titres importent peu.

– Messieurs, ajouta-t-il en fixant sur les deux Anglais son regard impérieux, partez à l'instant même et ne vous arrêtez qu'à votre bord… Les coups qui vont frapper votre grand-maître viennent de haut et de loin… Marchez, sous peine de trahison !

Perkins et Abercrombie se retirèrent en silence, suivis par deux Français chargés de faciliter leur départ.

Celui qu'on avait appelé « amiral » reprit :

– Le reste est-il préparé, messieurs ?

– Tous nos hommes sont là, maître, répliqua Surrisy, et tous sont armés ; nous attaquons l'escorte dans l'avenue de Paris, pendant le trajet de retour du palais de justice à la maison d'arrêt. Les chevaux sont préparés, les relais attendent sur la route…

Il fut interrompu par une voix contenue qui disait :

– À l'avantage !

Les groupes se dispersaient vers le bas de la rue. Robert se tut. L'étranger rabattit son chapeau sur ses yeux et dit en anglais :

– Tout est bien !

Puis il disparut rapidement en tournant l'angle de l'école normale.

Une femme, vêtue de noir, remontait la rue Jouvencel, où il n'y avait pas une âme, hormis les conjurés. C'était l'approche de cette femme qui avait motivé l'alerte. Elle marcha droit à Robert Surrisy.

Celui-ci fronça le sourcil et fit un pas vers elle en demandant :

– Que voulez-vous, ma mère ?

La paysanne le prit par le bras et l'attira à l'écart.

– Il y a parmi vous un espion, dit-elle. Tu joues ta vie, enfant, sur des cartes déloyales. Prends garde !

Elle passa.

Quand Robert revint vers ses compagnons, il demanda au comte Boehm :

– Connaissez-vous cet homme ?

– C'est l'amiral M…

– Non, pardieu ! s'écria l'un des matelots de la *Délivrance*. J'ai été enseigne sur le vaisseau de l'amiral M… J'engage ma tête que ce n'est pas lui !

– Où avez connu cet homme ! interrogea encore Robert, pendant que tous les visages pâlissaient.

– À Londres, chez la Bartolozzi, répondit Frédérick.

– En présence du comte Henri de Belcamp ?

– Non, répondit Frédérick après avoir recueilli ses souvenirs. Jamais je ne l'ai vu en présence du comte Henri.

– Messieurs, dit Robert d'une voix ferme, M. le comte Henri de Belcamp, du fond de sa prison, a les yeux plus perçants que nous. À toutes nos offres il a répondu : Je ne veux pas. Je vous transmets contre-ordre pour le rendez-vous de l'avenue de Paris… Avant la fin de l'audience, vous connaîtrez les dispositions nouvelles prises par le maître Frédérick Boehm…

La séance venait de se rouvrir, et la rue Saint-Pierre était traversée seulement désormais par les retardataires et les âmes en peine qui n'avaient pu obtenir de place à l'intérieur. Cette classe de curieux qui attend les nouvelles au dehors n'est ni la moins impressionnable, ni la moins intéressante.

À l'autre bout de la rue Saint-Pierre, dans l'avenue de Paris et non loin de la mairie, un homme était assis tout seul sur un banc. Les factionnaires qui s'étaient succédés à la porte de la municipalité avaient pu le voir là, depuis le matin, courbé en deux et les mains croisées sur la pomme de sa canne. C'était un grand vieillard dont les cheveux blancs en désordre couronnaient une tête amaigrie, pâle et peignant la souffrance. Il avait les yeux fixes et mornes, quoique par instant la fièvre y allumât des rayons sombres. Ses deux mains tremblaient souvent sur sa canne, comme si un long frisson lui eût passé par tout le corps.

Ainsi était ce vieillard, et nous l'avons décrit parce que vous auriez pu passer près de lui sans reconnaître M. le marquis de Belcamp.

M. de Belcamp manquait à l'audience, mais il n'en était pas loin. Ce qu'il faisait là, il n'eût certes point su vous le dire lui-même. Il y avait en lui une lassitude accablée et profonde ; c'eût été l'engourdissement du désespoir sans ces tressaillements soudains qui agitaient son pauvre corps affaibli au moindre bruit venant du côté du tribunal.

Il tournait le dos à l'embouchure de la rue Saint-Pierre. Il ne se cachait pas. Cependant les regards des passants le gênaient et faisaient monter à son front des rougeurs fugitives.

Quand l'heure sonnait, il écoutait. Une idée semblait naître en lui, puis s'éteindre. Une ou deux fois les larmes avaient descendu le long de ses joues.

Un autre personnage, bien différent d'aspect et dont l'agitation avait un tout autre caractère, allait et venait dans l'avenue. Celui-ci, habillé de noir de la tête aux pieds et portant la cravate blanche, était un homme de palais en *bourgeois,* et sa tournure distinguée disait qu'il n'appartenait point aux basses couches de la judicature. Il avait la tête découverte, parce que ses cheveux le brûlaient. De temps en temps il portait son mouchoir à ses tempes en sueur.

On aurait pu le prendre pour terme de comparaison et représenter en lui la préoccupation inquiète, en face de la grande douleur personnifiée par M. le marquis de Belcamp.

– Après tout, se disait-il en parlant tout seul avec des gestes cassants et rapides, il n'y a pas un seul témoin *de visu !* Tout cela n'est qu'un amas de circonstances costumées en probabilités… et cependant la vie de ce jeune homme n'est pas pure, c'est manifeste !… ni claire, assurément !… Elle contient un mystère… dix mystères… Plus on veut percer ces ténèbres, moins on y voit…

– Un noble visage ! continua-t-il en revenant vers la mairie après s'en être éloigné d'une centaine de pas ; la tête la plus intelligente et la plus fière que j'aie rencontrée en ma vie !

Et une distinction de prince, ma parole !… Et une dignité ! le peu de mots qu'il a prononcés sont coulés en bronze comme du Tacite !… Moi, je ne le crois pas coupable… c'est-à-dire… que le diable emporte tout cela ! c'est une intrigue indéchiffrable !… Non ! sur mon honneur ! je ne crois pas ! je ne crois pas !

Il parlait si haut en passant près du banc où M. de Belcamp était assis que le vieillard releva les yeux malgré lui. Leurs regards se rencontrèrent. Le conseiller de Boisruel, c'était lui, resta bouche béante à le contempler. Puis son visage d'homme qui a tout vu, tout éprouvé, tout approfondi, exprima la commisération grave et sympathique d'un honnête cœur.

– Mon bon, mon excellent cousin ! dit-il en s'approchant vivement et les deux mains tendues.

Les mains de M. de Belcamp restèrent immobiles et croisées sur sa canne.

On eût pu voir cependant que son visage rigide et comme gelé faisait effort pour sourire.

Cela même vous eût serré le cœur.

Ses lèvres s'entr'ouvrirent, et il dit d'une voix plus changée que ses traits :

– Bonjour, Boisruel, vous n'avez donc point honte de moi, vous ?

Le conseiller recula. Sa physionomie, très-mobile, changea du blanc au noir, car il eut une mauvaise pensée.

– L'avez-vous donc abandonné déjà ? murmura-t-il.

La poitrine de M. de Belcamp rendit un son profond et douloureux à entendre.

– Ah ! ah ! Boisruel, mon cousin, chevrota-t-il, par l'effort qu'il faisait pour comprimer ses sanglots. Je suis l'homme qui a eu le plus d'orgueil dans le cœur !... Est-ce que Dieu veut qu'on aime comme cela, même son fils unique, même un suprême espoir ?

Il ne bougeait pas, mais on voyait en quelque sorte le déchirement intérieur de sa poitrine, et les deux larmes qui perlaient aux coins de ses paupières devaient être du feu liquide.

Boisruel s'assit auprès de lui sur le banc, pris par la contagion de cette terrible angoisse.

– Vous sortez de l'audience ? demanda-t-il pour dire quelque chose.

Car les hommes les plus experts et les moins susceptibles d'être déconcertés deviennent des enfants, s'ils ont le cœur bon, en face de ces misères navrantes.

Le marquis remit ses regards dans le vide, et ne répondit pas.

– Ah ça ! s'écria Boisruel s'éperonnant lui-même, il ne faut pourtant pas croire que tout soit perdu, mon digne cousin ! Moi qui vous parle, en mon âme et conscience, je suis fort loin d'être convaincu.

Un pâle éclair s'alluma dans l'œil du vieillard. Sa bouche s'entr'ouvrit avec effort, mais ce fut seulement pour donner passage à un soupir.

– Je ne condamnerais pas, reprit le conseiller ; je vous parle franchement : votre fils a tort de ne pas tout dire ; je parierais qu'il garde des considérations... pour qui ? voilà la question, et, certes, elle est grave, car, librement, on ne garde aucune considération quand il s'agit de l'honneur. Mais enfin il est jeune... il peut s'exagérer certains devoirs... En l'état, je ne condamnerais pas... Vous me direz : les jurés... J'entends bien ; ce n'est pas toujours la fleur des pois, et Notre-Seigneur a oublié d'accorder à quelques-uns la vue perçante de l'aigle... mais notez que, dans cette étrange affaire, les myopes douteront comme les clairvoyants. Il n'y a rien de certain... rien !... et, en définitive, tout le monde, y compris MM. les jurés, connaît la maxime : Dans le doute, abstiens-toi.

– Le doute... murmura le marquis comme un écho.

– J'entends bien, parbleu ! La femme de César ne doit point être soupçonnée... Le fils du marquis de Belcamp... c'est clair !... mais la femme de César n'en peut mais ! J'en ai vu des femmes de César soupçonnées et qui s'obstinaient à se porter très-bien... Voyez-vous, nous avons ici une instruction très-bien faite..., très-bien faite n'est pas assez dire... admirablement faite, au point de vue de ce que les jeunes magistrats regardent comme leur devoir... Le juge qui a dressé l'acte d'accusation n'a pas cherché tout à fait la vérité : il a cherché d'abord, et à tout prix, un coupable... On se corrige quelquefois de cela en vieillissant... La justice, la vraie, n'a pas de ces idées fixes : elle cherche aussi bien l'innocent que le coupable... mais il faut bien que jeunesse se passe... Je disais donc que, au point de vue de cette bizarre gageure, soutenue par quelques boutures de Laubardement, l'instruction est étudiée à miracle... Croyez bien que l'opinion publique, malgré sa courte vue, tient compte de cela... L'homme qui sort vainqueur d'une lutte où l'adversaire a tout employé, même les armes prohibées par l'usage, sort net et bien lavé. C'est l'épreuve de l'eau.

– Il faut l'épreuve du feu, dit le marquis de son accent morne.

Le conseiller le regarda attentivement.

– Si vous en savez plus long que moi, cousin,…, commença-t-il.

M. de Belcamp chancela sur le banc ; comme Boisruel étendait les bras pour le soutenir, le vieillard le repoussa avec froideur.

– Je ne tomberai que pour mourir, prononça-t-il tout bas.

– Mon Dieu ! dit Boisruel, sans doute, sans doute… vous êtes une race de chevaliers… mais les chevaliers se soutenaient entre eux, et je ne comprends pas bien que vous brisiez votre lance avant la fin du tournoi… Il y a des choses fantastiques là-dedans, je vous l'affirme, des choses dont la cour n'aura pas plus à s'occuper que des aventures de don Quichotte… L'affaire de Prague regarde ces solennels coquins de rose-croix, comme l'affaire de Londres appartient aux Irlandais-Unis ou aux compagnons de la Délivrance… Il y a un témoin, une manière d'illuminée, cette Madeleine Surrizy, qui me donne froid jusque dans la moelle des os… avec une demi-douzaine de folles de cette espèce, vous feriez condamner Louis XVIII pour le meurtre de Robespierre !… Reconnaître quelqu'un à la voix, après des années, c'est tout uniment extravagant… À peine pourrait-on reconnaître un violon de Stradivarius… Mais l'homme, dont les cordes vocales muent et se transforment sans cesse, c'est purement extravagant ! Restent donc les deux couples d'assassinats, et c'est bien assez, Jésus Dieu ! les deux brasseurs d'abord, les deux bandits ensuite. Cette partie de l'instruction surtout est merveilleusement conduite ; cela devait être : le reste n'est que la bourre… Nous n'avons pas à juger Jean Diable ou tout autre Fra-Diavolo britannique, mais bien le comte Henri de Belcamp. Eh bien ! sur mon âme et conscience, rien n'est prouvé… l'identité même de ces deux malfaiteurs anglais…

– Deux malfaiteurs anglais ?… murmura le vieillard immobile comme le banc de pierre ou il s'asseyait.

– Oui… les deux cadavres de Tivoli…

– Ah !… fit encore le marquis ; deux cadavres…

M. de Boisruel poursuivit avec une certaine impatience :

– Le témoin, le fameux témoin qui devait apporter la preuve de ce double meurtre, Gregory Temple, n'est pas venu. Dieu l'a visité : il est enfermé à Bedlam !… et la première fois que j'ai vu mon jeune cousin, je crois me souvenir que ce Gregory Temple et lui se promenaient bras dessus bras dessous… Enfin, n'importe ! ce n'est pas avec des arguments de la force des deux lettres blanches qu'on fait couper la tête à un homme !

– Deux lettres blanches !… répéta lentement le marquis.

– Les deux lettres timbrées de Paris et de Saint-Denis et trouvées dans le portefeuille des deux faux comtes de Belcamp…

– Ah !… fit le marquis dont la figure s'animait comme un masque de cire à qui viendrait la vie.

– Vous savez bien, parbleu !… les deux lettres qu'on suppose avoir servi de signal pour fixer le moment du double crime, à Lyon et à Bruxelles ?

– Non, répondit le marquis, je ne sais pas.

– Mais vous ne savez donc rien ? s'écria M. de Boisruel avec une sorte d'indignation.

– Rien… répondit le morne écho.

Encore une fois M. de Boisruel le considéra attentivement ; après réflexion, il pensa :

– La maladie… l'affaiblissement des facultés intellectuelles…

– Eh bien ! mon excellent cousin, reprit-il, songeant désormais à faire retraite, comme je vous le disais, on a tiré tout le parti possible de ces lettres blanches… et certes le bureau de Saint-Denis où l'une d'elles fut mise à la poste, est sur la route de Belcamp à Paris ; mais de néant on ne peut faire sortir que néant… C'est une nuit opaque, impénétrable qui recouvre ces quatre assassinats. Dieu et le temps peuvent seuls y porter la lumière.

– Oui… Dieu… prononça le marquis sans donner d'autre signe de vie que le mouvement mécanique de ses lèvres.

M. de Boisruel se leva.

– Maintenant, continua-t-il uniquement pour couvrir le congé qu'il allait prendre, il y a les fameuses taches de sang du théâtre Feydeau ; mais le secours porté à l'enfant dans la rue paraît une chose prouvée… et, en conscience, ce n'est pas un cas pendable… Mon cousin, je vais faire un tour à l'audience. Faut-il vous rapporter des nouvelles ?

– Non, répondit le marquis.

Le conseiller salua et se retira.

Le vieux marquis de Belcamp, resté seul, garda son étrange immobilité. Par la neige, on l'eût pris pour une de ces malheureuses victimes du froid qui n'ont plus que du sang glacé dans les veines.

Au bout de quelques minutes pourtant, ses lèvres s'agitèrent, et il dit tout bas :

– Des lettres blanches !…, je me souviens d'une lettre blanche…

À la tombée de la nuit, un grand bruit se fit du côté de la rue Saint-Pierre. Une cohue semblable à celle qui sort des théâtres faisait irruption dans l'avenue de Paris, riant, bavardant et criant.

Le vieillard eut partout le corps un de ces longs frémissements dont nous avons parlé, mais il garda son attitude pétrifiée.

Ces mots tombèrent de sa bouche :

– Aura-t-il affaire à la justice des hommes ?

Des voix connues firent sourdement tressaillir son immobilité. Des pas approchaient.

– C'est de l'effronterie, tout uniment ! dit la voix humble mais barbelée de madame Morin du Reposoir.

– Atout ! murmura Chaumeron ; pas mâché !

– Tout le monde sait bien qu'il parle comme il veut, ajouta madame Célestin ; restez auprès de moi, mon beau-frère !

– Les hommes, c'est bien trompeur ! reprit Mademoiselle.

Miremont s'était arrêté à dix pas du marquis et formait groupe.

– Avez-vous vu se compromettre comme cette petite Germaine ? poursuivit Mademoiselle. C'est répugnant !

– Et la belle Jeanne, donc ! milady Balcomb ! En voilà un, ce Balcomb, qui ne donne plus souvent de ses nouvelles depuis qu'il a emporté le cadeau de noces !

– Tapé ! dit Chaumeron. Allez voir s'ils viennent !

Et Miremont rit de bon cœur.

– Lady Frances et cette Suzanne dont le père est fou ne se comportent guère mieux, fit observer Bien-des-Pardons. Mais avez-vous vu les trois fainéans ? On dirait que ça les regarde… Qui sait ? L'oisiveté peut mener loin ; c'est la mère de tous les vices.

– Il n'empêche que le précieux Henri va avoir son compte, décida Chaumeron. Je dis ce que je pense, moi ! Il faut un exemple… Servez ?

– Oui, oui, oui, dirent les trois dames, il en faut un ! Et nous l'aurons !

Madame Célestin était plus maussade que de coutume, parce qu'elle n'avait pas son tricot. Elle crut comprendre à quelques grognements inarticulés de ses Bondon qu'ils réclamaient leur nourriture.

– Ne pouvez-vous attendre ?…, commença-t-elle aigrement.

Mais papa Chaumeron l'interrompit :

362/392

– Pas bête, l'idée du potage ! s'écria-t-il. Ils disaient en bas que le jury était partagé… En voilà une sotte idée !… Leur faut donc la vue des objets, à ces messieurs !… S'ils sont partagés, ils vont peut-être se chamailler jusqu'à minuit dans leur salle… Moi, je n'y vais pas par quatre chemins, je vote pour la soupe et le bouilli. Vlan !

Bien-des-Pardons objecta :

– C'est cher à Versailles, la consommation… et je dis que ce procès-là nous a coûté bon à tout le monde !

Miremont soupira.

– Oui, dit Mademoiselle, mais au moins il a une bonne issue.

– Ces enfants-là, dit Chaumeron en la montrant du doigt, c'est honnête comme des vieux Romains de l'empire d'Auguste. Quant à la cherté des denrées, c'est selon les endroits ; j'en connais un petit dans l'avenue de Sceaux où les prix sont assez doux… Une, deux trois… qui m'aime me suive !

XX

La bénédiction

Les délibérations du jury sont secrètes, mais vous trouverez toujours à la séance, dans la salle des pas-perdus ou même en plein air devant le palais, des gens complaisants et bien informés qui vous raconteront exactement ce qui se passe dans le sanctuaire où le jury est assemblé. Ces gens ne peuvent pas savoir, mais ils savent.

Un jury, comme personne ne l'ignore, est composé de trente-six citoyens remplissant certaines conditions de poids social et d'honorabilité ; le sort, les récusations mutuelles de l'attaque et de la défense épurent ce nombre jusqu'à douze noms qui forment l'aréopage définitif. Les débats oraux ont principalement pour but d'établir la conviction du Jury, qui n'a rien à faire avec le droit et ne tranche que les questions de fait.

Les ennemis les plus irréconciliables de cette institution ne peuvent nier ni sa grandeur ni ses bienfaits ; ses plus enthousiastes amis avancent qu'elle n'est pas sans lacune et qu'elle a des inconvénients très-graves.

Le principal inconvénient gît dans la délibération même.

Quand le jury, rentrant à son banc, vient prononcer devant Dieu et devant les hommes son *oui* terrible ou le *non* de sa clémence, ce n'est pas l'opinion de douze citoyens qui fait ce verdict. C'est l'opinion – du moins peut-on dire très-souvent – d'un esprit dominant, agité, passionné, énergique, d'une parole entraînante et facile, d'une supériorité en un mot et d'une volonté qui s'est rencontrée par hasard parmi cette douzaine de consciences paisibles, timides et profondément indifférentes, arrachées contre leur gré au courant aimé de leurs gains ou de leurs devoirs.

L'avenir peut-être inventera le jury cellulaire.

Nos douze jurés de Versailles étaient tous les plus honnêtes gens du monde : commerçants pour la plupart. Dans le nombre se trouvaient un avocat, un médecin et un professeur. L'opinion de la majorité était qu'elle ne savait pas. La défense, présentée en majeure partie par l'accusé lui-même, et complétée par un membre du barreau de Versailles choisi d'office, avait été nette, courte et frappante l'échafaudage très-habilement élevé par le ministère public menaçait ruine. Le conseiller de Boisruel a résumé pour nous dans le précédent chapitre, l'opinion que pouvaient avoir les hommes spéciaux. Mais le jury avait la tête un peu perdue : il ne savait pas. L'avocat, le médecin, le professeur, avaient seuls des convictions formées.

Le médecin disait oui, le professeur disait non ; l'avocat, se chargeant avec plaisir de les concilier, plaida oui très-chaleureusement et conclut non. Aux trois quarts de son discours, les jurés avaient complétement perdu plante. On essaya de compter les voix, il y en avait, ma foi ! dix pour l'affirmative et deux contre. Il ne faut point de faiblesse !

Le professeur parla et ramena six voix du coup, ni plus ni moins. Le comte Henri était acquitté d'emblée. Mais le médecin parla aussi, refaisant le réquisitoire avec le style heureux d'un homme habitué à porter des toasts dans les banquets scientifiques.

Six voix de conquises et l'échafaud dressé !

C'était le cas pour l'avocat de résumer la discussion. Il plaida non, mais avec soin cette fois, et conclut oui comme un tonnerre.

Il y eut six voix contre six.

Le sang montait à la tête du jury. La discussion durait depuis près d'une heure. Miremont avait eu le temps de dîner chez Escalot, avenue de Sceaux : détestable et pas cher.

C'est encore là un danger de l'institution, le sang qui monte à la tête. Le médecin et le professeur avaient échangé déjà des paroles pénibles. L'avocat se tuait à crier : C'est pourtant bien clair ! mon Dieu ! c'est clair comme bonjour. Les neuf jurés qui ne parlaient pas et qui avaient la migraine se révoltèrent tous à la fois et voulurent plaider à leur tour.

On put voir qu'il n'y avait pas un seul avis pareil. Ce qui avait convaincu l'un donnait des doutes à l'autre. Tel fait disait crime à quelques-uns ; aux autres, il criait innocence ! Six contre six ! six noirs ! six blancs ! La lutte fut ardente, à ce point que les noirs devinrent tous blancs, mais les blancs devinrent noirs.

Six contre six, toujours !

– Messieurs, dit le professeur, il s'agit de la vie d'un homme !

Ils le savaient bien, les malheureux, puisque leurs tempes avaient la sueur froide. Il n'y avait là ni loustic stupide ni méchant cœur capable de tourner ces choses lugubres en plaisanteries.

– Acquittons à tout hasard !…, risqua une voix.

– Messieurs, s'écria le médecin, il s'agit de la société menacée !

– Alors, condamnons ! glissa une autre voix.

L'avocat reprit aussitôt ces deux formules pour en composer une tirade à compartiments sur ce thème obligé : acquittons si notre conscience le permet, condamnons si notre conscience le commande.

Communément, cette tirade dure vingt minutes, montre en main, et finit ainsi :

– Interrogeons-nous dans le calme et dans la force de notre fonction. Si, d'un côté, nous croyons que l'interprète des droits de la société s'est trompé, si les charges accumulées contre l'accusé nous paraissent plus spécieuses que sérieuses, si l'œil perçant que Dieu a mis au-dedans de nous entrevoit l'innocence au travers de ces brumes savamment épaissies, n'hésitons pas, soyons sans crainte, acquittons !… Si, au contraire, les efforts de la défense ont été impuissants à nous convaincre, si, malgré tout le talent, etc., etc., etc. ; n'hésitons pas davantage, gardons-nous de céder aux conseils de la faiblesse, condamnons !

Il y a des pères de famille qui oublient leur caractère et qui boxent les gens bien intentionnés capables de pareilles harangues.

Mais parmi les martyrs il se trouve toujours quelqu'un pour lancer ce gémissement suprême :

– Si pourtant nous ne savons pas !…

– Alors, éclairez-vous… Discutons !

Et l'avocat rouvre impitoyablement sa boîte à éloquence plus terrible qu'une machine de torture. Il place le pour en face du contre, il mêle, il embrouille ; le dernier rayon disparaît sous la poussière qu'il soulève. Acquittons ou condamnons ! ce n'est pourtant pas difficile.

La chose redoutable, c'est qu'il est de bonne foi.

Il tient à la main un flambeau qu'on a seulement négligé d'allumer.

Six contre six. Il y avait deux heures qu'on était là. Le médecin redemanda le vote : neuf contre trois ; condamné.

Le professeur alla droit à son adversaire et lui tendit la main. Le médecin tressaillit. Quelques paroles furent échangées, et comme l'avocat parlait encore, parlait toujours, parlait de plus en plus, nul n'entendit ces mots qui tombèrent dans l'oreille du docteur :

– À l'avantage !

Quelques minutes après, le jury rentrait dans la salle d'audience, pleine comme un œuf et frémissante d'impatience. La figure fière et douce de l'avocat semblait dire : Je suis parvenu à leur faire entendre la raison. Au milieu d'un silence profond, le médecin, chef du jury, prononça le verdict :

– À l'unanimité, non, l'accusé n'est pas coupable !

Il y eut un grand applaudissement sous lequel coururent quelques protestations et quelques paroles de surprise. Jeanne tomba dans les bras de Germaine qui riait et qui pleurait.

– Atout ! cria Chaumeron du fond de la salle. J'ai toujours dit qu'il n'y avait pas de quoi fouetter un chat ! ah mais !

Quand le comte Henri de Belcamp rentra calme et digne, pour entendre son arrêt, chacun trouva qu'il avait bien la figure d'un innocent. L'auditoire d'une cour d'assises ne déteste pas les condamnations, mais rendons-lui cette justice qu'il adore les acquittements. Les dames agitaient leurs mouchoirs à l'adresse de ce beau et noble jeune homme qui avait dû tant souffrir, malgré l'héroïque attitude qu'il avait toujours gardée ; les hommes avaient envie de lui serrer la main. Tout le monde était joyeux, et ce furent des cris d'enthousiasme qui accueillirent les paroles du président, déclarant que l'accusé était libre.

Les amis d'Henri l'entourèrent et lui firent un triomphe muet, pendant qu'il sortait du palais de justice. Miremont vint en corps le féliciter.

– Bien des pardons, dit l'adjointe, M. le comte sait mon dévouement à la famille de M. le maire. Voilà une journée qui nous a donné bien des émotions !

– Ces deux messieurs n'avaient pas un fil de sec sur le corps, ajouta madame Célestin.

– Ah ! soupira Mademoiselle, quand on s'intéresse comme ça à des personnes de sa connaissance…

– Tapé ! cria Chaumeron, qui tendit sa patte large et velue. Ah ! ah ! le procureur du roi a eu son compte ! Tant mieux c'est bien fait ! Attrape ! adjugé ! vlan !

– Allons, saperlotte ! murmura Roblot à l'autre oreille d'Henri, je suis venu pour vous voir acquitter, moi ! J'avais mon devoir à faire, pas vrai ? Mais ça n'empêche pas les sentiments… Sans que ça paraisse, quoi ! vous avez l'amitié de l'ancien militaire !…, et il ne vous dit que ça : Franc comme l'or ! Il est des bons au fond !

– Victoire ! victoire ! vociférait cependant madame Etienne, qui traversait l'avenue de Paris de toute la vitesse de ses grosses jambes en se dirigeant vers le banc où Junot, Anille, Pierre et le jardinier-cocher entouraient déjà M. le marquis de Belcamp. Ils sont arrivés les premiers, rapport à ce qu'ils sont jeunes, mais c'est moi la plus contente, là ! Je les aurais embrassés, tous les jurys et présidents, excepté le parquet… Ah ! mon bon maître ! victoire ! victoire !

Ils étaient tous venus du château comme ils avaient pu, et l'intérêt de ceux-là était sincère.

La nuit tombait. On allumait les réverbères le long de l'avenue de Paris. Le vieillard n'avait point changé de position et croisait toujours ses mains sur la pomme de sa canne. Il écoutait d'un air morne ce qui se disait autour de lui et semblait ne point comprendre.

Madeleine Sarrizy parut tout à coup au milieu des serviteurs.

– M. le comte de Belcamp est acquitté, dit-elle.

– Ah ! fit le marquis dont les lèvres tremblèrent ! – acquitté… et libre ?

– Et libre, répondit Madeleine.

Le vieux marquis fit effort pour se lever. Elle le soutint. Ce fut elle qui ordonna d'amener la berline.

– N'attendez-vous pas monsieur le comte, demanda madame Etienne.

À cette question il ne fut point répondu.

Le cocher revint avec la voiture. M. de Belcamp monta le premier avec beaucoup de peine ; la paysanne le suivit.

– Libre… répéta-t-elle quand la portière fut fermée ; mais pas pour longtemps… Ils sont trahis !

Puis le silence régna dans la berline, qui prit la route du château.

En ce moment Chaumeron entraînait la société miremontaise par ces paroles à effet :

– Qui m'aime me suive ! J'ai le pressentiment que la cuisine va chauffer cette nuit chez M. le maire, et que nous aurons un crâne réveillon. Nous l'avons bien gagné. Allume !

D'autres brûlaient déjà le pavé sur le chemin de l'Isle-Adam ; Henri et ses compagnons à cheval, Jeanne dans la calèche de lady Elphinstone.

Vers onze heures de nuit, le salon du Château-Neuf était plein. Jeanne, Germaine, lady Frances et Suzanne Temple se réunissaient autour de la table à thé, tandis que des groupes se formaient çà et là, causant avec animation.

Le comte Henri, debout, écrivait sur la tablette de la cheminée.

– Je vous ai tendu la main loyalement et de bon cœur, disait Robert Surrizy à Frédéric Boehm. J'ignore si vous me devez une fortune, je n'en ai pas besoin et je vous en tiens quitte. Soyons frères, puisque ma sœur vous aime ; vous m'aurez trop payé si vous la faites heureuse.

Frédéric avait à la main un portefeuille qu'il remit à Frances.

– Sarah ! murmura-t-il, timide plus qu'un enfant, je ne veux plus attendre mon testament, car le bonheur m'a déjà rendu la vie. Ceci est la fortune de Robert, votre frère. Il la recevra de vous.

Jeanne unissait les mains de Laurent et de Germaine, et murmurait, la bouche sur la joue brûlante de son amie :

– Au moins, en partant, je vous laisserai heureux.

Billy, le petit groom taillé en athlète, entra et dit :

– J'ai repoussé jusqu'à mi-chemin de Versailles, milord. On a trompé Votre Seigneurie ; il n'y a ni soldats ni gendarmes sur la route.

Henri remercia d'un signe de tête, sans cesser d'écrire.

– Richard ! appela-t-il au moment où son paraphe hardi rayait le bas du papier.

Thompson approcha.

– Vous avez souffert pour moi, lui dit Henri, et sans le vouloir j'ai fait bien du mal au père de votre femme. Prenez ceci : vous êtes pauvre et loin de votre pays ; moi, je n'ai plus besoin de ce que je possède en France.

Suzanne entendit, et vint à lui les larmes aux yeux.

– Aux affaires, messieurs ! ordonna Henri au moment où elle ouvrait la bouche pour rendre grâces.

Tout le monde se rangea aussitôt à ses côtés.

– Ne prenez pas trop au sérieux ce mot de trahison, messieurs, reprit le jeune comte presque gaiement. Il n'est point d'association secrète qui n'ait eu ses traîtres. Quand Judas a fait son office, il ne s'agit que d'aller un peu plus vite et de frapper un peu plus fort. Jusqu'à présent, tout nous sourit et la Providence elle-même semble se déclarer notre complice. Le plus difficile est fait, croyez-moi, et ceux qui maintenant fermeraient sur votre chef les portes d'une prison compteraient sans leur hôte. Pour que je m'arrête désormais sur ma route, il faut qu'on me prenne mon dernier souffle avec ma dernière goutte de sang... Or, nous avons des amis puissants, et nos vrais ennemis ne sont pas en France... Je vois ici autour de moi la joie du cœur sur tous les visages ; vous êtes tous heureux, et j'ai conscience d'avoir contribué à ce bonheur... Il n'y a que vous, Robert Surrizy, mon plus cher ami et mon frère, à qui je ne puisse payer ma dette. Vous me l'avez dit ce soir avec votre noble sourire qui couvre encore une tristesse ; vous m'avez dit : Moi je suis le fiancé de mon épée ! Qu'elle soit au moins glorieuse cette épée qui remplace pour vous le trésor perdu. Vous êtes le premier après moi, Surrizy : je vous nomme mon lieutenant.

Il lui tendit la main et l'attira contre sa poitrine pour l'embrasser par deux fois.

– Frédérick Boehm reprit-il, il serait au-dessus de mon pouvoir de vous trouver une autre récompense. Je vous ai donné ma douce et chère sœur, Sarah O'Brien, la compagne de ma jeunesse, l'auxiliaire de mes premières luttes ténébreuses et mortelles. Je vous connais à présent et je vous sais digne de posséder ce diamant héroïque... Vous m'avez pardonné mes soupçons d'autrefois et la surveillance dont je vous entourais : Spiegel, Arnheim et Weber sont désormais vos amis. Partez avec eux pour Vienne, sur l'heure. D'aujourd'hui en dix jours, que l'impératrice et le roi de Rome soient à Gênes, où j'irai moi-même les chercher.

Le comte Boehm porta la main de Frances à ses lèvres et serra celle d'Henri en disant :

– Que Dieu soit avec nous ! J'accomplirai votre ordre ou je mourrai !

– Laurent, poursuivit Henri, mon frère aussi par l'alliance qui va combler le rêve de ma vie, vous n'aviez pas besoin de moi pour gagner le cœur de cette chère enfant qui a voué à mes épreuves une si généreuse affection… Au choix de notre Germaine, je vous laisse en France ou je vous fais mon aide de camp.

– Qu'il soit avec vous ! s'écria Germaine ; je l'attendrai ou j'irai le rejoindre… Puisque je suis la sœur de Jeanne, je veux comme elle être la femme d'un soldat.

– Y a-t-il besoin d'un peintre d'histoire ? demanda Férandeau entre haut et bas.

– Plus tard, répondit Henri, souriant. À notre première bataille, vous choisirez entre le fer et le pinceau… Messieurs, dans une heure, nous serons sur la route de Dieppe ; je veux, avant de partir, donner l'adieu à mon père… Cela fait, je suis tout à vous.

– Votre père !… dit Jeanne. Henri… Madeleine est auprès de lui. Prenez garde !

– Il m'aime, et c'est un chevalier, répliqua Henri, dont le beau visage rayonnait la confiance. S'il y a un nuage, je le dissiperai d'une parole et d'un baiser…

La nuit était sombre et sans lune. Henri sortit seul du Château-Neuf et se dirigea d'un pas rapide vers le vieux manoir, en suivant la route qui borde l'Oise. Comme il traversait le pont du moulin, minuit sonnait à la petite horloge du village. Il s'engageait dans le sentier tournant qui montait à l'esplanade quand il crut entendre au loin le galop d'un cheval. Le bruit venait dans la direction de la Croix-Moraine. Il s'arrêta. Depuis qu'il n'était plus au milieu de tous ces cœurs dévoués, je ne sais quel pressentiment triste s'était glissé dans son âme.

Le cavalier, cependant, descendait la rampe opposée ; il déboucha devant le moulin, mit pied à terre et prit un gros caillou pour frapper à la porte à coups redoublés.

– Holà ! cria-t-il Éveillez-vous ! Je suis un gentilhomme et je vous récompenserai ! Enseignez-moi la route du château de Belcamp ?

Henri avait reconnu tout d'abord la voix et l'accent de Ned Knob. Il mit dans sa bouche ses doigts arrondis et siffla. Le gentleman Ned jeta son caillou, prit son cheval par la bride et traversa le pont.

– Dites-moi seulement où vous êtes, l'ami, grommela-t-il, car j'ai déjà manqué vingt fois de me casser le cou.

Henri sortit de l'ombre d'un chêne.

– Milord ! s'écria le gentleman Ned. On vous croit en prison là-bas !... Je venais prendre langue dans le pays pour trouver un moyen de vous faire parvenir des nouvelles.

– Dis tes nouvelles, ordonna le jeune comte.

Il y en a une triste d'abord, répliqua le petit clerc en composant son maintien, du moins, je pense qu'il est triste pour un gentleman de perdre sa compagne légitime... Ma jolie Molly était devenue veuve depuis le temps, milord. Je n'aime pas les choses à demi faites, vous savez. Nous nous mariâmes au Saint-Antoine, par devant Gillie le Borgne, qui était révérend avant d'aller à Sydney... et je donnai à boire à tout le monde pour prouver mon caractère généreux... Molly, ma femme, s'alluma elle-même, le pauvre bon cœur, en voulant allumer sa pipe. Je ne sais comment cela se fit, mais nous la vîmes tout entourée de flammes bleues comme si le sang de ses veines eût été du rhum... Elle demandait encore un coup à boire..., je la fis plonger dans le puits, votre seigneurie, car l'intelligence ne me manque pas ; mais on la tint trop longtemps sous l'eau et il faudrait être sorcier pour dire au juste si elle fut brûlée ou noyée... Quel soir de noces !... Elle m'avait choisi quand j'étais dans la misère, milord, et j'aurai de la peine à retrouver une femme de sa taille.

Il essuya une larme sincère.

– Je remercie votre seigneurie de m'avoir laissé lui dire cela tout au long, reprit-il. Maintenant, voici les nouvelles. À Londres le ministère est tombé, le lord chef-justice a été remplacé, et l'on a mis sir Paulus Mac-Allan à la porte... Le nouvel intendant de police a déjà été voir deux fois Gregory Temple à sa maison de fous, et M. Wood m'a dépêché à Paris pour vous dire que le gouvernement anglais pourrait bien demander votre extradition ; je pense que c'est le mot. Tout le monde ne ressemblait pas à ma jolie Molly, qui était une pierre quand elle voulait ; les ouvriers de Perkins ont parlé depuis que la forge est éteinte… L'air de la mer vous serait bon, à ce qu'il paraît.

– Est-ce tout ? demanda le jeune comte.

– Non, répliqua Ned ; M. Wood m'a chargé de vous dire ceci en propres termes : Hélène Brown est arrivée à Londres.

Le comte Henri tressaillit si violemment que Ned s'arrêta.

Il reprit sur un ordre muet mais péremptoire :

– Elle était très-malade, très-pauvre, et M. Wood lui a donné de l'argent pour se retirer à la campagne.

– Est-ce tout ? demanda pour la seconde fois Henri ; mais sa voix était altérée.

– C'est tout pour Londres, milord, car je pense que vous avez reçu votre correspondance… Il y avait une lettre d'Afrique… Bien entendu, personne n'en connaît le contenu… quant à ce qui est de Paris, j'ai rencontré sur la route, vers Saint-Denis, toute une escouade de corbeaux… un peu plus loin, c'étaient des gendarmes… ils m'ont interrogé et j'ai répondu que j'étais un jeune lord, secrétaire intime de l'ambassadeur d'Angleterre… il fait bon d'être un garçon comme il faut, voyez-vous !… Corbeaux et gendarmes allaient du même côté que moi ; j'ai supposé que vous ne seriez pas fâché de le savoir.

Le jeune comte réfléchit un instant, puis son doigt étendu désigna les fenêtres du Château-Neuf qui brillaient de l'autre côté de la rivière.

– Que tous ceux qui sont là montent à cheval à l'instant même ! dit-il. Chacun d'eux sait la route qu'il doit suivre. Robert Surrizy seul doit m'attendre en forêt, au carrefour du Bueil. Retenez bien cela et allez porter mes ordres.

Il tourna le dos et continua de monter le sentier de l'esplanade.

Tout au bout du chemin une ombre noire le croisa. Il reconnut la haute taille et le sombre costume de Madeleine.

Il avait un grand poids sur le cœur.

La grille du manoir était tout ouverte, malgré l'heure avancée. Pierre se tenait dans la cour d'honneur, où le chien rôdait d'un pas inquiet, flairant au vent et poussant de temps à autre un hurlement sourd.

Pierre lui dit :

– M. le marquis attend M. le comte.

Dans tout le château, il n'y avait d'éclairé que les croisées de la chambre à coucher du maître. Henri, nous le savons bien, était l'homme du danger ; sa vie entière avait été l'éternelle gageure de l'intrépidité contre le péril. Nous ajouterons que son courage n'était pas de cette banale espèce qui s'escrime avec les poings fermés, avec l'épée ou avec le mousquet. C'était la vaillance sans armes, le sang-froid calme et presque surhumain, passant au travers des risques mortels sans la sueur du combat, sans l'ivresse brutale de la lutte la vaillance des temps modernes, il faut le dire, qui fera désormais les grands hommes et les grands rois, car l'univers ne tressaillira plus longtemps à l'odeur de la poudre, et le dernier bouquet des fleurs de la guerre va se fanant au cabaret. Cette vaillance-là contient l'autre, soyez-en sûrs, parce que quiconque peut le plus peut le moins ; seulement cette vaillance-là regarde la violence comme un argument de bas ordre et de pis aller. Elle va sa route, décente en sa fierté ; le vin ne l'augmente pas, chose qui fait peine quand on parle de l'autre ; son activité pense ; elle meurt en calculant. Je la représenterais, si j'étais peintre ou statuaire, sous la forme d'une belle Minerve, sans bouclier ni lance, et souriante, pensive, au-dessus d'un volcan.

Le comte Henri était ainsi, quel que soit le mystère qui enveloppait sa vie, et malgré le doute qui devait planer sur sa mort. Cette nuit en traversant les longues galeries de la maison de son père, en écoutant le bruit de son propre pas sonnant sur les dalles et dont l'écho lui revenait du fond de l'ombre, il s'étonna de ressentir une impression qui ressemblait à de la peur.

Sa poitrine oppressée éprouva une angoisse inconnue, un voile de deuil passa au-devant de ses yeux…

Pierre ouvrit la porte de la chambre du marquis et s'effaça en annonçant à haute voix :

– M. le comte !

Henri entra. Le lourd battant se referma derrière lui.

C'était tout simple, sans doute, et jamais les choses ne se passaient autrement lors de son séjour au château ; cependant le bruit de cette porte qui se refermait lui donna comme un choc. Il eut vaguement la pensée qu'elle ne devait plus s'ouvrir jamais, – jamais, devant son pas jeune, souple, infatigable et qui se riait de l'espace.

Folie ! chacun de nous a des heures malades. Chez le comte Henri de pareils troubles devaient avoir à peine le temps de naître et s'évanouir aussitôt sous le souffle hardi de sa volonté. Ainsi en arriva-t-il ; son orgueil s'indigna encore plus que son audace ; il secoua ces vagues faiblesses, qu'elles fussent malaise du corps ou pressentiment de l'âme, et se redressa plus indomptable.

Sa force, c'était la douceur. Il se présenta devant son père d'un visage riant et tranquille, mais la vue de son père lui serra de nouveau le cœur jusqu'à la détresse : M. le marquis de Belcamp ressemblait à un homme qui va mourir…

Nous avons tous vu de ces changements formidables qui surviennent en quelques jours, surtout chez les vieillards que l'injure de l'âge avait jusque-là respectés. Ils tombent tout d'un coup, pour employer l'expression populaire. C'est une chute, en effet. Leur pied, hier si sûr, a trébuché contre la marge de ce puits qu'on appelle la mort.

Le marquis de Belcamp était assis au milieu de sa chambre à coucher, devant sa table qui supportait une lampe. Sa chambre, très-vaste et meublée à l'antique, restait sombre aux rayons insuffisants de cette lumière. D'habitude, l'alcôve blanche, avec son lit drapé de mousseline, mettait là quelque gaieté, mais aujourd'hui on ne voyait point l'alcôve. Deux hautes et vieilles tapisseries de la Savonnerie se fermaient sur leurs tringles de fer, opaques et roides comme une cloison.

Il n'y avait ni livres ni papiers devant le vieillard, qui gardait à peu près cette attitude que nous lui avons vue sur son banc de pierre dans l'avenue de Paris, à Versailles. Ses mains blêmes étaient croisées sur ses genoux, et ses yeux éteints se plongeaient dans le vide. À l'autre extrémité de la table, et très-loin de lui, deux lettres étaient posées.

Elles avaient encore leurs cachets intacts.

La lumière de la lampe frappait d'aplomb les rides profondément creusées de son visage. Il y avait moins de torpeur, mais aussi plus de souffrance dans son œil cave et sur ses traits ravagés. Ses paupières prenaient des tons ardents qui brûlaient la pâleur de ses joues.

Les premiers pas d'Henri l'avaient rapproché vivement de son père, mais il s'arrêta, séparé de lui par toute la largeur de la table.

– Avez-vous encore confiance en moi, mon père ? prononça-t-il tout bas et d'un ton de respectueuse tristesse.

– Pourquoi aurais-je perdu ma confiance en vous, monsieur ? demanda le vieillard dont la prunelle eut tout à coup un éclat d'intelligence.

Sa voix était beaucoup plus ferme qu'on n'eût pu le penser à voir l'agonie empreinte sur sa figure et les mortels tremblements de ses membres. Mais son accent aussi contenait je ne sais quel sarcasme sombre qui n'était pas dans sa nature si tendre et si bonne.

– Mon père, mon bien-aimé père, murmura Henri, pendant que je ne pouvais pas me défendre, on m'a calomnié près de vous !

Les muscles rigides de ce visage ne pouvaient plus sourire ; on ne saurait dire comment les traits du marquis exprimèrent, dans leur immobilité, une amère et terrible ironie.

– Calomnié !... répéta-t-il.

Puis il ajouta, tandis que sa voix devenait morne et son regard incertain :

– Ils vous ont acquitté, je sais cela…, mais il y a une autre justice que celle des hommes.

Le comte Henri franchit la distance qui les séparait encore tous deux, et se mit à genoux devant lui.

Le vieillard éprouva comme une secousse. Ses mains quittèrent ses genoux et se tendirent malgré elles. On eût pu voir à cette heure et dans ce seul geste, plus clairement que par une explication ou par une histoire, tout ce qu'il avait fallu de tortures pour dessécher ce cœur.

La passion renaissait, comme l'attouchement galvanique peut rendre pour un instant le mouvement à la mort.

Oh ! il avait aimé, celui-là ! Et comme on fait un cadavre en laissant fluer le sang des blessures béantes, on l'avait tué en lui prenant sa tendresse. C'était ce qui coulait dans ses veines. Son fils ! son âme ! la récompense que Dieu lui avait donnée dans son vieil âge pour des tristesses si longues et si bien résignées, l'enfant de la femme coupable et horriblement perdue jusqu'au fond de l'enfer, mais qu'au fond même de l'enfer il eût voulu, comme Orphée, poursuivre de son miséricordieux amour, Henri, le vivant portrait d'Hélène, Henri, qui avait ses traits adorés et sa voix plus pénétrante qu'une caresse, Henri, la vaillance, la science, l'esprit, la beauté, la noblesse, la tendresse, hélas ! Henri, Henri, qui lui avait payé en quelques jours la dette de joie de toute une longue vie !…

Ses mains frémissantes s'appuyèrent sur les épaules du jeune homme. Deux grosses larmes glissèrent le long de ses joues.

Henri crut sa cause gagnée encore une fois et voulut l'entourer de ses bras ; mais les deux mains de M. de Belcamp se retirèrent, et ses yeux, qui s'ouvrirent tout grands, peignirent une soudaine horreur.

– Assassin !… balbutia-t-il entre ses dents serrées.

Et pendant que l'indignation relevait Henri comme un ressort, il ajouta plus distinctement-:

– N'essayez ni plaidoyer ni fourberie : j'ai vu Hélène Brown, votre mère.

Les joues du jeune comte devinrent livides presque autant que celles de son père, mais il garda sa voix calme et son regard assuré en répondant :

– Je suis puni du seul mensonge que j'aie fait de ma vie.

– Lâche ! murmura le vieillard ; histrion misérable !

Tout ce qui lui restait de sang était autour de ses yeux.

– Tu as tourné en bien ce que tu avais fait d'odieux, poursuivit-il ; tu t'es taillé un manteau d'héroïsme dans ton infamie… Hélène m'a dit toute ta vie, depuis la nuit de Prague jusqu'à une autre nuit où tu abandonnas une mourante, qui était ta mère, dans les sables de l'Australie.

– J'ai fait un mensonge, prononça lentement le jeune comte, pour consoler le cœur de mon père et pour couvrir au moins, comme on accomplit un funèbre devoir, le souvenir de ma mère. Mon mensonge me frappe : c'est justice… Monsieur le marquis de Belcamp, je suis tombé en effet, privé de sentiment, par une nuit terrible, auprès d'Hélène Brown expirée… Je me suis éveillé dans un cachot où l'on m'a dit : Ta mère est morte… Ici n'est pas le mensonge, mais j'ai trahi la vérité quand je vous ai dit qu'Hélène Brown avait eu les repentirs de la dernière heure… La dernière heure d'Hélène Brown, semblable à toutes les heures de son existence, avait épouvanté mon agonie… Hélène Brown était morte, car je la croyais morte, en maudissant et en blasphémant.

Le vieillard n'eut qu'un mot :

– Calomniateur !

Henri dit :

– Hélène Brown est ici, je le sais, car une femme est entrée chez vous et n'en est point sortie. Je lui porte un défi : qu'Hélène Brown se montre et démente mes paroles !

Le vieillard était droit maintenant sur ses jambes roidies. Sa grande taille se déployait dans toute sa hauteur. Il vivait davantage et c'était par la colère. Ses sourcils se froncèrent au-dessus de ses yeux qui brûlèrent une lueur sombre.

– Qu'êtes-vous venu faire ici ? demanda-t-il rudement au lieu de répondre.

– Prendre congé de vous, monsieur répliqua Henri, car je vais entreprendre un long et périlleux voyage.

– Y a-t-il au loin quelque femme à étouffer dans son lit ? prononça M. de Belcamp avec un sarcasme aigu.

Il porta en même temps la main à son cœur. Avec la vie, la souffrance revenait. Sous ses cheveux blancs, son front tressaillait. Tantôt sa prunelle était morne, tantôt elle lançait un éclair sauvage.

– Sortez, poursuivit-il ; votre châtiment est au dehors…

Henri se prosterna de nouveau.

Le marquis répéta avec emportement :

– Sortez !

Comme Henri allait obéir, portant écrite sur son visage éloquent toute la respectueuse pitié que ne disait point sa bouche, le vieillard allongea vers lui sa main ferme désormais et répéta :

– Lâche histrion !

Cela n'arrêta point Henri, dont le noble visage conserva sa douloureuse gravité.

Si celui-là était un comédien, c'était un comédien sublime !

Il fit un pas vers la porte. La voix de son père l'arrêta.

– Avant de partir, disait le marquis, ne dépouillez-vous point votre correspondance ?

Il montrait du doigt les deux lettres cachetées qui étaient à l'autre bout de la table. Les veines de ses tempes étaient gonflées. Il pouvait marcher et gesticuler librement. Il fit plusieurs pas dans la chambre, comme pour essayer cette force inattendue qui lui revenait par miracle.

Henri prit les deux lettres et en examina les timbres. Un rouge vif remplaça la pâleur de ses joues.

– Y a-t-il là-dedans une lettre blanche, monsieur ? demanda le vieillard d'un ton provoquant ; une lettre sans écriture, et dont le perfide silence veuille dire : Étouffez, empoisonnez ou poignardez !

Henri rompit le premier cachet.

Le vieillard poursuivit, car sa fièvre lui mettait des paroles dans la bouche comme une ivresse :

– J'avais reçu pour vous, le jour de ma fête, une de ces lettres blanches…

– Elle était d'Hélène Brown, monsieur, l'interrompit Henri. Si vous me l'aviez donnée, je vous aurais dit d'avance tous les malheurs qui ont frappé notre maison… J'ai péché par mensonge une fois, une fois par omission ; je n'ai pas voulu vous parler de Tom Brown, l'autre fils d'Hélène… Si la justice avait eu entre les mains la lettre blanche qu'ils m'avaient adressée pour qu'on la trouvât précisément sur moi ou dans mes papiers, car ce piège était le complément de toutes leurs autres embûches, j'aurais été condamné à mort.

M. de Belcamp fit quelques pas encore, puis il s'assit auprès de la fenêtre ; sa main pressa ses tempes ardentes ; il écoutait. L'effort qu'il faisait maintenant, était pour repousser un doute. Les dernières paroles d'Henri l'avaient frappé ; il attendait peut-être déjà ce plaidoyer que naguère il refusait d'entendre.

Mais le regard d'Henri était tombé malgré loi sur la première lettre ouverte. Il ne parlait plus. Une angoisse terrible décomposait son visage.

La lettre était de San-Salvador, au Congo, et avait six semaines de date. Elle portait en substance que les naturels des bords du Zaïre avaient incendié sur chantier une frégate en construction, percée de

48 sabords et aménagée pour recevoir une machine à vapeur de la force de 800 chevaux.

Henri restait comme frappé de la foudre ; la lettre tremblait dans sa main.

– Vous annonce-t-on la grande nouvelle ? demanda le marquis, dont la pensée vacillante avait tourné au vent de sa fièvre ; ou bien avez-vous entendu le pas des chevaux ?… moi, voici longtemps que j'écoute… Les gendarmes sont dans le parc.

– Les gendarmes !… murmura le jeune comte avec le sourire des désespérés.

Son regard, où il y avait un reproche et une menace, se leva vers le ciel.

Il déchira d'une main convulsive l'enveloppe de la seconde lettre. Elle était de Wood, arrivée de la veille, et disait :

« J'apprends en Bourse que le trois-mâts l'*Aigle* a sombré sous voiles, et s'est perdu corps et biens par le travers des Açores… »

– Ils viennent !… dit M. de Belcamp qui prêtait l'oreille, Madeleine ne m'avait pas menti !

Henri se laissa choir et prit sa tête entre ses mains.

– Dieu ne veut pas de tache à son glaive ! murmura-t-il.

Il entendit son père qui se dressait sur ses jambes et qui marchait. La fenêtre fut ouverte, puis refermée. Mais que lui importait cela ?

Le grand naufrage de sa pensée lui donnait le vertige.

Il voyait mieux, en ce moment, les splendeurs de son rêve. Un mirage, rapide comme la pensée, lui montrait avec une prestigieuse netteté le géant de Saint-Hélène fondant la France asiatique dans ce paradis des Indes. Rien n'est radieux comme le bien qu'on a perdu ; l'Inde avec toutes ses merveilles fuyait devant un nuage diamanté.

Son père prit la lampe sur la table.

De Calcutta conquise, une flotte partait, la première flotte à vapeur : des forteresses chargées de canons, mais qui dépassaient en courant contre le vent la vitesse de l'étalon du désert ; c'était la France encore, la France souveraine des mers ; c'était Napoléon amplifiant les épopées d'Alexandre le Grand, de César et de Gengis-Khan, Napoléon, qui touchait en passant l'Angleterre de sa foudre, et qui venait sacrer Paris capitale de l'univers...

Les rideaux de l'alcôve glissèrent en grinçant sur leurs tringles.

Henri écoutait là-bas, au lointain du songe, l'écho de son nom, qui s'entendait même dans le grand fracas du nom de l'empereur !

– Regardez ! lui ordonna le vieillard, qui se tenait debout à l'entrée de l'alcôve dont la lampe éclairait la profondeur.

– Ma mère ! dit Henri, qui s'éveilla de son rêve en un grand cri.

Il y avait sur le lit une femme morte.

– Ta mère, qui a le crucifix sur la poitrine, prononça le marquis, dont les yeux s'égaraient ; ta mère, que tu viens de calomnier !

Elle était belle encore dans ce suprême sommeil, quoique les passions qui avaient dégradé sa vie eussent laissé sur son visage leurs traces redoutables.

Henri joignit les mains et voulut s'approcher. Le vieillard lui barra le passage.

– Elle est purifiée maintenant ! prononça-t-il avec emphase. Jean Diable, c'est elle qui m'a dit ton vrai nom !

J'ai passé mes nuits et mes jours près d'elle. Regarde-moi :

Jamais je ne l'ai tant aimée ! L'agonie se gagne, entends-tu ?

Je vais mourir pour vous avoir adoré tous les deux !

– Mon père ! mon bon père !... voulut l'interrompre le jeune comte.

Car il voyait en quelque sorte le transport qui lui montait au cerveau.

– Tais-toi ! commanda le vieillard. Je suis calme. Ta voix m'entre dans le cœur comme la dent d'un serpent... Vous aviez la même voix..., je ne l'entendrai plus... Gregory Temple avait raison... Jean Diable... Hélène Brown... et je suis le marquis de Belcamp !

Le souffle s'embarrassait dans sa poitrine, et sa gorge ne rendait plus que des sons étranglés.

On sonna bruyamment à la grille.

Le père et le fils croisèrent leurs regards.

Le père dit froidement :

– C'est pour vous... mais, cette fois, je serais obligé de témoigner contre vous... Je ne veux pas... ils vous ont acquitté dans leur tribunal... Au château de Belcamp, vos pères étaient juges aussi : moi, je vous condamne, et voilà mon verdict !

D'un geste rapide et violent, qu'on n'eût point attendu de sa faiblesse, il prit un pistolet sous le revers de son habit et l'arma.

On avait pu entendre au loin la grille s'ouvrir et se refermer.

Mais le temps de lever l'arme, Henri, la puissance même et la force souple de la jeunesse, avait fait un bond de tigre, silencieux, facile, énorme ! Il tenait dans sa main le frêle poignet du vieillard, qui s'affaissa épuisé, sans même presser la détente.

Henri avait saisi le pistolet. Il soutenait son père, qui râlait et qui avait du sang à ses lèvres livides.

– Lâche ! sois maudit ! cria M. de Belcamp dans un suprême effort ; – sois maudit, parricide !

Henri le déposa sur un fauteuil, au pied du lit, et s'agenouilla devant lui.

– Soyez béni, vous, mon père, dit-il avec ce beau sourire que le vieillard voyait dans ses rêves autrefois, vous, mon bien-aimé père, pauvre cœur torturé, soyez béni ! soyez béni, martyr de l'honneur et de la tendresse ! Je ne peux plus vous dire ce que je suis, l'avenir m'absoudra ; d'autres vous apprendront quelle était ma tâche en cette vie, ma tâche, digne de nos aïeux chevaliers... Mon père, ce ne sont pas les hommes qui m'ont vaincu ; la main de Dieu a pesé dans la balance. Si la grande bataille n'était pas perdue sans ressources, je me défendrais même contre votre faiblesse et j'appellerais de votre arrêt. Ma vie est à moi, ici comme partout, et je me suis joué de bien autres périls..., mais la lutte est terminée, car je n'ai plus l'avance sur mon ennemi. L'Angleterre peut forger désormais des armes semblables aux miennes, et, les armes étant égales, je ne serais plus qu'un insensé combattant seul contre toute une nation... Je voulais Jeanne dans mon bonheur et dans ma gloire ; dans ma chute je ne veux que moi-même... Que ma Jeanne bien-aimée soit heureuse avec celui qui est brave et doux, avec mon ami de quelques jours, mon frère par l'épée et par le cœur, Robert Surrizy... Dites-leur que je les unis dans ma dernière pensée...

– Mon père, s'interrompit-il en se levant tranquille et fier, les Belcamp qui jugeaient ici n'étaient pas des bourreaux. Mon sang resterait à votre main ; je veux que vous puissiez vivre. Vous avez rendu la sentence, soyez obéi, je l'exécute.

Il appuya le canon du pistolet contre sa tempe et pressa la détente au moment où les bottes éperonnées des gendarmes sonnaient sur le pavé du corridor.

Et il tomba tout jeune, beau et grand comme son rêve ; le vent du pistolet avait à peine dérangé les boucles de ses cheveux blonds ; il tomba donnant à la mort ce vaillant sourire dont naguère il saluait l'espoir, la liberté, la vie ; il tomba en répétant :

– Soyez béni, mon père !

XXI

Révélations

Jeanne prit le deuil de veuve. Le marquis de Belcamp l'appela sa fille, mais elle n'eut pas longtemps à lui donner ses soins, car il ne se releva jamais des coups terribles que lui avait portés cette fatale nuit. Il s'éteignit quelques semaines après avec le nom d'Henri sur les lèvres, et dans les circonstances suivantes :

C'était la fin du mois de septembre. Jeanne guidait les pas chancelants du vieillard dans une allée du parc. Au détour du sentier, ils se trouvèrent face à face avec un homme qui resta tête nue devant le marquis. Ils se regardèrent longtemps en silence : vous n'eussiez point su dire lequel des deux ressemblait le plus à un fantôme.

Le vieillard dit enfin :

– Gregory Temple, je vous reconnais ; que voulez-vous de moi ?

– Je viens vous dire, Armand de Belcamp, répondit l'ancien intendant supérieur de la police de Londres, que notre orgueil n'est qu'humiliation, notre sagesse folie, notre lumière ténèbres. Un homme a été condamné à mort vendredi dernier par les juges de la session. On l'a pendu mercredi. Il se nommait Tom Brown. Sur l'échafaud, il s'est déclaré coupable du meurtre de Maurice O'Brien à Prague et du meurtre de Constance Bartolozzi à Londres... Cet homme était le fils d'Hélène Brown.

Le marquis s'affaissa dans les bras de Jeanne, qui levait les yeux au ciel et qui pleurait.

– Ô Madeleine ! Madeleine !..., murmura-t-il en un suprême sanglot.

Un gémissement lui répondit. La paysanne était prosternée derrière lui, le visage caché sous son capuce noir et baisant la terre à ses pieds.

On porta le marquis de Belcamp dans son lit, où il languit encore trois jours.

La mort de Tom Brown éclairait une portion du mystère. Le fils d'Hélène et de Gregory Temple prenait pour lui le meurtre du général et celui de la comédienne.

Mais les autres meurtres qui chargeaient le compte de Jean Diable ?

Il ne nous appartient pas d'ajouter rien à la lettre même de cette bizarre légende du dix-neuvième, siècle, qui commence dans la nuit et finit dans le mystère.

Nous ferons remarquer seulement qu'Hélène Brown et par elle son fils Tom étaient les héritiers des deux brasseurs Turner et Robinson. Henri de Belcamp seul les séparait d'une fortune de neuf millions ; ils avaient intérêt évident à le perdre. Quant au double crime accompli à Paris, Noll Green et Dick de Lochaber ne connaissaient qu'un maître Tom Brown.

Dans le pays où se passèrent les événements que nous avons racontés, aucun doute ne subsiste, et la mémoire du comte Henri de Belcamp est l'objet d'un culte pour tous ceux qu'éblouit son rapide passage dans la vie.

Ce fut à la fin de cette même année 1817 que l'amirauté anglaise mit sur chantier le premier navire de guerre à vapeur.

XXII

Le testament de Jean Diable

Vers le milieu du mois d'octobre, cette même année, quatre jeunes gens habillés de noir et quatre belles jeunes femmes en deuil, dont l'une portait un enfant dans ses bras étaient réunis sur le quai, dans le petit port de Saint-Valéry-sur-Somme. À marée haute, ils montèrent à bord d'un lougre caboteur qui sortit du port avec le commencement du jusant, et mit le cap au large.

La mer était belle et la brise soufflait d'amont.

À trois ou quatre lieues en mer, une goëlette à vapeur, sous pavillon américain, courait des bordées en se jouant. Quand le lougre eut franchi les passes et doublé le Hourdel, la goëlette, virant de bord, se dirigea vers lui. Les deux navires accostèrent par le travers de Bayeux, et les passagers du lougre montèrent bord de la goëlette.

Ce dernier bâtiment n'avait plus à son arrière le nom de *Délivrance.* Il portait seulement deux initiales blanches sur un fond noir, J. D.

Le caboteur louvoya vers la terre ; la goëlette força de vapeur, et, comme un cheval de race à qui l'on rend la main, elle bondit vers l'ouest en coupant le courant de la Manche.

Sur le pont il y avait un équipage nombreux et grave. La goëlette aussi semblait en deuil.

Les passagers formaient quatre couples, dont trois étaient unis par les liens du mariage : c'étaient Suzanne Temple et Thompson, Germaine et Laurent, Sarah O'Brien et Frédéric Boehm. La jeune femme et le jeune homme, qui n'étaient point mariés, avaient nom Jeanne Balcomb et Robert Surrizy.

Le matin du jour suivant vit la goëlette hors de la Manche, inclinant sa route au sud-sud-ouest pour ranger la côte d'Espagne et prendre le grand chemin des Indes.

Là-bas, de l'autre côté de l'équateur et dans l'immensité solitaire de l'océan Atlantique, un rocher sortit de l'ombre, aux premiers rayons du soleil matinier, soleil triste à force de splendeur, et dont l'éclat brûle la terre comme le baiser de Jupiter incendiait ses amours. C'était au mois de novembre. Il y avait plus de trois semaines que nos passagers avaient quitté le rivage de France.

Le long de ce rocher, quelques maisons alignaient leurs toits carrés et bas, surmontés du pavillon britannique. En rade, il y avait des vaisseaux de guerre qui portaient aussi le yacht anglais à leur poupe. Çà et là, dans les pierres grises, au-dessus des parapets à fleur de sol, vous eussiez pu voir un mousquet briller au bras d'une sentinelle en habit rouge.

Mais, du plus haut sommet du grand mât d'un vaisseau à trois ponts, vous ne l'auriez pas même aperçue, cette cage de Longwood, où languissait le lion prisonnier.

Un homme sortit de la maison mélancolique par la petite porte qui donnait sur le *pleasure ground.* Cet homme avait l'air d'un jardinier. Le factionnaire présenta les armes : c'était l'empereur.

Il avait obtenu qu'il n'y eût point de sentinelle dans son enclos ; mais en dehors, à toutes les issues, l'hospitalité anglaise veillait.

L'empereur avait un livre à la main et sa longue-vue sous le bras. Il s'assit à l'ombre maigre d'un bouquet de fougères arborescentes, et de façon à ne point voir l'uniforme anglais. Il ouvrit son livre et tâcha de lire. Mais il rêva.

Au bout d'une heure, des cris joyeux le tirèrent de sa méditation. C'était tout le peuple enfantin de la petite colonie française qui allait, riant et jouant, le long de l'enclos.

Une fillette aux belles boucles d'or aperçut l'empereur, et, quittant ses camarades, elle vint mettre sa tête blonde sur ses genoux.

C'était la fille du fidèle B..., la favorite de l'empereur.

Ils causèrent. L'enfant demanda :

– Pourquoi es-tu plus triste aujourd'hui que de coutume sire ?

L'empereur sourit et répondit :

– Le vent souffle de France.

Puis, baignant ses mains délicates et toujours fines, malgré l'embonpoint qui le prenait, dans les cheveux bouclés de l'enfant, interrogeant à son tour :

– Sais-tu tes prières, fillette ?…

Le brave général B… n'était pas un chrétien très-fervent. La petite répartit en riant :

– À quoi cela sert-il ?

Puis elle ajouta, hardie comme l'enfance :

– Et toi, sais-tu les tiennes ?

Le général Montholon approchait, avec un permis de promenade sur les hauteurs. – Car il fallait une licence signée Hudson-Lowe pour franchir les bornes de la petite propriété de Longwood.

L'empereur monta seul et lentement le sentier qui conduisait aux sommets de la chaîne des collines, d'où son regard aimait à contempler la mer.

La brume mélancolique dont parle si souvent le *Mémorial* se dissipait sous les rayons du soleil ; au loin l'Océan étincelait. Il n'y avait pas un seul navire en vue sur toute l'étendue de la mer, sauf les embarcations anglaises, à l'ancre dans la rade.

L'empereur s'assit, ombrageant son visage triste sous les vastes bords de son chapeau de paille.

Et il laissa ses regards errer à l'horizon.

Derrière cette terrible muraille du lointain, il y avait non-seulement le spectre de la gloire et de la puissance, non-seulement l'appel de la liberté, non-seulement le sourire de la patrie, mais encore les deux plus grands amours que puisse contenir le cœur d'un homme : une jeune femme, un cher enfant…

Il n'eût pas été au pouvoir de Napoléon lui-même, libre et assis de nouveau sur un trône, d'augmenter sa gloire militaire ; son testament affirme qu'il avait renoncé à toute espérance politique, – mais sa femme, mais son fils, mais la France !…

Était-ce un nuage, cependant, qui se détachait là-bas entre le double azur du ciel et de la mer ?

Ou n'était-ce pas plutôt ce miracle du génie humain, cette œuvre prodigieuse du siècle inventeur, le premier steamer, la *Délivrance*, précédant sans doute la flottille plus lourde et venant dire au captif : Soyez prêt ?

Oh ! c'était bien un navire, car la longue-vue distinguait un point opaque et noir au milieu du nuage.

Le cœur du géant vaincu dut bondir étrangement dans sa poitrine. Et quel songe eut à ce moment son génie ?

Et malgré les promesses des heures résignées, quels plans de bataille jaillirent tout à coup au choc de cet espoir ? quels vastes mouvements d'armées ? quels bouleversements de la carte du monde ?

Le navire approchait, on distinguait ses deux mâts sans voiles, séparés par cette cheminée sombre d'où sortait la chevelure de fumée.

Il approchait, rapide comme un souhait ; il grandissait ; on voyait déjà l'écume blanchir à ses flancs !

Il approchait trop ; pourquoi cette bravade inutile les navires de la rade l'avaient signalé. Un coup de canon parti du fort grondait d'échos en échos, et il approchait toujours.

Deux frégates anglaises se couvraient de toile, deux bricks appareillaient, couronnés de blancs flocons ; et l'artillerie de la rade rendait le signal aux batteries du fort.

Le navire ne changeait point sa route ; il approchait. Était-ce une illusion de ce ciel vertigineux ? Les trois couleurs montaient à sa corne le drapeau éblouissant de tant de victoires !

Et le canon aussi, le canon français celui-là, affirmait par une salve le pavillon impérial.

Était-ce donc une estafette officielle arrivant, le visage découvert, pour annoncer une seconde révolution française, une première révolution européenne peut-être ?

L'escadre anglaise manœuvrait déjà pour mettre la goélette entre deux feux.

La goélette s'arrêta enfin. Elle était si près que l'empereur put voir sur le pont des uniformes de sa garde. À un moment, toutes les têtes se découvrirent ; l'équipage, la main sur le cœur, dut pousser un cri dont l'écho ne vint pas jusqu'à l'île. Le drapeau tricolore s'abaissa lentement. Un pavillon noir flotta.

Puis la goélette tourna sur elle-même et prit chasse, élargissant en quelques minutes la distance qui la séparait des Anglais.

La dernière volonté du comte Henri de Belcamp était accomplie à la lettre. Quand le nuage disparut à l'horizon, l'empereur regarda plus haut et pensa au ciel.

Il redescendit à Longvood. La fillette blonde vint lui tendre ses joues ; il lui dit :

– Enfant, tu demandais à quoi cela sert, la prière. Pour une chérie comme toi, cela sert à vivre… pour un condamné comme moi, cela sert à mourir.

FIN

Milton Keynes UK
Ingram Content Group UK Ltd.
UKHW031838310823
427750UK00009B/258